JN071026

2025年版

編著 1級電気工事施工管理技士
教材研究会
発行 建築資料研究社

日建学院

1級 電気工事施工管理技士
第一次検定 基本テキスト

はじめに

　施工管理技術検定試験は、建設業法第 27 条に基づき、建設工事に従事し又は従事しようとするものを対象に、施工技術を管理する十分な資質を有しているかどうかを判定するために、第一次検定と第二次検定がそれぞれ独立して行われる国家試験です。

　現在、技術検定試験の種目としては、建設機械施工管理、土木施工管理、建築施工管理、電気工事施工管理、管工事施工管理、造園施工管理、電気通信工事施工管理の 7 種目があり、それぞれ 1 級及び 2 級に区分されています。

　1 級電気工事施工管理技術検定試験は、国土交通大臣から指定試験機関の指定を受けた一般財団法人建設業振興基金が実施しています。この第一次検定に合格すると、施工技術のうち、基礎となる知識・能力を有する「技士補」、第二次検定に合格すると、実務経験に基づいた技術管理や指導監督にかかる知識や能力を有する「技士」の称号が付与されます（令和 3 年 4 月 1 日施行の改正建設業法の政令に基づく新試験制度）。

　本書は、旧制度の「学科試験」ならびに新制度の「第一次検定」に出題された問題の分析により、電気工学、電気設備、関連分野、施工管理法及び法規の分野にわたって、合格に必要な学習項目を網羅・解説した試験対策用の基本テキストです。

　本書ならびに過去 10 年分の「学科試験」「第一次検定」過去問題を解説した「1 級電気工事施工管理技士 第一次検定対策問解説集」を併用して第一次検定に向けて学習されることをお勧めいたします。

　なお試験に関する情報は、試験実施機関の HP などで公開されますので、詳細につきましては下記をご確認ください。

一般財団法人建設業振興基金　試験研修本部
〒 105-0001　東京都港区虎ノ門 4-2-12　虎ノ門 4 丁目ＭＴビル 2 号館
電話　03-5473-1581　　FAX　03-5473-1592　　HP　https://www.fcip-shiken.jp/

1 級電気工事施工管理技士教材研究会

目次

第1章　電気工学

第2章　電気設備

第3章　構内電気設備

第 **1** 章

電気工学

1-1 ▶ 電 気 理 論

1 ▶ 電 気 物 理

(1) 電流・電気量

電荷の持つ電気の量を電気量といい、単位はクーロン〔C〕を用いる。電流の単位はアンペア〔A〕を用いるが、これは1クーロンの量の電気が1秒間に流れるときの流れの強さを1〔A〕としている。

(2) オームの法則

「電気回路を流れる電流 I の大きさは、加えられた電圧 V に比例し、導体の抵抗 R に反比例する。」これをオームの法則という。

$$I = \frac{V}{R}、\qquad V = IR、\qquad R = \frac{V}{I}$$

(3) 電気抵抗

「導体の電気抵抗は、断面積に反比例し、長さに比例する。」
図1・1・1に示すように導体の断面積を S 〔m^2〕、長さを l 〔m〕、抵抗率を ρ 〔Ω・m〕とすると、抵抗 R 〔Ω〕は次のように表される。

$$R = \rho \times \frac{l}{S} \ 〔Ω〕$$

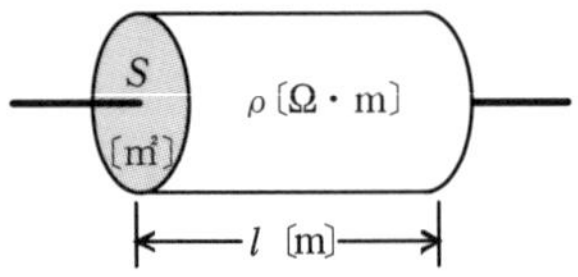

図1・1・1　導体の電気抵抗

ポイント

オームの法則
$$I = \frac{V}{R}$$

H30

ポイント

電気抵抗
断面積に反比例し、長さに比例する

H27

（4）電力と電力量

　電気回路において1秒間当たりに行われる仕事の量を**電力**または**消費電力**といいワット〔W〕で表す。

　いま V〔V〕の電圧を加えて I〔A〕の電流が t 秒間流れ Q〔C〕の電荷が移動したときの電力 P〔W〕は次式で表される。

$$P = \frac{VQ}{t} = \frac{VIt}{t} = VI \text{〔W〕　または　〔J/S〕}$$

　また、オームの法則を使うと次式のように変形することができる。

$$P = VI = I^2R = \frac{V^2}{R}$$

　次に、ある電力で一定時間内になされた電気的な仕事を**電力量**という。

　t 秒間になされた電力量 W は次式で表される。

　$W = Pt = VIt$〔J〕　または　〔W・S〕

ポイント

電力量 $W = VIt$〔J〕

（5）効率

　一般に、供給されたエネルギー（入力）に対して、有効に使用されるエネルギー（出力）は、損失があるため常に減少する。

　エネルギーが有効に使用される割合を**効率**といい次式で表される。

$$効率 = \frac{出力}{入力} \times 100 = \frac{入力 - 損失}{入力} \times 100 = \frac{出力}{出力 + 損失} \times 100 \text{〔％〕}$$

（6）ジュールの法則

　R〔Ω〕の抵抗に I〔A〕の電流を t 秒間流したとき、抵抗内に消費される電力量 W は、次式で表される。

　$W = Pt = RI^2t$〔J〕　または　〔W・S〕

　この電気エネルギーは、すべて熱エネルギーに変換されることが、実験的に証明されている。これを**ジュールの法則**という。

ポイント

ジュールの法則
電力量 $W = RI^2t$〔J〕

R06　R04　R01

(7) 熱電気現象

① ゼーベック効果

　2種類の金属線で1つの閉回路を作り、その2つの接続部を異なる温度に保持すれば、2つの金属の接触によって生じる接触電位差が温度によって異なるため、回路内に起電力が生じて電流が流れる。この現象をゼーベック効果という。

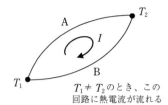

$T_1 \neq T_2$ のとき、この回路に熱電流が流れる

図1・1・2　ゼーベック効果

　この発生した起電力を熱起電力、流れる電流を熱電流といい、2種の導体を組み合わせたものを熱電対という。

② ペルチェ効果

　2種類の金属の組合せからなる回路に電流を流すと、接続点に熱の吸収あるいは発生が生じる。熱電流と同じ方向に外部から電流を流すと、高温の接続点では熱の吸収が起こり、低温の接続点では熱の発生が起こる。この現象をペルチェ効果という。

③ トムソン効果

　同一の金属の組合せからなる回路の2点間に温度差があると、電流の通過によって温度差と電流の積に比例した熱の発生または吸収が生じる。この現象をトムソン効果という。

④ ピンチ効果

　導電性液体などに電流が流れると、導体断面には磁界ができ、導体が移動しようとする力が働く。磁界と電流の間には、電流を中心に引き寄せようとする力が生じ、導体は収縮する。この現象をピンチ効果という。

ポイント
- ・ゼーベック効果
- ・ペルチェ効果
- ・トムソン効果
- ・ピンチ効果

2▶ 電 気 磁 気

(1) 電流による磁界

図1・1・3に示すように、1本の導体に電流を流すと、導体の周りに同心円状に磁界が発生する。電流の進む方向と磁界の回転方向の関係は、ねじを回したときのねじの進む方向とねじの回転方向の関係に等しい。これを右ねじの法則と呼ぶ。

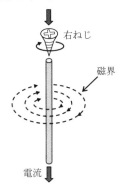

図1・1・3　右ねじの法則

(2) 導体に働く力

図1・1・4に示すように、2本の平行導体が r〔m〕の間隔で置かれ、導体Aに電流 I_1、導体Bに I_2 が流れる場合、片側の導体に1m当たり働く力 f〔N/m〕は、次式で表される。

$$f = \frac{\mu_0 I_1 I_2}{2 \pi r} \qquad \mu_0：真空の透磁率$$

2本の導体に同一方向に電流が流れる場合は、互いに**吸引力**が生じ、反対方向に流れる場合は、互いに**反発力**が生じる。

その力の大きさは I_1、I_2 の積に比例し、導体間の距離に反比例する。

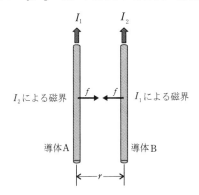

図1・1・4　平行導体に働く力

(3) ヒステリシスループ

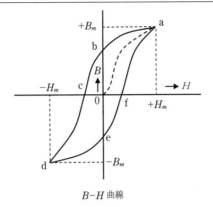

$B-H$ 曲線

図1・1・5　ヒステリシスループ

磁化されていない磁性体に磁界を加える時、磁界の強さ〔A/m〕を徐々に増加していくと、**磁束密度B〔T〕**は、図1・1・6の$B-H$曲線に従って0点から増え、a点に達し飽和する。この状態からHを減らしていくと、Bは前と同じ曲線とならず、a→bのように変化する。

b点ではHがゼロであるにも関わらず磁性体のBはゼロにならず磁気が残る。これを**残留磁気**といい、この値が大きければ強い永久磁石となる。

次に電流の向きを変えてHを逆方向へ増やしていくと、Bはb→c→dのように変化し、d点で飽和する。なお、磁性体のBがゼロになるc点のHを**保磁力**と呼ぶ。

このように磁化力Hが$+Hm$から$-Hm$までの範囲で一つの閉曲線を描く。この曲線を**ヒステリシスループ**といい、このループの面積に比例して磁性体内部でエネルギー損失（ヒステリシス損失）が発生する。

(4) フレミングの左手の法則

左手の人さし指、中指、親指を互いに直角に曲げ、人さし指を磁界の方向、中指を電流の方向に向ければ、親指の方向が電磁力の方向になる。これを**フレミングの左手の法則**という。

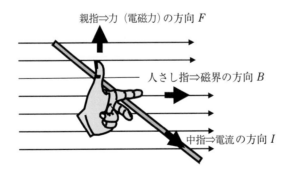

親指⇒力（電磁力）の方向 F

人さし指⇒磁界の方向 B

中指⇒電流の方向 I

図1・1・6　フレミングの左手の法則

ポイント

ヒステリシスループ（$B-H$曲線）

R02

ポイント

フレミングの左手の法則
　人さし指（磁界の方向）
　中指（電流の方向）
　親指（電磁力の方向）

（5）フレミングの右手の法則

　右手の人さし指、親指、中指を互いに直角に曲げ、人さし指を磁束の方向、親指を導体の運動の方向に向ければ、中指の方向が導体に生ずる起電力の方向を示す。これを**フレミングの右手の法則**という。

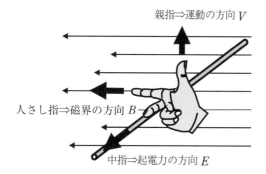

親指⇒運動の方向 V

人さし指⇒磁界の方向 B

中指⇒起電力の方向 E

図1・1・7　フレミングの右手の法則

（6）電磁力の大きさ

　図1・1・9に示すように、磁束密度 B〔T〕の平等磁界中に、磁界の向きに対して θ の角度にある、長さ L〔m〕の直線導体に、I〔A〕の電流を流したとき、導体に生ずる電磁力の大きさ F〔N〕は次式で表される。

$$F = BIL\sin\theta \ \text{〔N〕}$$

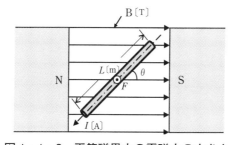

B〔T〕

L〔m〕　θ

N　　　F　　S

I〔A〕

図1・1・8　平等磁界中の電磁力の大きさ

（7）ファラデーの電磁誘導の法則

　コイルに磁石を近づけたり離したりすると、コイルに電流が流れる。このようにコイルを貫く磁束が時間的に変化するとき、コイルには起電力が発生する。この現象を**電磁誘導**といい、この起電力を**誘導起電力**、流れる電流を**誘導電流**という。

　電磁誘導によって、一つの回路に生じる起電力の大きさは、その回

ポイント

フレミングの右手の法則
　人さし指（磁界の方向）
　中指（起電力の方向）
　親指（運動の方向）

補　足

ファラデーの電磁誘導の法則
ファラデーは実験的に「1つの回路に鎖交する磁束が変化するとき、その磁束の変化の割合に比例した起電力が、その回路に誘導される。」という結論を得た。

路を貫く磁束の時間的変化の割合とコイルの巻数に比例する。その方向は起電力によって回路に電流が流れたときに生じる磁束がもとの磁束変化を妨げるような方向を向く。これをファラデーの電磁誘導の法則という。

誘導起電力 e〔V〕の大きさは、次式で表される。

$$e = -N\frac{\varDelta\varPhi}{\varDelta t}\text{〔V〕}$$

　　N　：コイルの巻数
　　$\varDelta\varPhi$：磁束の変化分〔Wb〕
　　$\varDelta t$　：時間〔s〕

(8) レンツの法則

「電磁誘導によって生じる起電力の向きは、起電力によって流れる誘導電流のつくる磁束が、もとの磁束の変化を妨げる方向に発生する。」これをレンツの法則という。

ポイント

レンツの法則

(9) 自己インダクタンス

環状コイルを例にとる。下図において、巻数 N のコイルに流れる電流 I が $\varDelta t$ 秒の間に $\varDelta I$ だけ変化し、コイルを貫く磁束 ϕ〔Wb〕が $\varDelta\phi$ だけ変化したとすると、電磁誘導によって生じる誘導起電力 e〔V〕は、次式で表される。

$$e = -N\frac{\varDelta\phi}{\varDelta t}$$

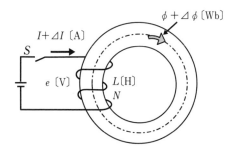

図1・1・9　自己誘導による起電力

ここで、鉄心の透磁率 μ を一定とすれば磁束は電流に比例するから、電流の変化 $\varDelta I$ と誘導起電力 e との関係式は、次のようになる。

$$e = -N\frac{\varDelta\phi}{\varDelta t} = -L\frac{\varDelta I}{\varDelta t}\text{〔V〕}\qquad(L\text{ は比例定数})$$

　この比例定数 L を自己インダクタンスといい、単位にヘンリー〔H〕を用いる。1秒間に1Aの電流が変化したとき、1Vの誘導起電力を生じさせる自己インダクタンスが1Hである。

　上式から、自己インダクタンスは次のように表せる。

$$L = \frac{N\varDelta\phi}{\varDelta I}\ \text{〔H〕}$$

R03　H29

　また、磁束鎖交数の変化がコイルに流れる電流の変化に比例するとすれば、

$$L = \frac{N\phi}{I}\ \text{〔H〕}$$

R06

となり、自己インダクタンスは1Aあたりのコイルの磁束鎖交数に等しいことがわかる。

(10) 相互インダクタンス

　図のように、一つの環状鉄心に巻かれたA、B2つのコイルがある。コイルAの電流 I_1〔A〕を変化させると、コイルA自身に自己誘導による起電力 e_1〔V〕が発生するが、それと同時に、コイルBにも起電力 e_2〔V〕が発生する。このような現象を相互誘導という。

H27

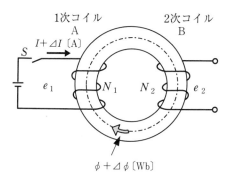

1次コイル　　　　2次コイル
A　　　　　　　B

$I+\varDelta I$〔A〕

S

e_1　　N_1　　N_2　　e_2

$\phi+\varDelta\phi$〔Wb〕

図1・1・10　相互誘導

　この場合、一次コイルAに流れる電流 I_1 が $\varDelta t$ 秒間に $\varDelta I_1$〔A〕だけ変化したとすると、二次コイルBを貫く磁束 ϕ_1〔Wb〕も $\varDelta\phi$ だけ変化し、誘導起電力 e_2〔V〕は次式で表される。

$$e_2 = -N_2\frac{\varDelta\phi}{\varDelta t}\ \text{〔V〕}$$

　ここで、鉄心の透磁率 μ を一定とすれば磁束は電流に比例するから、電流の変化 ΔI と誘導起電力 e_2 との関係式は、次のようになる。

$$e_2 = -N_2 \frac{\Delta \phi}{\Delta t} = -M \frac{\Delta I}{\Delta t} \ [\mathrm{V}] \qquad (M \text{は比例定数})$$

　M を**相互インダクタンス**といい、相互誘導の働きの程度を表す。相互インダクタンスは上式から次のように表せる。

$$M = \frac{N_2 \Delta \phi}{\Delta I} \ [\mathrm{H}]$$

　また、磁束鎖交数の変化がコイルに流れる電流の変化に比例するとすれば、相互インダクタンス M は次式のようになる。

R04　R01

$$M = \frac{N_2 \phi_1}{I_1} \ [\mathrm{H}]$$

(11) ビオ・サバールの法則

　図 1・1・12 に示すように、導体に流れる電流を I 〔A〕、その導体の微小の部分 Δl 〔m〕の点 O から r 〔m〕離れた P 点における磁界の大きさ ΔH 〔A/m〕は、Δl の接線と P 点とのなす角を θ とすると、次式で表され、これを**ビオ・サバールの法則**という。

$$\Delta H = \frac{I \Delta l \sin \theta}{4 \pi r^2} \ [\mathrm{A/m}]$$

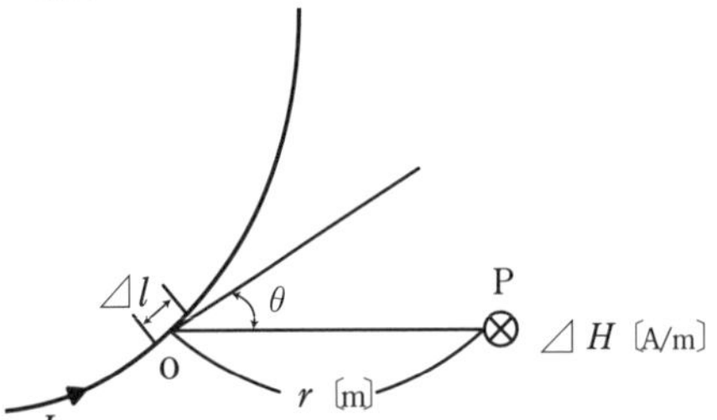

図1・1・11　ビオ・サバールの法則

(12) アンペアの周回路の法則

　図のように、電流 $I_1, I_2, I_3, \cdots\cdots, I_m$ が流れている導線を囲む一回りの閉曲線(l)を考え、曲線上の微小部分を $\Delta l_1, \Delta l_2, \Delta l_3, \cdots\cdots, \Delta l_n$ とし、各部分の磁界の強さをそれぞれ $H_1, H_2, H_3, \cdots\cdots, H_n$ としたとき、磁界の強さと磁界に沿った長さの積の和は、閉曲線の中の電流の和に等しい。これを**アンペアの周回路の法則**という。

$$H_1 \Delta l_1 + H_2 \Delta l_2 + H_3 \Delta l_3 + \cdots\cdots + H_n \Delta l_n$$
$$= I_1 + I_2 + I_3 + \cdots\cdots + I_m$$

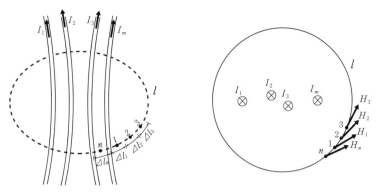

図1・1・12　アンペアの周回路の法則

- 無限長の直線状導線が1本の場合、

$$H \triangle l_1 + H \triangle l_2 + H \triangle l_3 + \cdots\cdots + H \triangle l_n = H\,(\triangle l_1 + \triangle l_2 + \triangle l_3 + \cdots\cdots + \triangle l_n)$$

$$\therefore \quad H\,l = I$$

ここで閉曲線が半径 r〔m〕の円であれば閉曲線の長さ $l = 2\pi r$〔m〕なので、磁界の強さ H は、

$$H = \frac{I}{2\pi r} \quad \text{〔A/m〕}$$

- 無限長の直線状導線が N 本の場合、

$$H = \frac{NI}{2\pi r} \quad \text{〔A/m〕}$$

(13) うず電流

図1・1・14のように、銅や鉄などの金属板の中を磁束が貫いている場合、その磁束が矢印の方向に変化（増加）すると、レンツの法則により、破線の矢印の方向に起電力を生じ、うず巻状の誘導電流が流れる。このようなうず巻状の誘導電流をうず電流という。

金属にうず電流が流れるとジュール熱が発生する。この損失をうず電流損という。

ポイント

- うず電流
- うず電流損

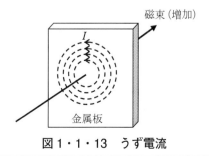

磁束（増加）

金属板

図1・1・13　うず電流

(14) 表皮効果

　一般に導体に交流電流が流れる場合、電流は時間的に変化するので、これによってできる円周方向の磁界も電流とともに変化する。この磁界の変化は、レンツの法則にしたがって導体に逆起電力を発生させるが、導体断面の中心部の電流ほど磁束鎖交数が大きいため逆起電力も大きく、電流は表面近くを流れるようになる。この現象を電流の表皮効果という。

　表皮効果には以下の特徴がある。

① 　導体の断面積が大きいほど大きくなる。

② 　周波数が高いほど大きくなる。

③ 　導体の導電率が大きいほど大きくなる。

④ 　導体が強磁性体で、導体自身の体内の磁束が多くなるほど大きくなる。

用　　語

表皮効果：
交流の電流は電磁作用により導体表面に集まり、中心部ほど電流が流れにくくなる現象

R05　R01　H27

3 ▶ 静　電　気

(1) 電極間のクーロンの法則

　図のように2つの点電荷 Q_1、Q_2 [C] が r [m] の距離にあるとき、両点電荷間に作用する力 F [N] は、電荷の強さ Q_1、Q_2 [C] の積に比例し、両電極間の距離の2乗に反比例する。これをクーロンの法則といい、次式で表される。（電極間に働く力は、異符号は吸引力、同符号は反発力）

$$F = \frac{1}{4\pi\varepsilon_0} \cdot \frac{Q_1 \cdot Q_2}{r^2} \ [\text{N}]$$

ただし、真空の誘導率を ε_0 [F/m] とする。

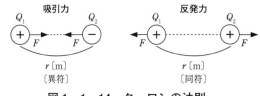

図1・1・14　クーロンの法則

(2) 電気力線

　電気力線は、電界（＝静電力が働く空間）の様子を視覚的に表現するための仮想的な線であり、磁界における磁力線と同様に考えられる。電気力線には次のような性質がある。

R05

① 電気力線は、等電位線や等電位面と垂直に交わる。

② 電気力線は、正電荷から始まり負電荷に終わる。

③ 電気力線の密度は、その場所の電界の大きさを表す。

④ 電気力線の接線の向きは、その点の電界の向きと一致する。

⑤ 電気力線は、電位の高い点から低い点に向かっている。

⑥ 電気力線は、互いに交わらない。

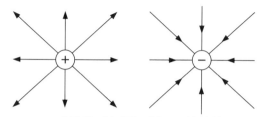

点電荷1個（正、負）の電気力線

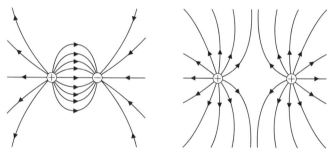

点電荷が2個あるときの電気力線

図1・1・15　電気力線

(3) 合成容量

① **コンデンサの直列接続**

　図1・1・16のように静
電容量がc_1、c_2、c_3のコン
デンサが直列に接続された
回路に電圧V〔V〕を加え
たとき、端子ab間にQの
電荷が蓄えられたとする
と、各コンデンサには正負
の電荷が誘導される。

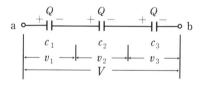

図1・1・16　コンデンサの直列接続

R05　R02　H28

　合成の静電容量Cは、

$$C = \frac{Q}{V} = \frac{1}{\dfrac{1}{c_1} + \dfrac{1}{c_2} + \dfrac{1}{c_3}} \text{〔F〕}$$

　一般に c_1、c_2、c_3····c_n の n 個のコンデンサを直列に接続した場合の合成容量は、式からも解るように各コンデンサの静電容量の逆数の和を逆数にした値に等しい。

②　コンデンサの並列接続

　図1・1・17のように静電容量を c_1、c_2、c_3 とすると、コンデンサが並列に接続された回路に電圧 V〔V〕を加えたときの合成の静電容量 C は、

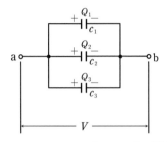

図1・1・17　コンデンサの並列接続

$$C = \frac{Q_1 + Q_2 + Q_3}{V} = c_1 + c_2 + c_3 \text{〔F〕となる。}$$

　一般に c_1、c_2、c_3····c_n の n 個のコンデンサを並列に接続した場合の合成容量は、各コンデンサの静電容量の総和に等しい。

③　コンデンサの静電容量

　図のような、コンデンサ極板間に比誘電率 ε_r の誘電体をはさんだときの、コンデンサの静電容量 C〔F〕は次式で求められる。

H29

$$C = \varepsilon_0 \times \varepsilon_r \frac{S}{d} \text{〔F〕}$$

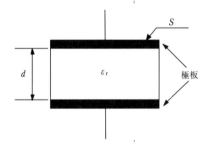

S：コンデンサの極板の面積〔m^2〕
d：極板間の距離（誘電体の厚さ）〔m〕
ε_r：比誘電率
ε_0：真空の誘電率〔F/m〕

4 ▶ 直 流 回 路

(1) 合成抵抗

① 抵抗の直列接続

図 $1 \cdot 1 \cdot 18$ のように、抵抗 r_1、r_2、r_3〔Ω〕が直列に接続された回路に電圧 V〔V〕を加えたとき、r_1、r_2、r_3 の端子間の電圧をそれぞれ v_1、v_2、v_3 とすれば、

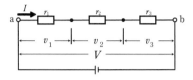

図 $1 \cdot 1 \cdot 18$　抵抗の直列接続

オームの法則より、

$$v_1 = r_1 I〔\text{V}〕、v_2 = r_2 I〔\text{V}〕、v_3 = r_3 I〔\text{V}〕 \cdots (1)$$

全体の電圧 V〔V〕は、

$$V = v_1 + v_2 + v_3 = (r_1 + r_2 + r_3)\, I = RI〔\text{V}〕$$

$$I = \frac{V}{r_1 + r_2 + r_3} = \frac{V}{R} \qquad ただし、R = r_1 + r_2 + r_3$$

(1) 式より、$v_1 : v_2 : v_3 = r_1 : r_2 : r_3$

一般に、r_1、r_2、$r_3 \cdots r_n$ の n 個の抵抗を直列に接続した場合の合成抵抗は、それぞれの抵抗の和に等しい。

$R = r_1 + r_2 + r_3 + \cdots + r_n$ となる。

② 抵抗の並列接続

図 $1 \cdot 1 \cdot 19$ のように、抵抗 r_1、r_2、r_3〔Ω〕が並列に接続された回路に電圧 V〔V〕を加えたとき、r_1、r_2、r_3 に流れる電流をそれぞれ I_1、I_2、I_3〔A〕とすればオームの法則より、

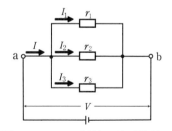

図 $1 \cdot 1 \cdot 19$　抵抗の並列接続

$$I_1 = \frac{V}{r_1}〔\text{A}〕、I_2 = \frac{V}{r_2}〔\text{A}〕、I_3 = \frac{V}{r_3}〔\text{A}〕 \cdots (2)$$

全電流 I〔A〕は、

$$I = I_1 + I_2 + I_3 = \left(\frac{1}{r_1} + \frac{1}{r_2} + \frac{1}{r_3}\right) V = \frac{V}{R}$$

ただし、$R = \dfrac{1}{\dfrac{1}{r_1} + \dfrac{1}{r_2} + \dfrac{1}{r_3}}$

(2) 式より、$I_1 : I_2 : I_3 = \dfrac{1}{r_1} : \dfrac{1}{r_2} : \dfrac{1}{r_3}$

一般に r_1, r_2、$r_3 \cdots r_\mathrm{n}$ の n 個の抵抗を並列に接続した場合の合成抵抗は、それぞれの抵抗の逆数の和を逆数にした値に等しい。

$R = \dfrac{1}{\dfrac{1}{r_1} + \dfrac{1}{r_2} + \dfrac{1}{r_3} \cdots + \dfrac{1}{r_\mathrm{n}}}$ 〔Ω〕となる。

(2) キルヒホッフの法則

① キルヒホッフの第 1 法則（電流の法則）

回路網中の任意の接続点では、その点に流入する電流の総和と流出する電流の総和は等しい。これをキルヒホッフの第 1 法則という。ただし、流入電流と流出電流の符号は反対になる。

図 1・1・20（1）のように、接続点で P に流入する電流を I_1、I_3、流出する電流が I_2、I_4 とすれば、P 点において、

$I_1 + I_3 = I_2 + I_4$ の関係となる。

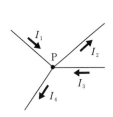

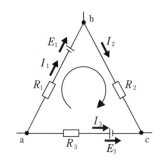

図 1・1・20（1）
キルヒホッフの第 1 法則

図 1・1・20（2）
キルヒホッフの第 2 法則

② キルヒホッフの第 2 法則（電圧の法則）

回路網中の任意の閉路を一定方向に一周したとき、回路の各部分の起電力の総和と電圧降下の総和は互いに等しい。これをキルヒホッフの第 2 法則という。

図 1・1・20（2）のような abca の 1 閉路を考えたとき、電圧降下の総和と起電力の総和が等しいとすると、キルヒホッフの第 2 法則は次のように表すことができる。

$R_1 I_1 + R_2 I_2 + (- R_3 I_3) = E_1 + (- E_3)$

5▶ 交 流 回 路

(1) 正弦波交流

正弦波交流波形は、時間とともに正弦波状に変化する波形をいう。
図1・1・21に正弦波交流波形を示す。

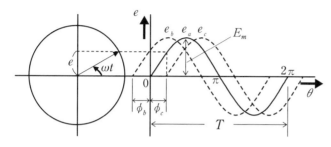

図1・1・21 正弦波交流波形

$$f = \frac{1}{T} \; \text{[Hz]} \quad (f：周波数)$$

正弦波交流の大きさを表す場合、次の4つの値で表す。

最大値：正弦波交流の正の最大の値または負の最大の値で、電圧の
　　　　　最大値を E_m〔V〕、電流の最大値を I_m〔A〕で表す。

瞬時値：正弦波交流の電圧（電流）は時々刻々と変化する。各時刻
　　　　　の大きさの値を瞬時値といい、$e\,(i)$で表す。図1・1・
　　　　　21の電圧の瞬時値は、$e_a = E_m \sin\omega t$〔V〕などとなる。

平均値：交流波形の正の半周期を平均した値の絶対値を平均値とい
　　　　　い、電圧の平均値を E_a、電流の平均値を I_a で表す。

$$E_a = \frac{2}{\pi} E_m \;\text{[V]}, \quad I_a = \frac{2}{\pi} I_m \;\text{[A]}$$

実効値：交流の電圧（電流）を、一定時間内に同じ電力量を消費す
　　　　　る直流の電圧（電流）の大きさで表した値を実効値という。

$$E = \frac{1}{\sqrt{2}} E_m \;\text{[V]} \quad I = \frac{1}{\sqrt{2}} I_m \;\text{[A]}$$

(2) 波高率と波形率

波高率とは、交流波形の最大値と実効値の比をいう。

$$波高率 = \frac{最大値}{実効値}$$

補 足

図1・1・21の e_b、e_c の波形は、周波数は同じであるが、それぞれ ϕ だけ時間差があることを示している。それぞれの瞬時値は、
$e_b = E_m\sin(\omega t + \phi_b)$　進み
$e_c = E_m\sin(\omega t - \phi_c)$　遅れ
となる。

補 足

特にことわりのない場合、交流の大きさは**実効値**で表す。

ポイント

実効値は最大値の $1/\sqrt{2}$。

波形率とは交流波形の実効値と平均値の比をいう。

$$波形率 = \frac{実効値}{平均値}$$

$$正弦波交流の波高率 = \frac{最大値}{実効値} = \frac{E_m}{E_m/\sqrt{2}} = \sqrt{2} ≒ 1.414$$

$$正弦波交流の波形率 = \frac{実効値}{平均値} = \frac{E_m/\sqrt{2}}{(2/\pi)E_m} = \frac{\pi}{2\sqrt{2}} ≒ 1.11$$

(3) 交流電力（単相回路）

交流電力 P は、次式で求められる。

$P = VI\cos\theta$ 〔W〕

$V \cdot I$：実効値

$\cos\theta$：負荷の力率

(4) 皮相電力・有効電力・無効電力（単相回路）

交流回路では、電圧 V と電流 I の実効値の積を皮相電力と呼ぶ。

皮相電力（Ps）＝電圧の実効値×電流の実効値＝VI〔VA〕

交流回路において、実際に消費される電力を有効電力と呼ぶ。

有効電力（P）＝電圧の実効値×電流の実効値×力率

＝皮相電力×力率＝$VI\cos\theta$〔W〕

交流回路において、実際に熱消費の伴わない電力を無効電力と呼ぶ。

無効電力（Pq）＝電圧の実効値×電流の実効値×無効率

＝皮相電力×無効率＝$VI\sin\theta$〔var〕

この無効電力は消費されるのではなく、電源と負荷の間を行ったり来たりするエネルギーである。

皮相電力、有効電力、無効電力の間には次式の関係がある。

（皮相電力）^{2} ＝（有効電力）^{2} ＋（無効電力）^{2}

$(Ps)^2 = (P)^2 + (Pq)^2$〔VA〕

用　語

皮相電力：
交流回路において端子電圧の実効値を V、その時の電流の実効値を I とするとき、その V、I の積を皮相電力という。

用　語

有効電力：
実際の仕事に役立つ電力のこと。

用　語

無効電力：
インダクタンスや静電容量に交流電流を流したときのように電源からのエネルギーの授受は半周期ごとに繰り返され、実際には何の仕事もせず、熱消費の伴わない電力のことをいう。皮相電力の中で実際に仕事をしない電力をさす。

(5) ホイートストンブリッジ

図1・1・22のように、4個の抵抗R_1、R_2、R_3、R_4を閉回路となるように接続し、2つの対角線上に電源Eと検流計Gとを接続した回路をホイートストンブリッジという。この回路は抵抗の測定に広く用いられる。

4個の抵抗のうち、どれか1つ（たとえばR_3）を加減して、検流計に流れる電流を0にすると、cd間の電位差が0になり、ac間とad間の電圧降下が等しくなる。このような状態をブリッジが平衡したという。このとき抵抗R_1とR_4を流れる電流をI_1、抵抗R_2とR_3を流れる電流をI_2とすると、次の関係が得られる。

R03　H28

$$R_1 I_1 = R_2 I_2$$

同様にbc間とbd間も、
次の関係が得られる。

$$R_4 I_1 = R_3 I_2$$

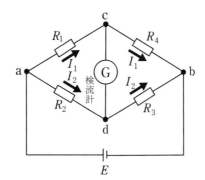

以上から、次式が成り立つ。

$$\frac{R_1}{R_4} = \frac{R_2}{R_3}$$

$$\therefore \quad R_1 R_3 = R_2 R_4$$

図1・1・22
ホイートストンブリッジ

(6) 三相交流回路

　図 1・1・23 に示すように、大きさや周波数が等しく、位相差が 120° ずつ異なる三つの正弦波交流を三相といい、この回路を三相交流回路という。

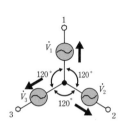

(1) Y 形（スター）結線　　　(2) Δ 形（デルタ）結線

図 1・1・23

三相交流回路の電圧、電流には次のようなものがある

① 　Y 形（スター）結線（図 1・1・24 a）

R05　R04　R01　H27

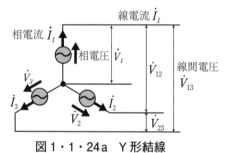

図 1・1・24 a　Y 形結線

線間電圧＝$\sqrt{3}$ × 相電圧

線電流＝相電流

② 　Δ 形（デルタ）結線（図 1・1・24 b）

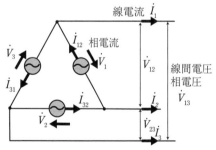

図 1・1・24 b　Δ 形結線

線間電圧＝相電圧

線電流＝$\sqrt{3}$ × 相電流

(7) 抵抗のΔ－Y変換

図1・1・25にΔ形結線とY形結線の換算の図を示す。

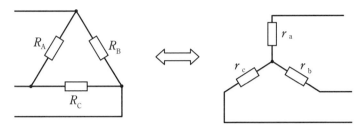

図1・1・25　Δ形結線とY形結線の換算

図1・1・25におけるΔ形結線からY形結線への換算式を示す。

$$r_a = \frac{R_A R_B}{R_A + R_B + R_C}$$

$$r_b = \frac{R_B R_C}{R_A + R_B + R_C}$$

$$r_c = \frac{R_C R_A}{R_A + R_B + R_C}$$

R01

したがって、平衡三相回路においてはΔ形結線のY形結線への換算は次のようになる。

$$r = R/3$$

　　r：等価Y形結線一相のr〔Ω〕、R：Δ形結線一相のR〔Ω〕

次に、Y形結線からΔ形結線への換算式を示す。

$$R_A = \frac{r_a r_b + r_b r_c + r_c r_a}{r_b}$$

$$R_B = \frac{r_a r_b + r_b r_c + r_c r_a}{r_c}$$

$$R_C = \frac{r_a r_b + r_b r_c + r_c r_a}{r_a}$$

したがって、平衡三相回路においてはY形結線のΔ形結線への換算は次のようになる。

$$R = 3r$$

　R：等価Δ形結線一相のR〔Ω〕、r：Y形結線一相のr〔Ω〕

(8) *RLC* 直列回路

　抵抗、インダクタンス、静電容量を直列に接続した回路を *RLC* 直列回路という。

　図 1・1・26 に示すような抵抗 *R*、インダクタンス *L*、静電容量 *C* が直列に接続された *RLC* 直列接続回路の合成インピーダンス $\dot{Z}$ は、次式で表される。

$$\dot{Z} = \sqrt{R^2 + \left(\omega L - \frac{1}{\omega C}\right)^2} = \sqrt{R^2 + (X_L - X_C)^2} \ \ [\Omega]$$

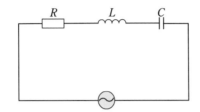

図 1・1・26　*RLC* 直列回路

(9) *RLC* 並列回路

　抵抗、インダクタンス、静電容量を並列に接続した回路を *RLC* 並列回路という。

　RLC 並列接続回路の合成インピーダンス $\dot{Z}$ は、次式で表される。

$$\dot{Z} = \frac{1}{\sqrt{\left(\frac{1}{R}\right)^2 + \left(\frac{1}{\omega_L} - \omega_C\right)^2}} \ [\Omega]$$

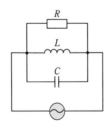

図 1・1・27　*RLC* 並列回路

R02　H29

補　足

インピーダンス *Z* [Ω] を用いて力率 cos *θ* を求める式。

$$\cos\theta = \frac{R}{Z}$$
$$= \frac{R}{\sqrt{R^2 + (X_L - X_C)^2}}$$

6 ▶ 電 気 計 測

(1) 電力の測定

① 単相交流電力の測定

・ 三電流計法：図1・1・28のように抵抗 R と交流電流計 I_1、I_2、I_3 を接続したとき、負荷の消費電力 P は次式で表される。

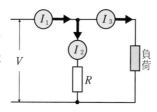

図1・1・28　三電流計法

$$P = (I_1^2 - I_2^2 - I_3^2)\frac{R}{2} \text{〔W〕}$$

・ 三電圧計法：図1・1・29のように抵抗 R と交流電圧計 V_1、V_2、V_3 を接続したとき、負荷の消費電力 P は次式で表される。

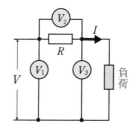

$$P = (V_1^2 - V_2^2 - V_3^2)\frac{1}{2R} \text{〔W〕}$$

図1・1・29　三電圧計法

② 三相交流電力の測定

・ 二電力計法：図1・1・30のように、2個の単相電力計を接続し、W_1 と W_2 の目盛の代数和で三相電力を求める。

　平衡三相回路であれば、測定しようとする三相電力 P は次式で表される。

$$P = W_1 + W_2 = \sqrt{3}\ VI\cos\theta$$

R06　R03　H30

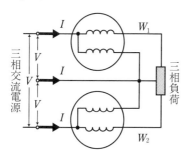

図1・1・30　二電力計法

(2) 電気計器の種類と記号

表 1・1・1 に電気計器の種類と記号を示す。　　　　　　R05　R01　H28　H27

表 1・1・1　電気計器の種類と記号

種　　類		記　号	指　示	計器の動作原理（JIS より）
永久磁石 可動コイル形			直　流 （平均値）	固定永久磁石の磁界と、可動コイル内の電流による磁界との相互作用によって動作する計器
永久磁石形 比率計			直　流 （平均値）	永久磁石可動コイル形計器に電気的制御トルクを与えた計器（比率計とは、二つの量の比率を測定する計器）
可動永久磁石形			直　流 （平均値）	固定コイル内の電流による磁界と可動永久磁石の磁界との相互作用によって動作する計器
可動鉄片形			主に交流 （実効値）	軟磁性材の可動片と固定コイル内の電流による磁界との間に生じる吸引力によって動作する計器
可動鉄片比率計形			主に交流 （実効値）	可動鉄片形計器に電気的制御トルクを与えた計器（比率計とは、二つの量の比率を測定する計器）
電流力計形	空　心		交直流 （実効値）	可動コイル内の電流による磁界と固定コイル内の電流による磁界との相互作用によって動作する計器。なお、鉄心入りは磁気回路内に軟磁性材を入れて相互作用の効果を増加させた計器
	鉄心入			
電流力計 比率計形	空　心		交直流 （実効値）	電流力計形計器に電気的制御トルクを与えた計器（比率計とは、二つの量の比率を測定する計器）
	鉄心入			
誘導形			交　流 （実効値）	固定電磁石の交流磁界と、この磁界で可動導体中に誘導される過電流との相互作用によって動作する計器
静電形			交直流 （実効値）	固定電極と可動電極との間に生じる静電力の作用で動作する計器
振動片形			交　流 （周波数）	共振周波数を調整して配列した振動片からなり固定コイルを流れる交流電流の周波数に対応する振動片を共振させて周波数を測定する計器
熱電形	非絶縁		交直流 （実効値）	導体内の電流の熱効果によって動作する計器
	絶　縁			
整流形			交　流 （平均値または 実効値）	交流の電流又は電圧を測定するため、直流で動作する計器と整流器とを組合せた計器

JIS　C　1102-1「直動式指示計器」表 3-1　計器及び附属品の表示記号（一般記号）

① 分流器・倍率器

・分流器

直流電流計の測定範囲拡大に使われる直流用測定範囲拡張器である。電流計に並列に接続し電流計に流れる電流を分流させる抵抗器である。

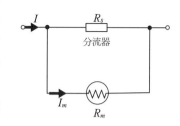

図1・1・31　分流器

図1・1・31に示すように、電流計の内部抵抗 R_m、定格電流 I_m のとき、I の電流を測るための分流器 R_S の値は両端子電圧が等しいことから、次式で求められる。

$$I = I_m + I_m \frac{R_m}{R_S} = I_m \left(1 + \frac{R_m}{R_S}\right)$$

$$\frac{I}{I_m} = \left(1 + \frac{R_m}{R_S}\right)$$

従って

$$R_S = \frac{R_m}{\dfrac{I}{I_m} - 1} = \frac{R_m}{m - 1}$$

但し、m は分流器の倍率

R04　H29

・倍率器

直流電圧計の測定範囲拡大に使われる直流用測定範囲拡張器である。電圧計に直列に接続し電圧計にかかる電圧を低下させる抵抗器である。

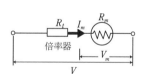

図1・1・32　倍率器

図1・1・32に示すように、定格電圧 V、電圧計内部抵抗 R_m、倍率器 R_t を直列に接続し、電圧 V を両端に加えた場合、倍率器の値は次のようになる。

$$V_m = I_m R_m = \frac{V}{R_t + R_m} R_m$$

従って

$$R_t = \frac{V}{V_m} R_m - R_m = (m - 1) R_m$$

但し、m は倍率器の倍率

R02

② 計器用変圧器

　交流電圧を測定するためのもので、図1・1・33にその原理を示す。一次、二次コイルの巻数を n_1、n_2、巻線比 $a = n_1/n_2$ とすれば、一次、二次コイル間の電圧 V_1、V_2 の間には次の関係がある。

$$\frac{V_1}{V_2} \fallingdotseq \frac{n_1}{n_2} = a \qquad \therefore V_1 \fallingdotseq \frac{n_1}{n_2} V_2 = aV_2$$

V_2 すなわち二次コイルの電圧計の読み V から、一次電圧を測定することができる。

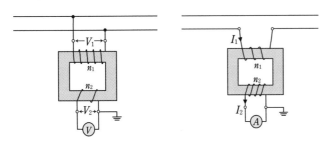

図1・1・33　計器用変圧器の原理　　図1・1・34　変流器の原理

③ 変流器

　交流の電流を測定するためのもので、図1・1・34にその原理を示す。一次、二次コイルの巻数を n_1、n_2、巻線比 $a = n_1/n_2$ とすれば、一次、二次コイルを流れる電流 I_1、I_2 の間には次の関係がある。

$$\frac{I_1}{I_2} \fallingdotseq \frac{n_2}{n_1} = \frac{1}{a}$$

$$\therefore I_1 = \frac{n_2}{n_1} I_2 = \frac{1}{a} I_2$$

　I_2 すなわち二次コイルの電流計の読み A から、一次電流を測定することができる。なお、計器用変圧器と変流器を合わせて、計器用変成器という。

7 ▶ 自 動 制 御

(1) 自動制御の種類　　　　　　　　　　　　　　　　　R04　R01　H27

1) フィードバック制御

　フィードバックによって制御量の値を目標値と比較し、それらを一致させるように訂正動作を行う制御で、制御対象として力、トル

ク、速度、位置、熱量、温度、電磁力、光量などの連続的な物理量がある。扱う情報が**連続情報**であり、回路構成が必ず**閉ループ**になるという特徴がある。

図1・1・35にフィードバック制御の一般構成を示す。

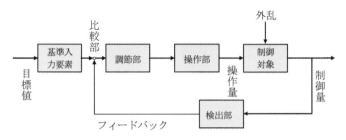

図1・1・35　フィードバック制御

2）シーケンス制御

あらかじめ定められた順序に従って、制御の各段階を逐次進めていく制御で、「運転・停止」、「開・閉」、「前進・後退」、「入・切」など2つの値を指令する制御であり、時間的・空間的に**不連続**な量の制御である。外部からの命令が作業命令であるという特徴がある。

シーケンス制御回路の**自己保持回路**の1例を次に示す。

図のような初期状態で、リレーXは無励磁であるが、PBS2を入れることにより、リレーXは励磁され、リレーXのa接点がオンとなり、PBS2を離してもリレーXのa接点により励磁し続ける。次に、PBS1を押せばリレーXの励磁は解かれる。

シーケンス制御のリレー回路を論理回路で扱えば、次のようなものがある。

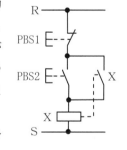

自己保持回路

① **AND回路**

入力条件がすべてオンになったとき出力がオンとなる回路で、複数の接点を全て直列に接続した回路である。

② **NOT回路**

入力がオフの状態で出力がオンとなり、入力がオンのとき出力がオフとなる回路で、否定回路ともいう。

③ **NAND回路**

AND回路の出力を否定（NOT）する回路で、入力がオンになったときに出力をオフにする回路である。

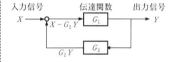

④　OR 回路

R01　H28

スイッチ S1 又は S2 のいずれか一方がオンした場合、リレー X のコイルに電流が流れ接点 X － a がオンとなる回路である。

⑤　NOR 回路

スイッチ S1、S2 の片方又は両方がオンのとき、リレー X のコイルに電流が流れ接点 X － b がオフとなる回路。

H30

（OR 回路を否定（NOT）した論理回路で、OR 回路と NOT 回路を組合わせて構成される。）

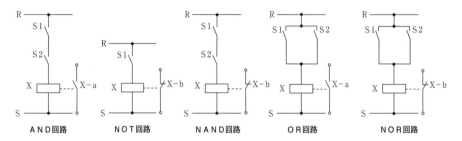

　ＡＮＤ回路　　　ＮＯＴ回路　　　ＮＡＮＤ回路　　　ＯＲ回路　　　ＮＯＲ回路

3）フィードフォワード制御

制御系に外乱が入った場合、それが系の出力に影響を及ぼす前に先回りして、その影響を打ち消すための必要な訂正動作を取る制御である。

用　　語

外乱：
制御系の状態を変えようとする外的作用。

(2) 制御動作の種類

①　P 動作

P 動作は比例動作とも呼ばれ、制御量と目標値との偏差に比例した大きさで操作量を変化させる制御動作をいう。

②　I 動作

I 動作は、積分動作、リセット制御とも呼ばれ、制御量と目標値との偏差の時間積分値に比例した大きさで操作量を変化させる制御動作をいう。オフセット（残留偏差）を除去する動作である。

③　D 動作

D 動作は、微分動作、レート制御とも呼ばれ、制御量と目標値との偏差の微分値（変化率）に比例した大きさで操作量を変化させる制御動作をいう。

④　PID 動作

　PID 動作は、比例＋積分＋微分動作とも呼ばれ、P 動作と I 動作と D 動作を組合せた制御をいう。一般にはこれら 3 つの動作がそろった形で用いられる。

(3) フィードバック制御系のステップ応答

　フィードバック制御においてステップ入力を加えたとき、目標値を超えて出力値が最大値に達するまでの時間 t_1 を行過ぎ時間（応答時間）といい、このときの値を行過ぎ量という。また、その最大値の 10％の値を記録したときから 90％の値を記録したときの時間を立上り時間という。さらに、t_1 秒後に出力値が最大値に達し、振動しながら t_2 秒後に許容誤差の範囲に収まった場合、t_2 を整定時間という。

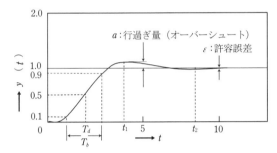

t_1：行過ぎ時間（最大値に達するまでの時間）　t_2：整定時間（許容誤差範囲に収まった時間）
T_b：立上り時間（最大値の10％～90％）　T_d：遅延時間（50％に達する時間）

図 1・1・36　フィードバック制御ステップ応答

(4) 自動制御系の分類
①　目標値による制御
　・定値制御：目標値が一定である制御
　・追値制御：目標値が時間変化する制御
　　追値制御のうち、特に目標値が任意の変化をするものを追従制御という。

②　制御量による制御
　・プロセス制御：制御量が圧力、流量、水位、温度などの制御
　・サーボ機構：制御量が機械的位置、方位、姿勢にあって、目標値が任意の変化をする制御
　・自動調整：制御量が主に速度、回転数、トルク、電圧などの制御

1-2 ▶ 電 気 機 器

1 ▶ 電気機器の分類

電気機器は、一般に次のように分類される。

(1) 回転機

① 発電機 ⎫
② 電動機 ⎭
直流機 ——— 直巻機、分巻機、複巻機
交流機 ⎧ 同期機
　　　　⎩ 非同期機 ⎧ 誘導機
　　　　　　　　　　⎩ 整流子機

③ 電動発電機　④ 回転変流機　⑤ 調相機　⑥ 周波数変換機

⑦ 相数変換機　⑧ 昇圧機

(2) 静止誘導器

① 変圧器　② 誘導電圧調整器　③ 移相器　④ 周波数変換器

⑤ リアクトル

(3) 静電機器

①コンデンサ

(4) 電子機器

① 整流器　②インバータ　③ 周波数相数変換器

補　足

回転機と静止誘導器は、ともに電磁誘導作用または電磁力を利用するものであり、**電磁機器**とも呼ばれる。

2 ▶ 直 流 電 動 機

(1) 直流電動機の特性

直流電動機は、界磁巻線と電機子巻線との結線方法により次のように分類される。

直流電動機の種類 { 直巻電動機
　　　　　　　　　分巻電動機
　　　　　　　　　複巻電動機

① 直巻電動機

直流電動機の主な特性には、速度特性、トルク特性がある。

界磁巻線と電機子巻線を**直列**に接続する直巻電動機では、負荷電流が増加するとトルクは増加するが回転速度は著しく減少する。このような特性を**直巻特性**といい、この特性を持つ電動機を**変速度電動機**という。

図1・2・1に直巻電動機の特性を示す。

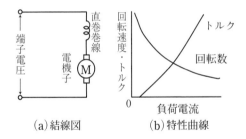

　　　(a)結線図　　　　　　　(b)特性曲線

図1・2・1　直巻電動機の結線図と特性曲線

② 分巻電動機

界磁巻線と電機子巻線を**並列**に接続する分巻電動機では、負荷電流が大きくなるとトルクは比例して大きくなり、回転速度は少しずつ減少する。このような特性を**分巻特性**といい、回転速度の変化は小さいのでこの特性を持つ電動機を**定速度電動機**という。

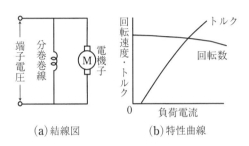

　　　(a)結線図　　　　　　　(b)特性曲線

図1・2・2　分巻電動機の特性曲線

3 ▶ 同 期 発 電 機

(1) 同期発電機の原理と構造

R05

発電機の種類は、回転電機子形、回転界磁形、誘導子形があり、直流機は回転電機子形であるが、交流機の発電機で現在最も多く使用されているのが回転界磁形発電機である。

① 回転電機子形発電機

界磁極 N、S が固定されており、電機子コイルが回転することにより、回転子の電機子コイルに交流電圧が発生する。図1・2・3に回転電機子形発電機の構造を示す。

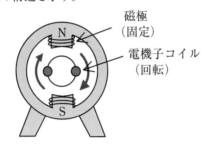

磁極
（固定）

電機子コイル
（回転）

図1・2・3　回転電機子形

② 回転界磁形発電機

電機子コイルが固定されており、磁界を作る磁極が回転する方式で、磁極を持つ回転子が回ると、固定子の電機子コイルに交流電圧が発生する。図1・2・4に回転界磁形発電機の構造を示す。

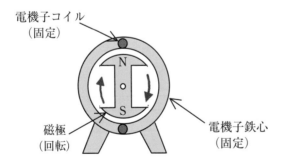

電機子コイル
（固定）

磁極
（回転）

電機子鉄心
（固定）

図1・2・4　回転界磁形

用　語

界磁：
界磁極、界磁巻線、継鉄を含めた界磁束を発生させる部分の総称。

（2）励磁方式による分類と特徴

同期発電機の界磁巻線に直流電流（界磁電流）を供給する装置を励磁装置といい、その電源の供給方法から次のように分類される。

① **直流励磁方式**

主機に直結された直流発電機により界磁電流を供給する方式で、整流子とブラシとスリップリングがあり、メンテナンスには手間がかかる。

② **交流励磁方式**

イ．別置整流装置付き交流励磁方式

主機に直結された交流発電機の発生する交流を、別置きにした整流器で直流に変換し、スリップリングを介して界磁電流として供給する方式である。

ロ．ブラシレス励磁方式

主機に直結した回転電機子形同期発電機の出力を、同一回転軸上に取付けた整流器で直流に変換し、スリップリングを介さずに、主機の界磁へ直接供給する方式である。ブラシを必要としないためブラシレス励磁方式という。

③ **サイリスタ励磁方式**

主機の出力をサイリスタを用いた整流器で直流に変換し、サイリスタのゲート位相制御によって、界磁電流を調整し供給する方式である。

用　語

励磁：
巻線に電流を通じて磁束を発生させること。

用　語

スリップリング：
回転子回路と外部回路を接続する装置。軸に固定されたブラシが常時接触し電流を流すもの。

R03　H28

補　足

界磁電流の供給方式は、ブラシレス励磁方式を除き、直流電流をスリップリング・ブラシを介して発電機界磁巻線に供給する方式である。

用　語

サイリスタ：
電力制御用のスイッチング素子。

(3) 同期速度

発電機や電動機の界磁巻線に三相交流を流せば、**回転磁界**が発生する。回転磁界の回転速度を同期速度 N_S といい、次式で表される。

$$N_S = \frac{120f}{p} \ \text{〔rpm〕}$$

N_S：同期速度〔rpm〕、f：周波数〔Hz〕、p：同期機の極数

(4) 同期インピーダンス

同期発電機の電機子インピーダンスを同期インピーダンスといい、次式で表される。

$$Z_S = \frac{V_n}{(\sqrt{3} \cdot I_S)} \ \text{〔Ω〕}$$

Z_S：同期インピーダンス〔Ω〕
V_n：定格電圧〔V〕
I_S：定格電圧における短絡電流〔A〕

(5) 短絡比

同期発電機が定格速度・定格電圧・無負荷の状態で運転されているとき三相短絡したときの短絡電流と同期機の定格電流の比を**短絡比**といい、次式で表される。

$$K_S = \frac{I_S}{I_n}$$

K_S：短絡比
I_S：定格電圧における短絡電流〔A〕
I_n：同期機の定格電流〔A〕

上式より、短絡比の大きい同期発電機は、同期インピーダンスが小さく、短絡電流が大きい。

同期インピーダンスが小さいと、電圧変動率が小さく、過負荷耐量が大きく、リアクタンスが小さくなるので、安定度は向上する。

反面、**電機子反作用**が小さいことで、エアギャップが大きく、鉄損・機械損が増すため効率が悪くなる。

用語
回転磁界：
三相発電機の固定子に三相交流電源をつなぐと電流によって生じる合成磁界は進んだ位相のコイル軸から遅れた位相のコイル軸のほうへ回転する。
R01

補足
%インピーダンス： H30
送電線路や発電機、変圧器等の電力機器について、定格電流が流れているときのインピーダンス降下と定格相電圧との比を百分率で表したものをいう。
$\%Z = ZI/V/\sqrt{3} \times 100$ 〔%〕

H27

用語
電機子反作用：
電機子電流による起電力の大部分は、磁界と同期して回転する基本波磁界、すなわち正相磁界をエアギャップ中に生じ、界磁の起電力に影響を及ぼし、電機子の誘導起電力を変化させる。

(6) 電圧変動率

定格速度、定格電圧、定格力率において、定格電流が流れるように界磁電流を調整しておき、界磁電流及び回転速度を変えることなく、定格負荷から無負荷にしたときの電圧変動の割合を**電圧変動率**といい、次式で表される。

R04 H29

$$\varepsilon = \frac{V_0 - V_n}{V_n} \times 100 \ (\%)$$

ε：電圧変動率〔％〕、V_n：定格端子電圧〔V〕、V_0：無負荷端子電圧〔V〕

電圧変動率は小さいことが望ましく、常に一定の端子電圧で運転される必要がある。電圧変動率は、小型機では実負荷をかけて求めることができるが、大型機では実測困難であるため、無負荷飽和曲線や短絡曲線などをもとにして算定する。

(7) 並列運転の条件

同期発電機を安定に並列運転させるには、各発電機の誘導起電力が、次の条件を満たす必要がある。

① 各発電機の起電力の大きさが等しいこと。
② 各発電機の周波数が等しいこと。
③ 各発電機の起電力が同相であること。
④ 各発電機の電圧波形が等しいこと。
⑤ 各発電機の相回転が同じであること。

R02

(8) 安定度の向上策

同期発電機の負荷が変動すると、発電機の回転速度が変化する。

並列運転中の同期発電機に負荷変動があっても、同期はずれを起こすことなく安定して運転できる度合いを**安定度**という。

安定度には**定態安定度**、**動態安定度**、**過渡安定度**があり、向上策としては、次のような方法がある。

① 同期リアクタンスを小さくする。＝短絡比を大きくする。
② 励磁装置の応答速度を速くする。
③ 逆相、零相インピーダンスを大きくする。
④ 回転部のはずみ車効果を大きくする。

R04 R01 H28

用 語

はずみ車効果：
慣性力で回転が保たれる効果

4▶ 同 期 電 動 機

(1) 同期電動機

　同期電動機と同期発電機は構造がほとんど同じであり、極数と周波数で定まる同期速度で回転する。

　固定子巻線に三相交流電源をかけると、回転磁界を生じ、磁石で構成された回転子は吸引されてトルクを生じ同期速度で回転する。

(2) 同期電動機のV曲線

　同期電動機の回転子の励磁を弱くすると電機子電流は遅れ力率となり、励磁を強くすると進み力率となる。

　この関係を表す曲線を位相特性曲線という。図1・2・5に示すようにグラフの形がV字形になることからV曲線とも呼ばれている。

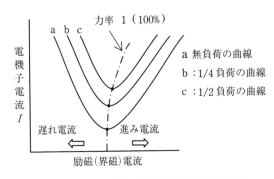

図1・2・5　同期電動機の位相特性曲線

(3) 同期電動機の始動法

　同期電動機は原理的に起動トルクがゼロなので、自力では始動できない。そのため、起動の際は以下のような方法によって、回転子を同期速度付近まで回転させる必要がある。

① 自己始動法

　三相誘導電動機のかご形回転子の考え方を応用した始動法で、始動時は、回転子の制動巻線と短絡環に回転磁界による誘導電流を流して起動トルクを得ている。界磁回路には抵抗を入れ、始動時の誘導電圧から巻線を保護している。

② 始動電動機法

　始動用の直流電動機や三相誘導電動機を直結して駆動する方式で、同期速度に達したら同期電動機の運転に入る。始動用電動機は

補　足

発電機と電動機は可逆的なものであり、機械的に入力を与えれば発電機に、電気的に入力を与えれば電動機になる。発電機と電動機の構造は同じものである。

電源を切り空転させておく。

③　低周波始動法

周波数可変のインバータ電源低周波より運転し、同期速度に達した後、主電源に切換えて同期電動機として運転する方法である。

5▶ 誘 導 電 動 機

(1) 誘導電動機の原理

回転できる銅の円板を馬蹄形の永久磁石ではさみ、磁石を動かすと円板は磁石の運動方向に回転する。磁石の運動により円板にフレミングの右手の法則による電流が流れ、その電流と磁石により回転力が生じ、磁石の運動と同一方向に円板は回転する。この原理をアラゴの円板といい、誘導電動機の回転原理である。

アラゴの円板を図1・2・6に示す。

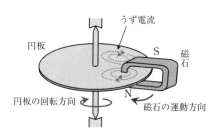

うず電流
円板
S
磁石
円板の回転方向
N
磁石の運動方向

図1・2・6　アラゴの円板

(2) 誘導電動機の種類

①　かご形誘導電動機

回転子鉄心の溝にそれぞれ1本ずつ銅棒を差し込み、その両端を短絡環で接続した回転子を持つ電動機をかご形誘導電動機という。構造が簡単で堅固である。

②　巻線形誘導電動機

固定子と同様に巻線を施した回転子(これを巻線形回転子という)を持つ電動機を巻線形誘導電動機という。巻線形回転子の巻線の端子はスリップリングを介して外部回路と接続される。始動時や速度制御に優れている。

ポイント

誘導電動機の原理

H30

(3) 三相誘導電動機の出力特性曲線

　誘導電動機の特性曲線は、電動機の一次電流、二次電流、トルク、機械的出力、力率、効率、回転速度などの諸量が、すべりや出力によってどのように変化するかを表したもので、**速度特性曲線及び出力特性曲線**とよばれる。　図1・2・7に特性曲線を示す。

H29

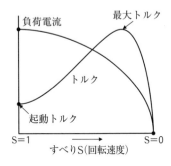

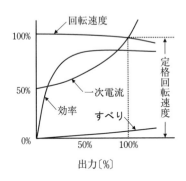

図1・2・7（a）　速度特性曲線　　**図1・2・7（b）　出力特性曲線**

・回転速度は、ほぼ定速度運転特性を持っている。

・効率は、軽負荷範囲において急激に低下する。

・一次電流は、端子電圧が一定であるから出力にほぼ比例する。

(4) 誘導電動機の始動法

①　Y－Δ始動法（スター・デルタ）

　始動時に一次巻線をY接続とし、各相に電源電圧の$1/\sqrt{3}$倍の電圧を加え、速度が上昇して正常運転に入るとΔ結線に切替え、全電圧を加えた運転とする。Δ結線で全電圧始動した場合に比べ、始動電流、始動トルクがともに1/3に低下する。

ポイント

誘導電動機の始動法

②　全電圧始動法（直入始動）

　小容量誘導電動機に用いられ、直接定格電圧を加えて始動する方法で、始動電流が定格電流の500～700%程度になる。

③　始動補償器法

　始動補償器として三相単巻変圧器を用い、始動時に低電圧で始動し、速度が増すと全電圧に切替え、始動補償器を電動機回路から切り離す。始動電流の制限ができるという特徴がある。

（5）誘導電動機の速度制御法

誘導電動機は本来定速度特性を持つ電動機であるが、構造が簡単で保守も容易であることから広く使用されている。種々の速度制御が考案されているが、主な制御法として次のものがある。

①　二次抵抗制御法

巻線形誘導電動機の外部抵抗を変化させると、比例推移の原理によって速度・トルク曲線がかわり、同一トルクを発生するすべりが変化するので、ある範囲内で速度を制御することができる。この方法では外部抵抗に消費される電力が損失となり、効率が低下するが、操作が簡単で速度変化も円滑であることから巻線機、ポンプなどに用いられる。

②　静止セルビウス法

静止セルビウス法は、巻線型誘導電動機の二次抵抗制御の一種であり、二次電力を抵抗器の損失とせずに、半導体回路によって電源側へ回生する方式である。

③　電源周波数制御法

誘導電動機の同期速度は周波数 f に比例するので、周波数を変えることによって速度制御を行うことができる。電動機の磁束密度を一定にして運転するため、可変周波数電源が必要となる。

④　インバータ制御法

インバータ制御法には、電圧形インバータ方式と電流形インバータ方式がある。共に主要回路は、正弦波交流を直流に順変換するダイオードで構成されたコンバータ、及びこれをトランジスタのオン・オフにより可変周波数の交流に逆変換するインバータで構成される。直流に変換するコンバータ回路は、電源への高調波発生と力率低下の要因となっている。また、モータをインバータにより可変速運転すると、高周波成分・脈動トルクなどによる振動・騒音が増加する。

R06　R02　H30

用　語

すべり：
s で表し
$s = (n_0 - n)/n_0$
n_0：回転磁界の回転速度
n ：回転子の回転速度
％で表し、全負荷時のすべりは 3〜8％程度である。

(6) 単相誘導電動機の始動法

単相誘導電動機は、原理的には始動トルクがゼロであり、始動装置が必要である。始動装置は次のように分類される。

①　くま取りコイル形

固定子の一部に突極をつくり、これにコイルを巻いて移動磁界を発生させ、トルクを得る構造の電動機である。構造上、回転方向を変えることはできない。

特徴としては、始動トルクが小さい、力率及び効率が悪い、構造が簡単で丈夫である。

②　分相始動形

主巻線と始動巻線の2つの巻線を持ち、始動巻線の電線サイズを主巻線より細く、巻数を少なくすることによって、電気抵抗とリアクタンスの大小関係から、始動巻線を流れる電流が主巻線より位相が進む。その電流のつくる二相楕円回転磁界でトルクを得る。

特徴としては、始動トルクは小さく、始動電流は大きい。

③　コンデンサ始動形

コンデンサにより、二相の回転磁界を得る構造の電動機で、始動特性を良くしている。

特徴としては、始動トルクが大きく、始動電流はやや小さい。同種のタイプにコンデンサモータがある。

④　反発始動形

始動時に固定子の主磁極巻線と補助巻線に電流を流せば、電磁誘導作用によって回転子の整流子巻線に電流が流れ反発電動機と同様の始動トルクが得られる。

始動後は回転子の整流子を短絡して、かご形電動機と同様の運転となる。

特徴としては、始動トルクが特に大きく、始動電流は小さい。

6▶ 変 圧 器

(1) 変圧器の原理

　鉄心にコイルを巻いた構造で、電源につなぐ巻線を一次巻線、負荷につなぐ巻線を二次巻線という。変圧器の原理を図に示す。

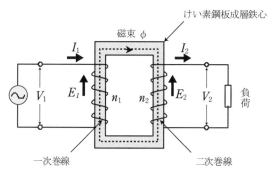

けい素鋼板成層鉄心
磁束 φ

図1・2・8　変圧器の原理

(2) 変圧器の巻線比

　一次巻線及び二次巻線に誘導される起電力の比は、その巻線比に等しい。巻線比 a は次式で表される。

$$a = \frac{n_1}{n_2} = \frac{E_1}{E_2}$$

　n_1：一次巻線の巻数、E_1：一次側誘導起電力

　n_2：二次巻線の巻数、E_2：二次側誘導起電力

R03

補　足

変圧器の材質
けい素鋼が一般的。アモルファス変圧器は省エネ性に優れるが、高価格なのであまり採用されていない。

変圧器の種類　　R01
・**油入変圧器**　鉄心と巻線を絶縁油の中に収めたもので、絶縁性・冷却性に優れ騒音も小さい。安価であるため最も普及しているが、重さ・大きさが過大なため設置スペースをとる。
・**モールド変圧器**　巻線部をエポキシ樹脂などの絶縁物で覆った変圧器。小型軽量で絶縁性・難燃性にも優れるが、鉄心が露出しているため騒音や振動は大きい。

補　足

変圧器の一次側と二次側の電力は等しい。　　R05　H30
$E_1 I_1 = E_2 I_2$　　　H27

(3) 変圧器の損失

変圧器の損失の種類を図1・2・9に示す。

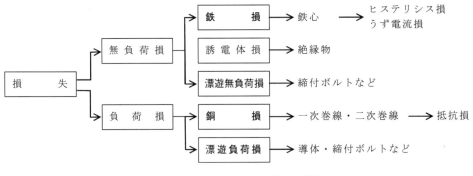

図1・2・9　変圧器の損失

変圧器に発生する損失は上図に示すように、大別して無負荷損と負荷損に分けられる。

無負荷損はヒシテリシス損とうず電流損を合成した鉄損と、誘電体損及び漂遊無負荷損に分類されるが、誘電体損と漂遊無負荷損は無視できる程度に小さいため、無負荷損は一般に鉄損として扱われる。無負荷損は変圧器の二次側を開放した状態で、一次側に定格電圧を印加した時に発生する損失で、変圧器に負荷がかかっても変わらず負荷に関係なくほとんど一定であり、電圧の二乗に比例する。

負荷損としては銅損すなわち一次巻線、二次巻線に発生する抵抗損（ジュール熱による損失）と漂遊負荷損すなわち漏れ磁束によって鉄心や周辺の金属に発生するうず電流による損失の合成したものとなるが、漂遊負荷損は極めて小さいので負荷損は一般に銅損として扱われる。

周波数が一定であれば、**鉄損は電圧の二乗に、銅損は負荷電流の二乗に比例する。**

また、**周波数及び電圧が一定であれば、鉄損は変わらず、銅損は負荷電流の二乗に比例する。**

ポイント

変圧器の損失

R06　R02

(4) 変圧器の効率

変圧器の効率 η とは、定格電圧、定格周波数における出力と入力の比であり、次式で表される。

$$\eta =（出力／入力）\times 100〔\%〕=\{出力／（出力＋損失）\}\times 100〔\%〕$$
$$=\{出力／（出力＋無負荷損＋負荷損）\}\times 100〔\%〕$$

なお、効率 η は、無負荷損（鉄損）と負荷損（銅損）が等しいとき

が最大となる。

　図1・2・10に変圧器の効率・損失（銅損、鉄損）をグラフで示す。

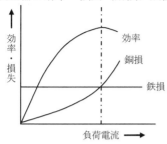

図1・2・10　変圧器の効率・損失（銅損、鉄損）

（5）変圧器の結線

①　Δ－Δ結線

　図1・2・11のように一次側、二次側ともにΔ結線したもので、この結線方法は、線間電圧と変圧器巻線の電圧が等しい。このため、高電圧には絶縁の点で不利となって用いられず、60kV以下の配電用変圧器に用いられる。

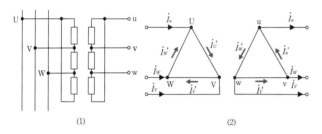

図1・2・11　Δ－Δ結線

②　Δ－Y結線

　図1・2・12のように一次側をΔ結線、二次側をY結線したもので、二次側の線間電圧は、相電圧の$\sqrt{3}$倍となる。このため送電線の送電端（発電所）などのように、電圧を高くする場合に用いられる。

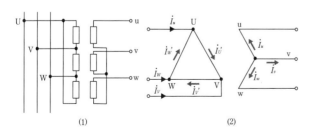

図1・2・12　Δ－Y結線

R01

H29

補　足

Δ－Δ結線
・線電流＝$\sqrt{3}$×相電流
・線電流は、相電圧より
　30°位相が遅れる
・線間電圧＝相電圧

③　Y－Δ結線

　図1・2・13のように一次側をY結線、二次側をΔ結線したもので、送電線の受電端などのように、電圧を低くする場合に用いられる。

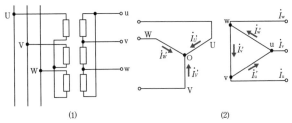

図1・2・13　Y－Δ結線

④　Y－Y結線

　図1・2・14のように一次側及び二次側をY結線したもので、変圧器の励磁電流に第3調波が含まれており、この第3調波は、各相同相である。したがってY－Y結線では、第3調波の流れる回路がないため、電圧波形がひずみ、これが原因となって近くの通信線に雑音障害を与える。

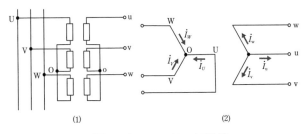

図1・2・14　Y－Y結線

⑤　V結線

　図1・2・15のように単相変圧器2台を用いて、各変圧器の一次側及び二次側を図のように結線したものをV結線といい、3台の単相変圧器で形成しているΔ－Δ結線の一相を除いたものに相当する。

　V結線では、変圧器を2台使用しているから、その定格出力の和は $2VI$ である。したがって、V結線になると $\sqrt{3}\,VI/2VI = 0.866$ 倍の定格しか利用できない。これを変圧器の利用率という。

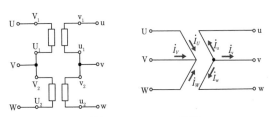

図1・2・15　V結線

補　足

Y－Y結線
・線間電圧 ＝ $\sqrt{3}$ ×相電圧
・線間電圧は、相電圧より 30°位相が進む
・線電流＝相電流

⑥　スコット結線

　図1・2・16のように単相変圧器2台を用いて三相電源から単相2回路を得る結線方法である。変圧器A（主座巻線）は一次巻線の中点にタップを設け、変圧器B（T座巻線）の一次巻線には全巻線の86.6％のところからタップを出し主座巻線を三相電源と接続する。

　スコット結線の場合、変圧器利用率は$\sqrt{3}/2 = 0.866$である。

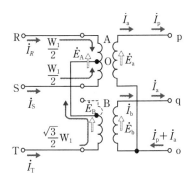

A、Bの巻線比aは等しい
W1：一次巻線の巻数

図1・2・16　スコット結線

(6)　並行運転の条件

①　単相変圧器

　変圧器の並行運転は負荷の増大や経済性の面から必要性が生じる。

　並行運転に必要な条件としては、次のものが挙げられる。
- 一次、二次の定格電圧が等しいこと。
- 極性が等しいこと。
- 巻線比が等しいこと。
- インピーダンス電圧が等しいこと。
- 内部抵抗とリアクタンスの比が等しいこと。

②　三相変圧器

　単相変圧器の並行運転の条件に加えて、次のものがある。
- 相回転方向が一致していること。
- 一次、二次巻線の角変位が等しいこと。

補　足

変圧器の電圧変動率 ε 〔％〕を求める式
$$\varepsilon = p \cos \theta + q \sin \theta$$
p：百分率抵抗降下〔％〕
q：百分率リアクタンス降下〔％〕
$\cos \theta$：力率

R04

7 ▶ 遮 断 器

(1) 遮断器と遮断現象

遮断器は平常時の負荷電流、線路充電電流などの開閉と、異常時の短絡電流、地絡電流などの故障状態を検知する保護継電器などと組合せて自動的に電路を遮断し、系統の制御・保護の役割を果たすものである。

交流回路の短絡電流を遮断すると遮断器の接触子間にアーク電圧が発生する。交流の場合、アーク電圧は1/2サイクルごとに電流零点がくるので、この点で遮断できることになる。しかし、電流が零となりアークが消えても、電極間には残留イオンが多数残り、アーク電圧から回復電圧に移るとき**過渡電圧**を発生する。この遮断直後の過渡電圧を**再起電圧**といい、それに続く電路と同じ周波数の電圧を**回復電圧**という。接触子の絶縁耐力がこの再起電圧や回復電圧を上回れば、短絡電流の遮断が終了する。

図1・2・17に交流回路の短絡遮断時の遮断現象を示す。

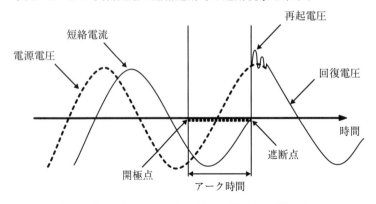

図1・2・17　交流回路の短絡遮断時の遮断現象

(2) 遮断器の種類と消弧原理

① 油遮断器（OCB）

油遮断器には並切形と消弧室形があり、並切形は小容量に用いられ、水素ガスにより冷却消弧するものである。

消弧室形は大容量に用いられ、消弧室内の高圧ガス圧力により消弧するものである。構造が簡単で安価であるが、油の保守、点検が面倒であること、油を多量に使用しているために、火災、爆発の危険性があることなどの特徴がある。

② 真空遮断器（VCB）

真空中ではアークが急速に拡散され、自然に消弧する特性を利用したものである。接点損耗が少なく電気的機械的寿命が長い、火災や爆発の危険がなく安全、保守がほとんど不要、小型、軽量で2段または3段積ができるなどの利点がある。また、遮断時に異常電圧が生じやすいこと、真空もれの検出が困難であるなどの不利な点もある。

③ 磁気遮断器（MBB）

遮断電流によって作られた磁界と発生したアーク電流との相互作用によってアークを消弧室に引込み遮断する方式で、油を使用しないので、遮断器の事故による火災・爆発などの危険性がなく、保守点検が容易などの利点があるが、高価で、遮断時の騒音が大きいことが欠点である。

④ ガス遮断器（GCB）

SF_6 ガスの優れた絶縁耐力及び消弧能力を利用したもので、遮断性能に優れ、大容量遮断器に適している。

遮断部が SF_6 ガス完全密閉構造であるため、低騒音化や保守点検の省力化ができ、また、小型化が容易である。この SF_6 ガスは、極めて安定度の高い化合物で普通の使用状態では、不活性、無色、無臭、無毒、不燃性の気体である。

⑤ 空気遮断器（ABB）

圧縮空気をアークに吹付けて消弧する方式で、大容量遮断器に適している。空気遮断器は重量も軽く、遮断器の均一性、接点の損耗が少ないため、保守が容易で、火災・爆発の危険がないなどの利点があるが、開閉時の騒音が大きいことが欠点である。

補　足

SF_6 ガス
六ふっ化硫黄ガス

R02　H28

8 ▶ コンデンサ・リアクトル

(1) コンデンサ

　コンデンサは、送配電系統では、交流負荷の無効電力の抑制、力率改善及び直流系統の高調波フィルタ回路に用いられる。

　電気回路を構成する基本要素は、抵抗、インダクタンス、キャパシタンスであるが、コンデンサは、キャパシタンスを電気回路に接続するものであって、エレクトロニクスの回路素子から、超高圧電力系統用まで広範囲にわたって活用されている。

コンデンサの種類

・集合形コンデンサ	適切な個数の単器形コンデンサを1個の共通容器又は枠に収めて1個の単器形コンデンサと同等に取り扱えるように構成したもの。
・はく電極コンデンサ	金属はくを電極にしたコンデンサ。このコンデンサは誘電体の一部が絶縁破壊するとその機能を失い、自己回復することがない。
・蒸着電極コンデンサ	蒸着金属を電極として、自己回復することができるコンデンサ。
・油入コンデンサ	コンデンサ内部に80℃において流動性がある絶縁油、又はこれと同等以上の性能を持つ液体含浸剤を充填したコンデンサ。
・乾式コンデンサ	コンデンサ内部に80℃において流動性のない固体含浸剤又は気体を充填したコンデンサ。
・保安装置内蔵コンデンサ	蒸着コンデンサの安全性を特に増すため、コンデンサの内部に異常が生じた場合、異常素子又は素体に電圧が加わらないように切り離しできる装置を組み込んだコンデンサ。
・保護接点付きコンデンサ	コンデンサの安全性を特に増すため、コンデンサの内部に異常が生じた場合、これを検知して動作する接点を取り付けたコンデンサ。

R05　R01　H29

(2) 定格容量

　　$Q = 2\pi fCE^2 \times 10^{-9}$〔kvar〕

　　Q：容量〔kvar〕、C：静電容量〔μF〕、E：端子電圧〔V〕

　　f：周波数〔Hz〕

(3) 力率改善

　コンデンサは送配電線路に並列に接続し、負荷の総合力率の改善、電圧降下の軽減、線路や変圧器の電力損失の軽減、設備容量の増加、電気料金の節減などの効果がある。

　力率改善に要するコンデンサ容量の関係をベクトル図で表すと

図1・2・18のようになる。

P：有効電力〔kW〕

Q：遅れ無効電力〔KVar〕

P_1：回路の有効電力〔kW〕

Q_1：力率改善前の回路の無効電力〔KVar〕

Q_2：力率改善後の回路の無効電力〔KVar〕

Q_0：力率改善用コンデンサの容量〔KVar〕

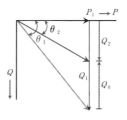

**図1・2・18　力率改善の
ベクトル図**

　図で力率改善に要するコンデンサ
容量 Q_0 は、$Q_1 - Q_2$

$$Q_0 = Q_1 - Q_2 = P_1 (\tan \theta_1 - \tan \theta_2)$$

$$= P_1 \left(\frac{\sin \theta_1}{\cos \theta_1} - \frac{\sin \theta_2}{\cos \theta_2} \right) = P_1 \left(\sqrt{\frac{1}{\cos^2 \theta_1} - 1} - \sqrt{\frac{1}{\cos^2 \theta_2} - 1} \right)$$

(4)　コンデンサ・直列リアクトル

　電圧の位相に対して電流の位相が進むのが**容量性**リアクタンスでコンデンサの特性である。また、遅れるのが**誘導性**リアクトルの特性である。

　コンデンサ回路に直列リアクトルを挿入することは、合成リアクタンスを容量性から誘導性に変化させるということであり、目的とする高調波に対し、リアクトルの容量を適当に選定することにより、その周波数での合成リアクタンスを誘導性とし、高調波電流を抑制することができる。

　したがって、直列リアクトルは、コンデンサに直列に接続し、対象とする高調波に対して合成リアクタンスを誘導性とすることにより、コンデンサによる波形ひずみの拡大を防止する働きがある。

(5)　放電コイル

　コンデンサを回路から切り放した際、残留電荷を放電して取扱者への電撃の危険を防ぐ目的でコンデンサに並列に接続させるコイルである。

　JIS では通常電源開放時の残留電荷は、放電開始5秒後のコンデンサの端子電圧が50V以下と規定されている。

R06　R04　H29

補　足

りきりつ
力率
電圧と電流を単純に掛け合わせたものを皮相電力といい、実際に負荷で消費される電力を有効電力という。この皮相電力に対する有効電力の割合を力率という。交流回路においては、電圧と電流の間の位相差を θ ラジアンとすると、力率は $\cos \theta$ に等しい。

用　語

容量性と誘導性：
電気回路の性質の判定に用いる用語で、その回路が容量性であれば進み電流が流れ、誘導性であれば遅れ電流が流れるとみなされる。

直列リアクトル： R03　H30　H27
JIS の規定により、コンデンサにはリアクトルを直列に接続しなければならない。リアクトルは、コンデンサによる波形ひずみの拡大を防止するほか、コンデンサ投入時の突入電流を抑制する。また、リアクトルを挿入すると、コンデンサに印加される電圧は増加する。

補　足

コンデンサの定格容量
JIS C 4902 では、高調波抑制対策のため、直列リアクトル（L ＝ 6 %）の取付けを前提とした定格電圧・定格容量を定めている。コンデンサの定格容量＝「定格設備容量」（直列リアクトルとコンデンサを組み合わせた設備の容量）／（1 − L / 100）。

H27

9 ▶ 調 相 設 備

(1) 調相設備

調相設備は、重負荷時に進み電流を、軽負荷時に遅れ電流を供給することによって電圧調整を行うとともに、電力損失の軽減を図るものである。この調相設備には回転機と静止機があり、前者には同期調相機が含まれ、後者には電力用コンデンサ、分路リアクトル及び静止形無効電力補償装置（SVC）が含まれる。

① 同期調相機

同期調相機は、無負荷の同期発電機であり、界磁電流を調整することによって無効電力を遅相から進相まで連続的に変化させ、系統に供給することができる。

② 電力用コンデンサ

電力用コンデンサには、進相用コンデンサ、調相用コンデンサ、フィルタコンデンサ、直列コンデンサなどがある。

進相用コンデンサは、線路や負荷に並列に接続して、進み電流を供給、遅れ力率を補償するために用いられる。

③ 分路リアクトル

分路リアクトルは、交流回路に並列に接続し、進み力率を補償するために使用される。分路リアクトルの特徴として、
① 構造が簡単で保守が容易である。
② 価格が安価である。
③ 構造上、鉄心からの騒音が大きい。
④ 段階的な無効電力の調整となる。
などが挙げられる。

④ 静止形無効電力補償装置（SVC）

静止形無効電力補償装置（SVC）は、負荷変動による電圧変動や電圧フリッカの抑制、重負荷供給系統の電圧不安定現象抑制、系統安定度の向上などを目的として、無効電力を高速に制御できるものである。適当な変圧器を介して系統に並列に接続する。

R04

用 語

進み電流：
交流回路が容量性の場合は、電流は電圧よりも位相が進む。この電流を進み電流という。

用 語

遅れ電流：
交流回路が誘導性の場合は、電流は電圧よりも位相が遅れる。この電流を遅れ電流という。

H27

1-3 電　力　系　統

1 ▶ 系　統　運　用

(1) 系統連系

　一つの電力系統が、他の電力系統と接続され大きな系統となること
を系統連系といい、電力各社の送電系統を、常時の経済融通、事故時
の緊急融通などを目的として接続して運用することなども含まれる。

　わが国の連系設備としては、50 Hz・60 Hz 系統の異周波系統間の周
波数変換所として佐久間及び新信濃がある。

　なお、電気事業者以外の発電設備を電気事業者の電力系統に接続す
ることも系統連系という。

(2) 電力系統の安定度

　電力系統の安定度とは、送電電力を安定的に送電する限度をいい、
系統に接続された多数の発電機が、同期運転を維持しうる度合いを**系
統安定度**という。

　安定度向上策を考える上で重要なことは送電電力を増加させること
である。

　系統安定度には次のようなものがある。

　① **定態安定度**

　　負荷の増加などに応じて各発電機の出力変化を継続的に、発電機
　が脱調せずに安定して送電しうる能力をいう。

　② **過渡安定度**

　　電力系統が安定な状態から、急激なじょう乱が生じても、発電機
　が脱調せずに再び安定した系統運用状態に回復し得る能力をいう。

(3) 安定度向上対策

安定度向上対策としては、次のようなものがある。

1) 送電系統側の向上対策

① 最高送電圧の採用と送変電設備の新設・増設

　　・　新しい最高送電圧の採用

　　・　送電線や変圧器を新設・増設し、送電電圧・受電電圧を高くして、送電系統のリアクタンスを低減する。

　　　　　　　　　　　　　　　　　　　　　　　　　　R02　H30　H28

② 送電線・変圧器のインピーダンスの低減

　　・　電線の正三角形配置

　　・　**多導体の採用**

　　・　変圧器のインピーダンス電圧を小さくする。

③ 直列コンデンサの設置

④ 調相設備（同期調相機、電力用コンデンサ、分路リアクトル、静止形無効電力補償装置）の設置

⑤ 高速度遮断と高速度再閉路方式の採用

⑥ 直流連系、直流送電の採用

2) 発電機側の向上対策

① 速応励磁方式の採用

② タービン高速バルブ制御の採用

③ **発電機定数の改善**

　　・　発電機の短絡比を大きくし、リアクタンスを小さくする。

　　・　発電機の回転子に制動巻線を設ける。

　　・　回転子のはずみ車効果を大きくする。

用　語

はずみ車効果：
慣性力で回転が保たれる効果

(4) 送電容量の増加対策

送電容量の増加対策としては、次のようなものがある。

1) 短・中距離送電

① 許容電流を増大させるために、電線を太くする。

② 並列回線を増加する。

③ 最高送電圧を採用する。

④ 多導体の採用

2) 長距離送電

① 送電線のリアクタンスを低減する。

　・ 並列回線を増加する。

　・ 多導体の採用

　・ 直列コンデンサの採用

② 最高送電圧を採用する。

③ 送電系統の安定度を向上させる。

　・ 前 (3) 項の安定度向上策参照

(5) 無効電力の抑制

電力系統では、一般に重負荷時は遅れ無効電力が発生し、電圧は低下傾向となるため、需要家側における適正電圧の確保が難しい。一方、軽負荷時には進み無効電力が発生し、電圧は上昇傾向となるため適正電圧の確保が難しい。したがって、系統に進みの無効電力を供給する電力用コンデンサ、遅れの無効電力を供給する分路リアクトル、この両者の機能を有する同期調相機などを設け、無効電力のバランスを保つことにより、適正な系統電圧維持を図ることが必要である。

(6) 自己励磁現象と防止対策

　自己励磁現象とは、同期発電機を無励磁のまま、無負荷送電線に接続した場合、送電線路の静電容量により電圧が上昇する現象である。この現象を防止するには、

- ・　送電線の試充電は充電電圧を低い電圧で充電する。
- ・　同期リアクタンスの小さな発電機を使用する。
- ・　発電機の短絡比を大きくとる。
- ・　自動電圧調整装置を設置する。

(7) 短絡容量の抑制対策

　電力系統の連系強化、系統拡大に伴う発電機並列台数の増加などにより、短絡・地絡電流が増大する。このため遮断器の遮断容量不足や、直列機器など電力設備の損傷、通信線への誘導障害などの問題が発生する。　　　　　　　　　　　　　　　　　　　　　　　　　　　R06　R03　H29

　短絡容量の抑制対策としては、次のようなものがある。

- ①　高インピーダンス変圧器の使用や直列リアクトルの設置
- ②　上位電圧階級の導入による下位系統の分割
- ③　ループ系統から放射状系統への変更
- ④　直流連系による交流系統相互間の分割
- ⑤　直列機器の機械的、熱的強度の強化

(8) 架空送電線の多導体方式

　送電線において一相に2本以上の電線を適度な間隔で配置したものを多導体と呼ぶ。通常、2〜6本の導体を20〜90mごとに設けたスペーサで、30〜50cm間隔に並列に架設する方式であり、主に超高圧以上の送電線に多く用いられている。

　1) 多導体方式の利点　　　　　　　　　　　　　　　　　R02　H28

- ①　表皮効果が少ないので、電流容量が多くとれ、送電容量が増加する。
- ②　電線のインダクタンスが減少し、静電容量が増加する。
- ③　コロナ損失、雑音障害が軽減できる。
- ④　インダクタンスが小さくなるので、安定度が向上する。

2) 多導体方式の欠点

① スペーサを取付けるなど、構造が複雑になる。

② 鉄塔部材が大きくなり建設費が増加する。

③ 静電容量が大きいので、軽負荷時受電端電圧が過大になる。

④ 短絡時の大電流により電磁的吸引力が働き、素導体の相互衝突により電線表面を焼損し、コロナが発生しやすくなる。

⑤ 発生を防止するため、スペーサを挿入する。

⑥ 素導体に不均等負荷がかかると、電線がねじれて電線に損傷をきたし、機械的強度が弱まる。

(9) 直流送電の特徴　R06　H30

1) 直流送電の長所

① 無効電力の消費・発生がないため、電線の許容電流限度まで送電できる。

② 同期連系ができるので、異なる周波数の系統間の連系が可能である。

③ 交流系統と独立した潮流制御が（定常状態）可能で、制御は容易で迅速である。

④ 送電線は2線で、絶縁耐力が少なくてすみ、線路や鉄塔の建設費が安価である。

⑤ 距離による安定度制約がなく、交流系統への事故時の遮断電流が増大するのを防げる。

2) 直流送電の短所

① 変換設備が比較的高価であり、交流系統のじょう乱の影響を受ける。

② 交直変換時の無効電力のため、比較的大きな調相設備が必要。

③ 電圧の上昇・降圧設備が複雑になる。

④ 多端子送電などの実績がなく、系統構成の自由度が少ない。

⑤ 電圧電流に高調波・高周波成分を含み、交直変換時にフィルタ設備が必要となる。

(10) 送電線の再閉路方式

　送電線の故障の大部分は雷撃、雪及び鳥などの外的要因による。送電線故障が発生すれば保護継電装置が動作し、遮断器が開かれ送電が停止する。しかしシステムは、遮断後1分以内に開いた遮断器を自動的に投入し送電を再開する。このことを**自動再閉路方式**という。

　再閉路方式の特徴は次のとおりである。

① 　再閉路方式には、無電圧時間を1秒程度以下とする**高速度再閉路方式**、1〜15秒程度とする**中速度再閉路方式**、1分程度とする**低速度再閉路方式**があり、高速度再閉路方式は、各種搬送リレー方式と組合せて用いられる。

② 　再閉路方式は、遮断器の性能や保護方式の故障検出性能とのシステム的な協調が重要であり、送電系統に応じた選定が必要である。

③ 　架空配電線では事故の70〜80％程度が瞬時事故で、残りの20〜30％程度が永久事故である。一方、地中配電線で起こる事故のほとんどは永久事故で、再閉路方式を使用しても効果は少ない。

④ 　**多相再閉路方式**は、並行2回線送電線の2回線にまたがる多重事故の場合に、各回線の事故相のみを遮断する方式である。

1-4 電 気 応 用

1 ▶ 照　　明

(1) 照明の用語

① **放射束**　（単位：ワット〔W〕）

エネルギーが電磁波又は粒子の形で放出・伝搬することを放射といい、単位時間に流れる放射エネルギーを放射束という。

② **光度**　（単位：カンデラ〔cd〕）

光源から放射する光の強さを光度という。

R02

③ **輝度**　（単位：カンデラ / ㎡〔cd/ ㎡〕）

物を見たときの明るさを表す。光源からある方向への輝度は、その方向から見た光源の単位投影面積当たりの光度で表す。

H30

④ **光束**　（単位：ルーメン〔lm〕）

光の量を表す。光を光線の直進する束とみなし、光源から放射されるエネルギーを人間の目の感覚で測った量を光束という。

⑤ **照度**　（単位：ルクス〔lx〕）

光で照らされている面の明るさの程度を表す。単位面積当たりに入射する光束で与えられる。1 ㎡の面積に一様な1ルーメンの光束が当たっているときの照度を1ルクスという。

R01　H27

⑥ **色温度**　（単位：ケルビン〔K〕）

黒体は、その温度により決まった色の光を発生する。光源の出す光の色を、その色と等しい色の光を出す黒体の温度で表す。

補　足

黒体放射とは、黒体が放出する熱放射であり、温度が高くなるにつれて、暗い赤色から橙色、黄色、白色、青い白色の光を発生する。

⑦　演色評価数

　光源が物体の色の見え方におよぼす度合いを表す。基準となる光
（昼光に近い光）で照らされた試験色の見え方と、対象となる試験
光のもとでの見え方とのずれの度合いを表す。

⑧　照明率

　光源から出た光のうち、作業面に到達する光の割合をいう。
天井、壁、床の反射率、**室指数**、照明器具の配光形式により定まる。

⑨　ランプ効率

　光源の消費電力〔W〕に対する光束の割合をいう。

⑩　視感度

　光の波長によって異なる明るさの感じ方を視感度という。

⑪　グレア

　見え方の低下、不快感、疲労を生ずる原因となる光のまぶしさを
いい、不快感を与えるものを**不快グレア**といい、見え方の低下に悪
影響を与えるものを**視機能低下グレア**という。

補　足　　R06　H29

演色評価数
JIS Z 9125「屋内作業場の照明
基準」参照

用　　語

室指数：
部屋の広さ、光源の高さにより
定まる指数

H28　H27

補　足　　H30

室指数＝ XY ／ H（X ＋ Y）
X：室の間口、Y：室の奥行き、
H：光源から作業面までの距離
H が大きいほど（光源から作業
面までの距離があるほど）室指
数は小さくなる。

(2) 各種光源

① 白熱電球

ガラス球体内にタングステンを用いたフィラメントと、アルゴンガス、窒素ガス、クリプトンガスなどの不活性ガスを封入したものである。フィラメントを高温に加熱し、その温度放射によって発光させる電球である。

白熱電球は、熱放射が多く、効率が低い。また、電源電圧の変動により光束、効率、寿命が影響を受けやすい。

② ハロゲン電球

白熱電球のガラス球体内によう素、臭素、塩素などの微量のハロゲン物質を含む不活性ガスを封入し、化学反応によってフィラメントの高温折損を抑制したガス入りタングステン電球である。

ハロゲンサイクルにより、タングステンをフィラメントに戻す作用によってガラス管の黒化がなく、高効率、高輝度で、白熱電球に比べて長寿命である。

③ 蛍光ランプ

熱陰極低圧水銀蒸気放電ランプの一種で、アーク放電により発生する 253.7nm の紫外線で、ガラス管内壁に塗布された発光体を励起し、可視光に変換して放電するランプである。

放電を容易にするためアルゴンガスと少量の水銀が封入されている。また、安定した放電を維持するためには安定器を必要とする。

点灯方式による分類として、

- スタータ（始動器）形蛍光ランプ
- ラピッドスタート形蛍光ランプ
- インスタントスタート形蛍光ランプ
- インバータ始動方式蛍光灯器具
- Hf 蛍光灯器具

用 語

不活性ガス：
化学反応を起こしにくい気体で、ヘリウム、ネオン、アルゴン、クリプトン、キセノン、ラドンなどの希ガスをいう。

補 足

nm（ナノメートル）は 10^{-9} メートル
10^{-6} メートル：マイクロメートル
10^{-12} メートル：ピコメートル

用 語

励起：
分子・原子・原子核などの量子力学的な系が外部からエネルギーを得て、初めより高いエネルギーをもつ定常状態（励起状態）に移ること。

補 足

インバータ器具（高周波点灯式蛍光灯器具）
① 小型化・軽量化が可能。
② 発光効率が高いため、省エネが図れる。
③ 超低騒音。

④　高圧水銀ランプ

　水銀蒸気圧中におけるアーク放電による発光を利用するランプである。外管と発光管で構成され、外管と発光管の間に窒素ガスが封入されている。

　発光管には透明石英ガラスを使い、内部に水銀とアルゴンガスが封入されている。

　高圧水銀ランプは赤色のスペクトルが不足し演色性が悪いため、外管の内面に蛍光物質を塗布し、発光スペクトルに含まれる紫外線を可視光に変えて利用した蛍光水銀ランプである。

⑤　メタルハライドランプ

　高圧水銀ランプと同様の構造であるが、透明石英ガラスの発光管の中に演色性をよくするために金属ハロゲン化物質、水銀、アルゴンガスを封入したものである。金属ハロゲン化物質としてスカンジウム、ナトリウム、インジウム、タリウムなどを用いる。蛍光水銀ランプよりランプ効率、演色性に優れている。反面、始動時の光束安定に時間がかかる、始動電圧が高い、再始動時間が長いなどの特徴があり、安定器は専用のものが必要となる。

⑥　高圧ナトリウムランプ

　蒸気圧が10kPa程度の高圧ナトリウム蒸気中の放電により発光する高輝度放電ランプである。発光管には透明アルミナセラミックス管が用いられ、ナトリウム、水銀、キセノンガスが封入されている。

　種類として一般形、始動器内蔵形及び高演色形がある。

　一般形、始動器内蔵形の演色性は劣るが、蒸気圧が高いため連続スペクトルとなり、色の識別には問題がない。高演色形はさらに演色性を高めたもので、発光色は白熱電球に近い黄白色となる。

⑦　低圧ナトリウムランプ

　低圧ナトリウム蒸気中の放電により放射されるD線のオレンジ色の単色光である。発光管の中に、ナトリウム金属、ネオンガス及び少量のアルゴンガスを封入したランプである。

　ランプ効率は照明用光源の中で最も高いが、オレンジ色の単色光のため演色性が悪く色の識別ができない。

　これらの特徴から用途には、トンネル照明、高速道路照明などに限定して用いられる。

用　語

スペクトル：
光を分光器によって波長順に分解したもの。

用　語

連続スペクトル：
ある波長範囲にわたってとぎれなく連続的に現れるスペクトル。

⑧　LED照明

　LED照明は、発光ダイオード（LED）を使用した照明器具である。
LEDとは、順方向に電圧を加えた際に発光する半導体素子のこと
で、電気エネルギーを受け取って励起され、その受け取ったエネル
ギーを特定波長の光として放出するルミネセンス効果を利用してい
る。その特徴としては、

・長寿命で高信頼性がある。

・低発熱で低消費電力である。

・高価格である。

R03　H28

(3) 各種光源の特性

　表1・4・1に主な光源の特性を示す。

表1・4・1　光源の特性

ランプ		定格出力〔W〕	全光束〔lm〕	ランプ効率〔lm/W〕	総合効率〔lm/W〕	色温度〔K〕	平均演色評価数〔Ra〕	定格寿命〔h〕
白熱電球	一般照明用電球	60	810	13.5	13.5	2,850	100	1,000
	ボール電球	57	705	12.4	12.4	2,850	100	2,000
	クリプトン電球	60	840	14.0	14.0	2,850	100	2,000
	ハロゲン電球	100	1,600	16.0	16.0	3,000	100	1,500
	白色LED電球	17	800	70.0	46.0	15,000	72	40,000
蛍光ランプ	電球形蛍光ランプ	17	760	44.7	44.7	2,800	82	6,000
	一般照明用蛍光ランプ	37	3,100	84	66	4,200	61	12,000
	高演色形蛍光ランプ	40	2,400	60	49	5,000	92	12,000
	Hf蛍光ランプ	50	5,200	100	86.6	5,000	88	12,000
HIDランプ	水銀ランプ	400	20,500	51	48	5,800	23	12,000
	蛍光水銀ランプ	400	22,000	55	52	4,100	44	12,000
	メタルハライドランプ	400	40,000	100	95	4,000	65	9,000
	高圧ナトリウムランプ	360	51,000	142	132	2,100	28	12,000
低圧ナトリウムランプ		180	31,500	175	140	1,740	-44	9,000

（注1）白熱電球は0時間値、その他は100時間値の全光束を示す。

（注2）蛍光ランプ、HIDランプ等は安定器損失を含めた効率を示す。
　　　　安定器は200V1灯用高力率形で計算した。

(4) 照明方式

　照明方式を決定する際の分類方法としては、照明器具の意匠、配光、配置により、次のように分類される。

1) 器具の意匠による分類

① 単灯方式

② 多灯方式

③ 連続列方式

④ 面方式

2) 器具の配光による分類

① 直接照明

② 半直接照明

③ 全般拡散照明

④ 半間接照明

⑤ 間接照明

3) 器具の配置による分類

① 全般照明

② 局部照明

③ 全般局部併用拡散照明

(5) 照明計算の基本的な法則

照明計算の基本的な法則として、次のようなものがある。

① 距離の逆2乗の法則

　一つの点光源 L から r 〔m〕離れて、光源から直角に受ける法面^{のりめん}（受照面）上の P 点の法面照度 E' は、点光源の光度 I 〔cd〕に比例し、距離の2乗に逆比例する。

$$E' = \frac{I}{r^2} \ \text{〔lx〕}$$

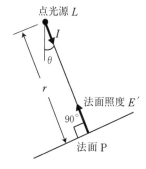

図1・4・1　点光源の照度 (1)

② 入射角の余弦法則

　ある面の照度は、光の**入射角**の余弦（cos）に比例する。また、受照面照度には、法面照度、水平面照度、鉛直面照度などがある。

　法面照度及び水平面照度は次式で求められる。

　法面照度は、距離の逆2乗の法則により

$$E' = \frac{I}{r^2} \ \text{〔lx〕}$$

　水平面照度は、入射角の余弦法則により

$$E = E' \cdot \cos\theta \ \text{〔lx〕}$$

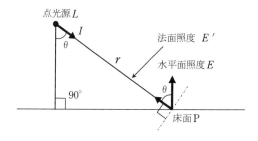

図1・4・1　点光源の照度 (2)

用　語

入射角：
面の法線と入射角とがなす角。

R04　H29

③　光束法

照明器具による被照面の平均照度 E を求める場合、照明器具の台数 N を求める場合に用いる計算法で、一般的な室内照明の計算に用いられる。

$$E = \frac{FNUM}{A} \qquad N = \frac{EA}{FUM}$$

R05　R04　R03　R01

E：平均照度〔lx〕、F：ランプの光束〔lm〕、N：ランプの本数〔本〕、A：作業面積〔㎡〕、U：照明率、M：保守率

④　逐点法

光源より高さ h の水平面上の、光源直下から水平距離 x 離れた点の照度を計算する方法で、直接照度の分布、むらなどの変化の度合いを予測するための計算法で、局部照明や非常用照明の計算に用いられる。

⑤　照明率

光源から放射された光束が作業面に到達する割合をいう。

R02

照明率は照明器具の配光と損失、天井や壁などの反射率、室指数などによって決まる。

⑥　保守率

照明器具はある期間使用すると、ランプの光束減衰や反射面の汚れなどによって照度が低下する。この低下した照度と新設時の照度との比をいう。

(6) 照明器具の配置

天井などの室内部の形状や換気口、スピーカーなどの付帯設備の配置を考慮して、照度の分布が不均等にならないようにするほか、グレア、均整度なども十分配慮して配置を決める。

①　グレア

視野内に高輝度のものがあると、まぶしさを感じ視力低下や不快感などを生じる。これらの障害をグレアという。

照明器具のグレア分類には、従来G分類とV分類があったが、VDTの普及によりV分類の独立の必然性が薄らいだため、G分類に取り込み一体化し、V、G0、G1a、G1b、G2、G3の6つに分類される。

2 ▶ 蓄　電　池

(1) 蓄電池の種類

　化学反応などを利用して化学エネルギーや光エネルギーなどを電気エネルギーに変換して取出すものを電池という。一次電池と二次電池に区別され、一次電池は一度使い切ると寿命となるのに対し、二次電池は使用後、充電することにより繰り返し使用できるものである。

　表1・4・2に主な電池の種類と公称電圧（1セル当たり）を示す。

表1・4・2　電池の種類と公称電圧

分　類	種　　　類	公称電圧〔V〕
一次電池	マンガン乾電池	1.5
	アルカリ乾電池	1.5
	酸化銀電池	1.55
	リチウム電池	3.0、3.6
	空気電池	1.4
二次電池	**鉛蓄電池**	**2.0**
	アルカリ蓄電池	**1.2**
	ニッケル・カドミウム蓄電池	1.2
	ニッケル・水素蓄電池	1.2
	リチウム・イオン蓄電池	3.6

(2) 鉛蓄電池

　鉛蓄電池の電解液として比重 1.2 ～ 1.3 の希硫酸（H_2SO_4）を用い＋極（正極）に二酸化鉛（PbO_2）、－極（負極）に海綿状鉛（Pb）を用いたものである。放電するにつれて、＋極、－極とも硫酸鉛（$PbSO_4$）に変化して起電力も次第に低下するが、これは、充電すれば元の状態に戻る。鉛蓄電池の起電力は 1 セル当たり **2.0 V** である。

　鉛蓄電池の化学反応は次のとおりである。

$$\underset{PbO_2}{\overset{+極}{}} + \underset{2H_2SO_4}{\overset{電解液}{}} + \underset{Pb}{\overset{-極}{}} \underset{充電}{\overset{放電}{\rightleftharpoons}} \underset{PbSO_4}{\overset{+極}{}} + \underset{2H_2O}{\overset{電解液}{}} + \underset{PbSO_4}{\overset{-極}{}}$$

(3) アルカリ蓄電池

　アルカリ蓄電池は、水酸化カリウム（KOH）などの強アルカリの濃厚水溶液を電解液としたものである。その代表的なものがニッケル・カドミウム蓄電池で、＋極（正極）にオキシ水酸化ニッケル（NiOOH）、－極（負極）にカドミウム（Cd）が用いられ、放電により水酸化ニッケルと水酸化カドミウムとなる。

　また、電解液の水酸化カリウム（KOH）は、電気を伝導する役割を有するが、直接化学反応には関与していない。アルカリ蓄電池の起電力は 1 セル当たり 1.2 V である。

　ニッケル・カドミウム蓄電池の化学反応は次のとおりである。

$$\underset{2NiOOH}{\overset{+極}{}} + \underset{KOH}{\overset{電解液}{}} + \underset{Cd}{\overset{-極}{}} \underset{充電}{\overset{放電}{\rightleftharpoons}} \underset{2Ni(OH)_2}{\overset{+極}{}} + \underset{Cd(OH)_2}{\overset{-極}{}}$$

補　足　R03　R01

蓄電池の内部抵抗：
蓄電池の残存容量が減少すると内部抵抗は増加する。

ポイント

①ニッケル・カドミウム蓄電池は低温特性に優れており、作動温度は － 40℃ ～ 50℃ と広い。

②ニッケル・カドミウム蓄電池の自己放電は、温度が高いほど大きい。

(4) 蓄電池の構造・特性・用途

表1・4・3に代表的な蓄電池の構造・特性・用途を示す。

表1・4・3　代表的な蓄電池の構造・特性・用途

電池名		構　成			公称電圧（V）	用　途
		正極（＋極）	電解液	負極（－極）		
鉛蓄電池	開　放　形 密　閉　形	PbO_2	H_2SO_4	Pb	2.0	予備電源用 非常時電源用 自動車始動用 電気車、列車、 船舶など
アルカリ蓄電池	ニッケル・カドミウム電池 　ポケット式（開放型） 　焼結式（開放型） 　密閉型	$NiOOH$	KOH	Cd	1.2	予備電源用 制御回路電源用 電算機用 航空機エンジン 始動用
	ニッケル・水素電池	$NiOOH$	KOH	$MH(H)^*$	1.2	
	リチウム・イオン電池	$LiCoO_2$	$LiPF_6$	LiC_6	3.6	携帯機器電源

（備考）＊：MH：金属水酸化物、M：水素吸蔵合金

3 ▶ 電 気 加 熱

(1) 電気加熱の特徴

電気を熱源とする加熱は、他の燃焼による加熱と比較すると、次のような特徴がある。

① 燃焼による加熱は 1,500℃ 程度が限度であるが、電気加熱では 3,000 ～ 4,000℃ の高温が得られる。

② 内部加熱・局部加熱のように、被加熱物を急速に内部加熱できる。

③ 加熱に酸素を必要としないため、特定のガスの雰囲気中や真空中で加熱が行え、品質の均一な製品ができる。

④ 電気は加熱体の細かい温度制御が容易である。

⑤ 加熱による排気ガス・排熱が少ないので健康や環境汚染の心配がない。

(2) 電気加熱の種類

① 抵抗加熱

抵抗体に電流を通じたときに生じるジュール熱を利用した加熱方式である。被加熱物に直接電流を流して加熱する**直接加熱**と、発熱線を熱してその熱で被加熱物を加熱する**間接加熱**がある。間接加熱は発熱体と被加熱物が別であるため、被加熱物の制限を受けることがほとんどない。代表的なものとしてフロアーヒーティングがある。

② アーク加熱

電極と電極間または電極と被加熱物の間にアーク放電を発生させてアークの熱エネルギーを利用する方式である。被加熱物を電極として加熱する**直接加熱**と、アーク熱の放射や対流により加熱する**間接加熱**がある。4,000℃ 以上のきわめて高い温度が容易に得られるという特徴がある。

③ 誘導加熱

導電性物質に交流磁界を与えたとき生じるうず電流損や磁性体のヒステリシス損によって加熱する方式である。被加熱物自体を直接加熱する**直接加熱**と、導電性容器を加熱し、その容器内に被加熱物を入れて加熱する**間接加熱**がある。

R04

④　誘電加熱

　絶縁物（誘電体）を電極で挟み、高周波電界を加えることにより誘電体内部に発生する誘電体損による発熱を利用した加熱方式である。内部から直接加熱されるため、温度上昇が早く、均一な加熱が行えるという特徴がある。代表的なものとして電子レンジがある。

⑤　赤外線加熱

　波長 0.78 ～ 1 μm の赤外線は、物質に吸収されるとほとんど熱エネルギーに変わり、物質の表面を加熱する。赤外線加熱は、赤外線用発熱体を用いて放射加熱により被加熱物の表面を加熱乾燥する。

　発熱体としては、赤外線ランプ、石英管ヒーターなどがある。

4 ▶ 金属の電解析出

(1) 電解析出の応用

R05

硫酸銅のような金属塩の溶液を電気分解すると、陰極に純度の高い金属が析出し付着する。このような作用を金属の電解析出といい、電気めっき、電鋳、電解精錬、電解研磨などの応用技術がある。

(2) 電解析出の種類

① 電気めっき

電気めっきとは、金属の表面に他の金属を電着し、金属表面の装飾や腐食防止、耐摩耗性を与えることを目的に行われるもの。

② 電鋳

電鋳とは、電気めっきを利用して電気分解により電極表面に金属を電着させ、電極を原型にこれと同形状のものを複製すること。

③ 電解精錬

電解精錬とは、硫酸酸性硫酸銅の水溶液中に、粗金属を陽極、析出させる金属と同じ純金属を陰極とし、その金属イオンを含む溶液中で電気分解することにより、陰極に目的の金属を高純度に分離析出させること。

④ 電解研磨

電解研磨とは、金属・半導体の研磨技術で、リン酸水溶液などの電解液中に浸した金属・半導体を陽極として電流を流し、表面の凸部を溶解させて、平滑で光沢のある表面にすること。

第2章

電気設備

2-1 発電設備

1 水力発電設備

(1) 水力発電所の理論水力

R05

　水力発電は、高所より水を落下させ水車を回転させる構造で、水の持つエネルギーを運動エネルギーとして取り出し水車に与え、水車と連動する発電機により電気エネルギーに変換する方式である。

　いま、有効落差 H 〔m〕より水を流量 Q 〔m^3/s〕で落下させたとき、水車に与えられるエネルギー P は、

$$P = 9.8\,QH \quad \text{〔kW〕}$$

と表される。これを理論水力という。

　発電機出力 P_G は、理論水力を水車効率 η_T、発電機の効率を η_G としたとき、

$$P_\mathrm{G} = 9.8\,QH\eta_\mathrm{T}\,\eta_\mathrm{G} \quad \text{〔kW〕}$$

と表される。

(2) 水力発電所の種類

　水力発電所の種類は構造形式による分類と、運用方式による分類に分けられる。

1) 構造形式による分類

① 水路式

　河川の水をゆるやかで長い水路によって落差を得る方式。

② ダム式

　ダムによって河川の水をせき止めダムの落差を利用する方式。

③ ダム水路式

　水路式とダム式を併用した方式。

2) 運用方式による分類

① 流込み式

　河川流量を人工的に調整するための貯水池を設置せずそのまま導水して発電する方式。

② 貯水池式

河川流量を調整する貯水池や調整池を持った方式で、負荷変化に対応できるのが特徴である。

③　調整池式

河川又は水路の途中に調整池を持った方式で、負荷変化に応じて河川流量を調整できる。

④　揚水式

1日のうち深夜など軽負荷時に余剰電力を用いて高所の貯水池などにポンプで水を揚水しておき、ピーク負荷時に水を落下させて発電する方式。

揚水発電所の水の流れの一例を図に示す。

a）揚水発電所の種類

ⅰ．純揚水式

上部調整池に流れ込む自流がほとんどなく、発電に使用する水のほとんどは揚水により汲み上げた水を使用する方式。

ⅱ．混合揚水式

上部調整池に流れ込む自流があり、発電に使用する水は下部調整池からの揚水と河川の自流の両方を使用する方式。

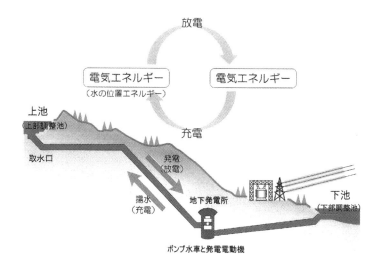

b）揚水発電所の主要設備

ⅰ．ポンプ水車

ポンプ水車とは、回転方向を変えることにより揚水ポンプにも発電水車にも使える水力機械。フランシス形ポンプ水車（落差50m ～ 700m）、斜流形ポンプ水車（落差20m ～ 150m）、プロペラ形水車（落差20m以下）などの種類がある。

ⅱ．発電電動機

　発電電動機はポンプ水車と連結して、水車が水の力によって駆動する発電機と水車を揚水ポンプとして駆動する電動機との機能を併せ持つ。

ⅲ．可変速揚水発電システム R06　R03

　深夜あるいは系統需要が少ないときに揚水運転をしながら、可変速運転により入力を調整し、周波数調整を行う。周波数変換器により発電電動機の回転速度制御を行い、揚水量を変化させることができ、揚水運転時でも系統の需給状況に合わせて、きめ細かな入力電力の調整と周波数の調整が可能となる。

c) 揚水発電所の各種計算

ⅰ．揚水に必要な電力量　Wp〔kWh〕

$$Wp = \frac{9.8\,Qp\,(Hp + hL)\,Tp}{\eta_p\,\eta_m} \quad \text{[kWh]}$$

　　　ただし、毎秒の揚水量 Qp [m³/s]、揚水に要した時間 Tp〔h〕、水位差 Hp 、損失水頭 hL、ポンプの効率 η_p、電動機の効率 η_m とする。

ⅱ．発電電力量　Wg〔kWh〕

$$Wg = 9.8\,Qg\,(Hp - hL)\,\eta_r\,\eta_g\,Tg \quad \text{[kWh]}$$

　　　ただし、毎秒の流量 Qg [m³/s]、発電時間 Tg〔h〕、
　　　水位差 Hp , 損失水頭 hL、
　　　水車の効率 η_r, 発電機の効率 η_g とする。

(3) ダムの種類

①　**コンクリート重力ダム**（図2・1・1）は、コンクリートの自重によって貯水圧力に耐えるもので、構造が簡単で施工が容易なことから発電用として最も広く用いられている。大規模ダムでは大量のコンクリートを使用するため工事費が高くなる。

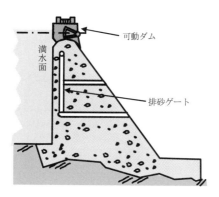

図2・1・1　コンクリート重力ダム

②　**コンクリート中空重力ダム**（図2・1・2）は、重力ダムの変形で、堤体内部に空洞を設け空洞内に水圧鉄管を配置できる構造のもので、コンクリート量を節約できるが、施工に手間がかかる。

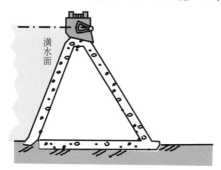

図2・1・2　コンクリート中空重力ダム

③　アーチダム（図2・1・3）は、図に示すように谷の両岸を支点
　としたアーチにより、水圧を両岸の岩盤に伝達して支持する構造
　である。川幅が狭く、岩盤の強固な地点に建設される。重力ダム
　に比べ、ダムの厚さを薄くできるので、材料・工事費などを削減
　できる利点がある。

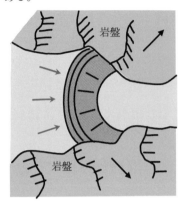

図2・1・3　アーチダム

④　フィルダム（図2・1・4）は、図に示すように岩石又は土砂を
　積み上げ、その自重によって水圧に耐える構造である。ダム上流
　側に鉄筋コンクリートのしゃ水板を設け、さらにダム内部に粘土
　で造ったしゃ水壁で漏水を防ぐ。岩石を積み上げたものをロック
　フィルダム、土砂を積み上げたものをアースダムという。

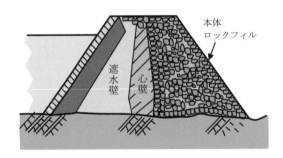

図2・1・4　フィルダム

(4)　ダムの諸設備
①　取水口
　取水口は、水を水路に導く設備で、取水口本体、制水ゲートの他、
流木、塵芥が導水路に流入するのを防止するためのスクリーンなど
から構成されている。

②　導水路

水槽に至るまでの水路を導水路という。

自由水面をもつ無圧水路（無圧トンネル）と、圧力のかかった圧力水路（圧力トンネル）がある。

③　沈砂池

取水した流水中には土砂が含まれており、そのままでは水路内に沈殿し流積を狭めたり、水圧鉄管や水車を摩耗させる原因となる。取水口に近い位置に設けて、流水中の土砂を沈殿、排砂させるものである。

④　水槽

導水路の終端にあって水圧鉄管と連絡する構造物である。相当量の水量を保ち、運転中の負荷変動による使用水量の変化の調整と負荷遮断による水撃圧に順応できる機能を有している。

⑤　サージタンク

圧力水路と圧力鉄管の接続点近くに設ける構造物である。負荷遮断時には水圧管の水圧が急激に上昇して水撃圧となる。この圧力を吸収緩和するとともに負荷変動による流量の調整をするために設ける。

⑥　水圧管路

取水口又は水槽から水車に直接導水する管路をいう。高い水圧が加わるため、一般に鋼管、溶接管、高張力鋼管、バンド管、内張鉄管などの高強度の素材が使用される。通常は急勾配の斜面に露出して配管する。

⑦　放水路

発電に使用した水を河川に放流する水路をいう。発電所から放水口までの地形によって、開きょ、蓋きょ、トンネルなどが用いられる。

⑧　ゲート

コンクリートダムの頂部に設けられた水門で、扉の開閉により水量の調節あるいは土砂排出を行う目的で設けられる。

(5) 水車発電機

① 発電機の分類

水力発電に使用する発電機は、回転界磁型の三相交流同期発電機が一般的である。回転速度が比較的低く極数が多い突極型の回転子が使用される。形状は縦軸形と横軸形があり、大容量低速機には縦軸形、小容量高速機には横軸形が適している。

② 発電機の定格電圧

水車発電機の定格電圧は、発電機出力に応じて 3.3 〜 20 kV 程度の範囲から、次の条件を考慮して選ばれる。

・ 発電機は電圧が高くなるほど、絶縁が厚く、導体の占有率が低下し、重量が増し、価格が高くなる。

・ 容量に比べて電圧を低くすると、固定子コイルの巻回数が減り設計上の自由度がなくなる。

・ 低電圧大電流は不経済な面が多い。

③ 発電機の定格出力

定格出力 P_G は、水車出力 P_r、発電機効率 η_G を用いて次式で表される。

$$P_G = P_r \cdot \eta_G$$

④ 短絡比

短絡比は、定格回転速度において無負荷で定格電圧を発生する界磁電流 I_1 と、三相短絡の場合に定格電流を流す界磁電流 I_2 との比 I_1/I_2 で表される。水車発電機の短絡比は、通常 0.9 〜 1.2 程度としている。短絡比の大きい発電機は電圧変動率が小さく、安定度及び線路充電容量が増大する反面、鉄損、機械損などが大きくなる。

(6) 水車の種類

水車は、水の持つ位置エネルギーを運動エネルギー（回転力）に変換するもので、直結している発電機で発電する。動作原理から、衝動水車と反動水車に大別される。

① 衝動水車

水の持つ位置エネルギーを運動エネルギーに変えて、高速度の噴流を羽根に作用させ、その衝撃力によってランナを回転させる。ペルトン水車が代表的であるが、そのほかにターゴインパルス水車、クロスフロー水車などがある。

用　語

ランナ：
水流により回転し高所から低所へ流れる水の落差エネルギーを機械的回転エネルギーに変換する羽根車。

② 反動水車

　水の持つ位置エネルギーを運動エネルギーに変えて、羽根に作用させるほか、圧力エネルギーも羽根に作用させ、その反動力を利用してランナを回転させる。フランシス水車、斜流水車、プロペラ水車などがある。

(7) 各種水車とその特徴

① ペルトン水車

　高落差用に用いるペルトン水車の構造を図2・1・5に示す。

　水の持つエネルギーをノズルから噴出する噴射水としてバケットに作用させ、その衝撃力により羽根車を回転させるものである。

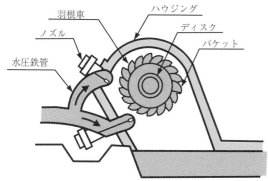

図2・1・5　ペルトン水車の構造

② フランシス水車

　フランシス水車は反動水車の一種で、中高落差用として最も多く用いられている。その構造を図2・1・6に示す。ランナの周辺に設けられたガイドベーン（案内羽根）からランナ方向に流れ込んだ水は相当の速度で反動力と衝撃力を回転羽根に与えながら内部を充満して流れ、軸方向に向きを変えて吸出管から放水する。

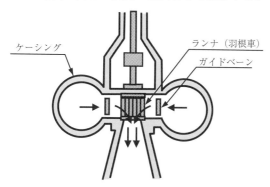

図2・1・6　フランシス水車の構造

補　足

吸出管：
反動水車のランナ出口から放水面までの接続管で、ランナから放出された水のもつ運動エネルギーを回収する機能をもつ。

R06　R04

ポイント

ペルトン水車の特徴
・負荷の変化に対して効率変動が少ない。
・水圧鉄管の重量を節約できる。
・水の排棄損失が大きくなる。
・摩耗部分の交換が容易である。

R06　R02

ポイント

フランシス水車の特徴
・小容量のものから大容量のものまで製作可能。
・負荷変動による効率低下が大きい。
・高落差領域では比速度を大きくとれる。

③　プロペラ水車

　プロペラ水車は、フランシス水車の変化型であり、羽根が固定式のものと可動式（カプラン水車）のものがある。落差が小さく使用水量が大きい場所に用いる。

④　斜流水車

　斜流水車は、反動水車で最も新しく開発されたもので、水の流れの方向はフランシス水車に似ている。構造的には一般にランナ羽根を可動にし、高落差で負荷や落差変動に対して高効率で運転できるようにしている。製作費や保守費用が高いため実用はわずかである。デリア水車とも呼ばれる。

(8)　水車のキャビテーション

　キャビテーションとは、高速で流れる水の圧力が局部的に低下して水中に気泡が発生する現象である。発生した気泡は、圧力が高い場所へ来ると瞬間的につぶれて高い圧力（衝撃）を発生し、周辺の物体に壊食や損傷を与えること、騒音・振動が発生すること、効率や出力が低下することから、以下のような対策がとられる。

- ・　吸出管の吸出し高さをあまり高く設定しない。
- ・　吸出管の上部に適量の空気を注入し、ランナ出口の真空度を下げる。
- ・　ランナ羽根やバケットの流水表面をできるだけ平滑に仕上げる。
- ・　水車の比速度をあまり大きくしない。
- ・　水車を過度の軽負荷や重負荷で運転しない。
- ・　キャビテーションが発生しやすい箇所に耐食性の高い材質を用いる。

ポイント

キャビテーション

H29

(9)　水力発電設備における水撃作用

　管路の中に流れている水を管路の弁を閉じ減速すると、水の運動エネルギーが圧力のエネルギーに変わって、弁の直前の水の圧力が高くなる。この圧力が圧力波（水撃圧）となって上流に伝わり、管の入口で反射して負の圧力波となる。この反射波は最初の弁に伝わり、正の反射波として、また上流に向かう。この運動を繰り返す現象を水撃作用という。

　水撃作用の防止対策は次の通りである。

- ・　水路と水圧管の間にヘッドタンクやサージタンクを設ける。
- ・　水車入口弁を閉じる前の水の圧力と流速を抑える。

ポイント

水撃作用

・　水車入口弁の閉鎖時間を長くする。
・　水圧管の距離を短くする。

(10) 水車の調速機（ガバナ）

調速機は水車の回転数及び出力を調整するため、自動的に水量調整
機構を制御する装置である。水車発電機の運転中に負荷が減少すると、
水車は過剰な入力エネルギーによって加速し周波数が上昇する。

調速機には負荷の変化に応じてガイドベーンを開閉して水の流入量
を調節し、周波数を一定に保つ働きがある。

調速機の特性を示すものとして、速度調定率、速度垂下率、不動時
間、開き時間、閉鎖時間、弾性復原の時定数がある。

R01

(11) 完成時の試験

水力発電所の完成時の試験には、水車に通水しないで行う無水試験
と、通水して行う有水試験がある。
　① 無水試験
・接地抵抗測定　　・絶縁抵抗測定　　・絶縁耐力試験
・水車／発電機動作試験：圧油装置調整後、調速機によるガイドベー
　　　　　　　　　　　　ン開閉の動作確認
・遮断器／開閉器関係試験：遮断器と関連断路器の動作試験及び、
　　　　　　　　　　　　　インターロック確認、保護装置試験、
　　　　　　　　　　　　　非常用予備発電装置試験　など
　② 有水試験
・通水検査　　・初回転試験　　・発電機特性試験
・自動始動停止試験　　・負荷遮断試験　　・入力遮断試験
・非常停止試験　　・無負荷励磁試験　　・監視制御試験
・負荷試験　　・騒音／振動測定　　・水車の効率測定
・ポンプの効率測定　など

R05

2 ▶ 火 力 発 電 設 備

(1) 火力発電所の構成

　火力発電所は図2・1・7に示すように、ボイラ、タービン及び発電機などの設備より構成される。

　火力発電は、燃料に石油、ガス、石炭などを用い、これらを燃焼させ発生する燃焼エネルギーをボイラにより蒸気エネルギーに変え、タービンにより蒸気エネルギーを機械エネルギー（回転エネルギー）に変え、発電機を回転させて電気エネルギーを得る発電方式である。

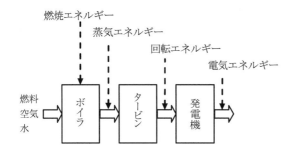

図2・1・7　火力発電所の基本概念

(2) 燃料の種類と特徴

表2・1・1に、火力発電用に使用される燃料の種類と特徴を示す。

表2・1・1　燃料の種類と特徴

種　類	発　熱　量	特　　徴
固体燃料 　石炭	〔kJ/kg〕 27,000 程度	・乾燥、粉砕などの前処理が必要 ・パイプ輸送ができない ・燃焼の際、Sox、ばいじんが多く、灰が残る
液体燃料 　原油 　重油 　軽油 　ナフサ 　NGL（天然ガソリン）	〔kJ/kg〕 43,900 程度 43,900 程度 43,900 〜 46,000 45,500 〜 46,000 43,900 程度	・品質が一定し、発熱量が高い ・燃焼効率が高い ・貯蔵、運搬が容易 ・量、価格などの安定性に問題がある ・引火、爆発の危険性がある
気体燃料 　天然ガス 　高炉ガス 　コークス炉ガス 　LPG（液化石油ガス）	〔kJ/kg〕 39,700 〜 46,000 3,300 20,900 50,000	・わずかな空気で燃焼でき、燃焼効率が高い ・点火、消火、燃焼の調節が容易 ・大気汚染物質の放出が少ない ・設備費がかかる ・漏れ、爆発の危険がある

(3) 火力発電設備の各部の名称と役割

1) ボイラの種類

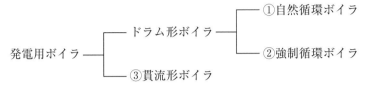

発電用ボイラ — ドラム形ボイラ ┬ ①自然循環ボイラ
　　　　　　　　　　　　　　　　└ ②強制循環ボイラ
　　　　　　　　 └ ③貫流形ボイラ

① 自然循環ボイラ

　蒸発管内の水は火炉熱により沸騰し蒸発を始める。この蒸気と水の混合物と降水管内の水の密度差により循環が行われる。

　蒸気圧が高くなると密度差が減少し循環が低下する。

> **用 語**
>
> **汽水：**
> 蒸気と水のこと。

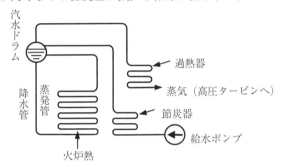

図2・1・8　自然循環ボイラ

② 強制循環ボイラ

　自然循環ボイラの欠点を補うため降水管の途中に循環ポンプを設け外力により強制的に水を循環させる方式である。

　始動停止が急速にできる、循環速度が大きいなどの利点があり、大容量ボイラに適している。

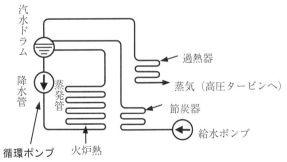

図2・1・9　強制循環ボイラ

③ 貫流形ボイラ

　蒸気圧力が臨界圧、臨界温度以上の高温・高圧になると水は沸騰せず、水から直ちに蒸気になる。ドラムや降水管が不必要となって小型化でき、大容量の超臨界圧ボイラとして使われることが多い。

給水ポンプからの給水は蒸発管で飽和蒸気となり、過熱器で過熱されて高温・高圧の蒸気となってタービンへ送られる方式である。

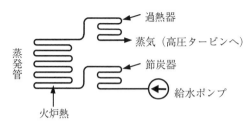

図2・1・10　貫流ボイラ

2) ボイラ関連設備

① ドラム

自然循環ボイラや強制循環ボイラにおいては、ボイラ水は蒸発管を通過するとき、火炉熱により蒸発し蒸気と水の混合物となってドラムに送られる。ドラムは汽水分離する装置で、蒸気を過熱器へ送り出す。水は降圧管を下り循環する。

② 過熱器

ボイラの蒸発管で発生した飽和蒸気をタービンで使用する蒸気温度まで加熱する装置で、高温、高圧に耐えられる構造のものである。

③ 再熱器

高圧タービンで仕事を終えて飽和温度に近づいた蒸気を、再び加熱して中圧又は低圧タービンに送る装置である。

④ 節炭器

火炉の燃焼ガスの余熱を利用してボイラ給水を予熱し、ボイラのプラント効率を高める装置である。

H28

⑤ 蒸発管

火炉の燃焼熱を、管内を通過中の水に伝達し、ボイラ水を飽和蒸気にする管である。この蒸発管を並列、あるいは蛇行状に並べて火炉の壁を形成する。

3) タービン

　過熱器を通過した高温高圧の蒸気を受けて、内部で断熱膨張させ、蒸気の保有する熱エネルギーを機械エネルギー（回転エネルギー）に変換するものである。

　タービンの種類には、次のようなものがある。

① 衝動タービン

　蒸気圧力をタービンのノズルを通る間に降下させ、高速度となってノズルから噴出する蒸気の衝撃力により動翼（回転羽根）を回転させて動力を発生するもの。

② 反動タービン

　蒸気が静翼（固定羽根）と動翼を通過するときそれぞれ圧力を降下させ、動翼から噴射する蒸気の膨張による反動力によってロータを回転させるもの。

③ 衝動・反動混式タービン

　衝動タービンと反動タービンを組合せた方式で、大容量の蒸気タービンで使用されている。

④ 復水タービン

　効率を高めるためにタービンの排気蒸気を復水器でさらに真空まで膨張させるもので、電力会社などの発電機に用いられている。

⑤ 背圧タービン

　生産工場などで電力のほかに作業用蒸気を必要とする場合に用いられ、電力を発生するとともにタービン排気を作業用蒸気に利用するもので、燃料費の節約につながる。

⑥ 抽気タービン

　電力及び作業用蒸気を必要とする場合、復水タービンの途中から蒸気を取出すものを抽気復水タービンといい、タービン抽気とタービン排気の2種類の蒸気圧力によって供給されるものを抽気背圧タービンという。

4）タービン関連設備

①　復水装置

　蒸気タービンで仕事を終えた排気を冷却凝縮するとともに復水として回収することで有効熱落差を高める装置で、復水器、空気抽出器、復水ポンプ、循環ポンプなどから構成されている。

②　給水加熱器

　タービンの抽気又はその他の蒸気で給水を加熱するもので、プラントの熱効率を向上させる。

③　脱気器

　復水器で除去しきれない給水中の溶存酸素や炭酸ガスを除去し、ボイラや配管などの腐食を防止するものである。

　脱気器は脱気室、脱気タンクから構成されており、脱気室はタービンの抽気やその他の蒸気によって給水を直接加熱し、給水を脱気するものである。脱気タンクは脱気室で脱気された水を貯水するタンクである。

④　空気予熱器

　排ガスの熱を回収して、燃焼用空気を 200 ～ 300℃に予熱して火炉に送る装置で、排ガスの熱損失を減少させ、炉内の燃焼効率を向上させるものである。

（4）熱サイクル

①　ランキンサイクル

　汽力発電所の基本サイクルで、給水ポンプから送られた水は蒸発管、過熱器において過熱蒸気となり、タービンに送られる。仕事を終えた蒸気は復水器で復水となる。図2・1・11 にランキンサイクルを示す。

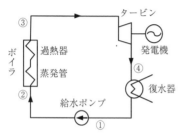

図2・1・11（a）
ランキンサイクルの装置概要図

図2・1・11（b）
ランキンサイクルの T-S 図

用　語

き りょくはつでん
汽力発電：
蒸気の熱エネルギーを機械エネルギーに変換する（電力へ変換する）発電方法。狭義には火力発電を指すが、広義には原子力発電、地熱発電、太陽熱発電なども含まれる。

R06　R03　R02　H30　H28

② 再熱サイクル

　高圧タービンで断熱膨張した蒸気を再びボイラに戻して再熱器によって適当な蒸気温度に加熱し、再びタービンに返して断熱膨張させ、熱効率を向上する方式。図2・1・12に再熱サイクルを示す。

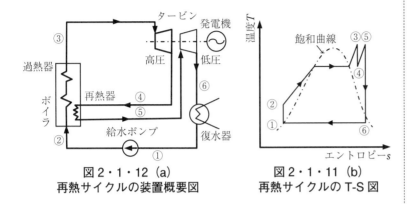

図2・1・12（a）
再熱サイクルの装置概要図

図2・1・11（b）
再熱サイクルのT-S図

③ 再生サイクル

　タービン内で膨張する途中から蒸気の一部を抜き出し（これを抽気という）、その熱を給水加熱に用いる方式で、復水器で冷却水に持ち去られる熱量を幾分でも減らし、熱効率を向上させることを目的としている。図2・1・13に再生サイクルを示す。

H27

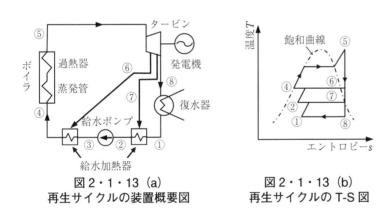

図2・1・13（a）
再生サイクルの装置概要図

図2・1・13（b）
再生サイクルのT-S図

④ 再熱再生サイクル

　再熱サイクルと再生サイクルとを組合せ、両者の長所を兼ね備えたもので、熱効率の向上を図り、湿り蒸気による内部効率の低下やタービン翼の腐食などを防ぐことを目的としている。図2・1・14に再熱再生サイクルを示す。

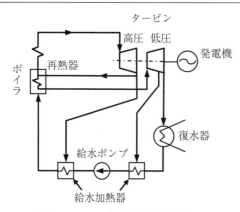

タービン
高圧　低圧
発電機
再熱器
ボイラ
復水器
給水ポンプ
給水加熱器

図2・1・14　再熱再生サイクル

(5) 水車発電機とタービン発電機の比較

表2・1・2に、水車発電機とタービン発電機の比較を示す。

表2・1・2　水車発電機とタービン発電機の比較

	水車発電機	タービン発電機
回 転 数	$250 \sim 1{,}000\,\mathrm{rpm}$	$1{,}500 \sim 3{,}600\,\mathrm{rpm}$
回 転 子	突極形	円筒形
極 数	$6 \sim 56$	2 又は 4
定 格 電 圧	$3.3 \sim 20\,\mathrm{kV}$	$15 \sim 20\,\mathrm{kV}$
励 磁 方 式	励磁機直結形	電動励磁機、ブラシレス
冷 却 方 式	空気	水素
短 絡 比	$0.8 \sim 1.2$	$0.5 \sim 0.8$

3 ▶ 原 子 力 発 電 設 備

(1) 原子力発電

1) 原子力発電の概要

　原子力発電は汽力発電のボイラの役目を、原子炉内で行わせるものである。原子炉内で核反応を起こさせ、発生する熱エネルギーにより水を蒸気に変え、その蒸気によりタービンを駆動させ発電機を回転させる構造である。

　原子力発電の特徴は、次のとおりである。

① CO_2 排出量がきわめて低い。

② わずかな燃料で多量のエネルギーを発生する。

③ 単位体積当たりの出力が大きい。

R05　R01
H30

補 足

コンバインドサイクル発電： 蒸気タービンとガスタービンを組み合わせた（コンバイン）発電方式。熱効率が高く、冷却水・温排水量が少ないほか、起動・停止の時間も短いなどの特徴がある。

R04

④ 放射線に関する施設及び厳重な品質管理が要求される。

⑤ 建設費が高い。

⑥ 熱効率が低い。

⑦ 負荷の追従性が悪い。

⑧ ベース負荷に適している。

2) 原子炉の種類

① 熱中性子炉

熱中性子により核分裂を起こさせる原子炉をいう。

② 高速中性子炉

高速中性子により核分裂を起こさせる原子炉をいう。

③ 高速増殖炉

消費した核燃料より作り出す核燃料の方が多くなる高速中性子炉をいう。

(2) 原子炉の構成材

① 核燃料

原子炉の核燃料には、天然ウラン、濃縮ウラン、プルトニウムが使用される。核分裂には天然ウランの中にごくわずか（0.7%程度）しか含まれていないウラン235を遠心分離器により濃縮（3〜4%）した濃縮ウランが使用される。

② 減速材

核分裂を起こすには、高速中性子は運動速度が速すぎるため原子核に捕捉されにくい。このため減速材を用いて高速中性子を熱中性子に減速する必要がある。減速材には軽水、重水、黒鉛、ベリリウムなどがある。

③ 制御材

原子炉内の連鎖反応を調整するため、中性子を吸収して中性子の量を制御するものである。制御材にはホウ素、カドミウム、ハフニウムなどが用いられる。

④　冷却材

　核分裂によって発生した熱エネルギーを炉心内から炉心外の発電
設備に運び出すために使用する媒体が冷却材である。冷却材には軽
水、重水、炭酸ガス、ナトリウム、ヘリウムなどがある。

⑤　遮へい材

　炉心で発生する放射能が外部に漏れるのを防ぐもので、中性子や
γ線、その他各種の放射線を吸収するものが遮蔽材である。
　原子炉の一番外側に設けられ、作業員などを被爆から保護するも
のを生体遮へいといい、コンクリート、ホウ素、水などが用いられ
る。

(3) 発電用原子炉の種類

　表2・1・3に発電用原子炉の種類を示す。

表2・1・3　発電用原子炉の種類

炉型	要素	核燃料	減速材	冷却材
軽水炉（LWR）	・沸騰水形（BWR）	濃縮ウラン	軽　水	軽　水
軽水炉（LWR）	・加圧水形（PWR）	濃縮ウラン	軽　水	軽　水
重水炉（HWR）	・重水冷却形	天然ウラン	重　水	重　水
重水炉（HWR）	・軽水冷却形	濃縮ウラン 天然ウラン プルトニウム	重　水	軽　水
ガス冷却炉（GCR）	・ガス冷却炉（GCR）	天然ウラン	黒　鉛	炭酸ガス
ガス冷却炉（GCR）	・改良形ガス冷却炉（AGR）	濃縮ウラン	黒　鉛	炭酸ガス
ガス冷却炉（GCR）	・高温ガス冷却炉（HTGR）	濃縮ウラン	黒　鉛	ヘリウム
高速増殖炉（FBR）		濃縮ウラン プルトニウム	な　し	液体ナトリウム

①　沸騰水形原子炉（BWR）

　原子炉圧力容器内の炉心で冷却水を加熱・沸騰させ、飽和蒸気と
して直接タービンに送る構造である。
　蒸気や水は、原子炉容器→タービン→復水器→給水ポンプ→原子
炉容器のループで循環し、タービンサイクルと一次系が同じという
特徴がある。

沸騰水形軽水炉（BWR）の概念図を図2・1・15に示す。

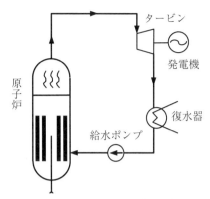

図2・1・15　沸騰水形軽水炉（BWR）の概念図

②　加圧水形原子炉（PWR）

　原子炉容器を含む一次系全体を加圧器により加圧し、原子炉容器内で一次冷却水が沸騰するのを抑える。原子炉容器を出た一次冷却水は、蒸気発生器に入り、ここで放熱して一次冷却材ポンプによって原子炉に戻される。このように加圧水形では蒸気発生器→一次冷却材ポンプ→原子炉容器→蒸気発生器の一次系と蒸気発生器→タービン→復水器→給水ポンプ→蒸気発生器の二次系とが分離しているのが特徴である。

　加圧水形軽水炉（PWR）の概念図を図2・1・16に示す。

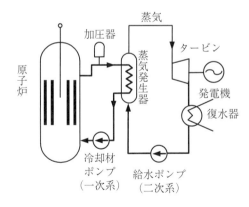

図2・1・16　加圧水形軽水炉（PWR）の概念図

③　ガス冷却炉（GCR）

　核燃料に天然ウラン、減速材に黒鉛、冷却材に炭酸ガスを用いたもので、冷却材の熱を熱交換器で二次系の水に与え蒸気に変えてタービンに送る。

ガス冷却炉（GCR）の概念図を図 2・1・17 に示す。

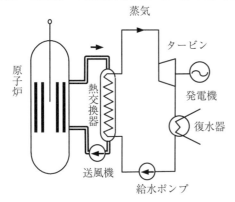

図 2・1・17　ガス冷却炉（GCR）の概念図

(4) 原子炉発電の安全対策

① 原子炉の緊急停止（スクラム）

原子炉内異常や主要機器の故障などが発生した場合、自動的に瞬時に多数の制御棒を炉心内に挿入して原子炉を緊急停止させる。

② フェールセーフシステム

機器に故障が発生した場合、制御系統全体が安全側に動作するように設計されたシステム。

③ 多重化（冗長化）方式

システムの一部に何らかの障害が発生しても、システム全体の機能を維持し続けられるように予備装置や経路をバックアップとして配置する方式。

④ インタロック方式

定められた条件が整わないと、動作を実行できないようにしている方式。

⑤ 非常用炉心冷却装置

地震などにより冷却水パイプが破断したことを想定し、炉心温度の異常上昇を防止するため、非常用の冷却水を炉心内に注入するとともに原子炉の外部から水を噴射して冷却する装置。

4 ▶ その他の発電設備

(1) 太陽光発電

太陽エネルギーを太陽電池モジュールで直接電気エネルギーに変換するシステムで、図2・1・18に住宅用太陽光発電システムを示す。

太陽光発電は、資源が太陽光であるため枯渇しない、環境を汚損する排気ガスを排出しない、需要場所の近くに設置できる、可動部がないため保守が容易であるといった特徴がある。

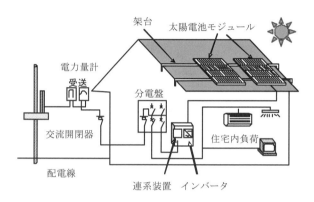

図2・1・18　住宅用太陽光発電システム

① 太陽電池モジュール

太陽電池はn形シリコン半導体と、p形シリコン半導体を接合した構造で、その最小単位を**セル**という。

セルを多数組合せたものをモジュールといい、使用する場所の日照条件などに応じていくつかのモジュールを組合せ、架台を用いて屋根に設置する。

モジュールの種類には、**単結晶シリコンとアモルファスシリコン**などがあり、単結晶形は高価であるが、発電効率及び信頼性が高い。

太陽光発電はこの半導体に光が入射したときに起こる**光電効果**を利用した発電であり、シリコン系太陽電池は、表面温度が高くなると、出力が低下する温度特性を持っている。

② 太陽光発電の発電装置

図2・1・18に示すように、太陽電池モジュール、直流を交流に変換するインバータ、配電系統に接続する連系装置、分電盤、発電電力を表示する電力量計などから構成されている。

R04　H30　H28　H27

用　語

光電効果：
太陽電池に太陽光が入射すると、正孔がp形半導体に、電子がn形半導体の両電極にあつまり、両電極を接続して電気を取り出す。光が物質内部の電子を励起する性質（＝光電効果）を利用した発電が太陽光発電である。

　また、インバータには太陽電池の状態を監視し発電電力を制御し、負荷に応じて余剰電力を商用系統へ連系・制御する機能も持っている。

③　パワーコンディショナ R06

　パワーコンディショナは、太陽電池が発電した直流電力を交流電力に変換する装置であり、日射量によって変動する各ストリングの電圧と電力に対して、発電量が最大になる電圧と電流を追従して運転する制御を行っている。この制御を最大電力点追従制御（MPPT制御）と呼ぶ。ここで、出力端子を開放したときに発生する各ストリングの電圧を開放電圧といい、パワーコンディショナが最大電力を出力する時の各ストリングの電圧を最大出力動作電圧という。開放電圧は最大出力動作電圧より高いので、パワーコンディショナの最大入力電圧は開放電圧以上となるよう設計する。

　パワーコンディショナには、集中型と多入力型（マルチストリング型)がある。集中型は複数回路を一括してMPPT制御を行うので、ストリング電圧は同一であることが条件となる。一方、多入力型はMPPT制御を回路毎に行うので、ストリング電圧は異なっていても差し支えない。

④　系統連系 R06

　太陽光発電設備を高圧連系する場合は、地絡過電圧継電器（OVGR）が必要である。

　また、構内側の事故検出用としては、過電流継電器（OCR-H）や地絡過電流継電器（OCGR）などを設置する。

⑤　その他 R06

　電気の利用の促進に関する特別措置法施行規則に基づいて、太陽光発電設備などの再生可能エネルギー発電設備を適切に保守点検や維持管理を行うため、柵や塀の設置、その他の必要な体制を整備・実施しなければならない。ただし、当該発電事業を行おうとする者、その他の関係者以外の者が立ち入ることのできない場所に設置する場合は除外される。

(2) 風力発電

　風車の風力エネルギーを機械エネルギーに変えて発電機を回転させ、発電するものである。

風力発電の特徴は、風力エネルギーはクリーンで枯渇することがない環境にやさしいエネルギーであるが、エネルギー密度が小さいため風車が大きくなる、風向・風速が絶えず変動するため安定的なエネルギー供給が難しい、などがある。

図2・1・19にプロペラ形風力発電システムの概念図を示す。

R06　R03　H30　H27

補　足

風車の種類
水平軸風車＝プロペラ形、オランダ形、セイルウィング形、多翼形など。
垂直軸風車＝ダリウス形、サボニウス形、ジャイロミル形など。

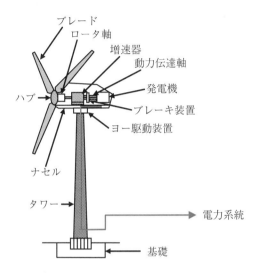

図2・1・19　プロペラ形風力発電システム

① 風力発電の原理

R04

　風車は、風の運動エネルギーを翼の回転エネルギーに変換する装置で、質量 m の空気の固まりが速度 V で流れると、運動エネルギーは $1/2mV^2$ で表される。

　単位時間で考えれば、m は風車の回転断面積 A と、風速 V 及び空気の密度 ρ の積であるから、風の運動エネルギー W は、

$$W = \frac{1}{2}\,mV^2 = \frac{1}{2}\,(\rho AV)\,V^2 = \frac{1}{2}\,\rho AV^3$$

となる。すなわち、風車の受ける風エネルギーは、受風断面積に比例し、風速の3乗に比例する。

② 風車の発電装置

　風車は、風力エネルギーを機械的動力に変換する**ロータ部**（ブレード、ハブ、ロータ）、ロータから発電機へ動力を伝達する**伝達系**（動力伝達系、増速機）、発電機などの**電機系**（発電機、電力変換装置、トランス、系統連系保護装置）、システムの運転・制御を行う制御系（出力制御、ヨー制御、ブレーキ）及びタワーなど**支持・構造系**（ナセル、タワー、基礎）から構成されている。

③　ベッツ理論

　風のエネルギーを風車の回転力に変換するとき、風車のブレードを通過した後の風速が元の風速の1/3に低下するときに最大のパワーが取出される。その理論効率は、59.3%である。

(3) 燃料電池

　燃料電池の原理は「電気分解の逆」といわれ、燃料が持っているエネルギーを化学反応させて電力として取り出す発電システムである。

①　燃料電池の種類と特徴

　表2・1・4に燃料電池の種類とその特徴を示す。

補　足

ベッツ理論
1920年にドイツのランチェスター・ベッツが発表した理論。

R05　R01　H28

表2・1・4　燃料電池の種類と特徴

種類	固体高分子形 (PEFC)	リン酸形 (PAFC)	溶融炭酸塩形 (MCFC)	固体酸化物形 (SOFC)
電　解　質	高分子電解質膜	リン酸	溶融炭酸塩	安定化ジルコニア
移動イオン	H^+	H^+	CO_3^{2-}	O^{2-}
反応ガス	H_2(CO10ppm以下)	H_2（CO1%以下）	H_2、CO	H_2、CO
燃　　　料	水素、天然ガス、メタノール	天然ガス、メタノール	天然ガス、メタノール、ナフサ、石炭ガス化ガス	天然ガス、メタノール、石炭ガス化ガス
作動温度	約80℃	約200℃	約650℃	約1000℃
発電効率	35～45%	35～45%	45～60%	50～65%
特徴と 主な用途	・低温作動 ・出力密度が大きい ・起動性がよい	・排熱を給湯、冷暖房に利用できる ・比較的低温作動	・排熱を蒸気、給湯、冷暖房に利用できる ・排熱を複合発電に利用できる ・起動性がよい	・排熱を蒸気、給湯、冷暖房に利用できる ・排熱を複合発電に利用できる ・燃料の内部改質が可能
	家庭用コージェネレーション、電気自動車用、モバイル機器	工業用コージェネレーション、分散型発電	大規模発電、分散型発電、コージェネレーション	中規模発電、分散型発電、コージェネレーション

② **燃料電池の発電原理**

図 2・1・20 にリン酸形燃料電池の発電原理を示す。

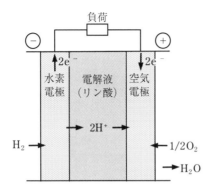

図 2・1・20　リン酸形燃料電池の発電原理

2-2 変 電 設 備

1 ▶ 変電設備と主要機器

(1) 変電設備の概要

　変電所は発電所で発生した電力を送電線や配電線を通して需要家に安全で良質の電気を送り届ける設備である。電圧の変成、電圧の降圧、電力の分配、系統保護など多くの機能が要求される。主要機器としては主変圧器、母線、開閉設備、制御装置、変成器、調相設備、避雷器などから構成されている。

(2) 変圧器

R03

1) 変圧器の結線方式

　変圧器には単相変圧器と三相変圧器があり、一般的には三相変圧器が多く用いられている。変圧器の結線には、Ｙ－Ｙ－Δ、Ｙ－Δ（Δ－Ｙ）、Δ－Δなどがある。

① Ｙ－Ｙ－Δ結線
・ 一次、二次間に位相差がない。Ｙ－Δの位相差は30°である。
・ 三次のΔ巻線に第三調波電流を流せる。
・ 中性点を接地できる。

② Ｙ－Δ（Δ－Ｙ）結線
・ 第三調波電流を流せるので、誘起電圧が正弦波となる。
・ 一次、二次間に30°の位相差が生じる。
・ Ｙ側は中性点接地ができるが、Δ側は接地変圧器が必要。また、Ｙ側で中性点接地した場合段絶縁が採用できる。
・ Ｙ－Δ結線は変電所の降圧変圧器に、Δ－Ｙ結線は発電所の昇圧変圧器用に用いられる。

③ Δ－Δ結線
・ 第三調波電流を流せるので、誘起電圧が正弦波となる。
・ 一次、二次間に位相差がない。

用　語

段絶縁：
線路端から中性点までの電位分布を直線的にし、巻線の絶縁もこれに応じて順次低減する方式。

- 単相器の場合は1台が故障しても **V－V** 結線として運転できる。
- 負荷時タップ切替器が線間電圧となる。

2) 単巻変圧器の特徴

単巻変圧器は、巻線が1つしかなく、巻線の一部から端子が出ている。図2・2・1に示すように巻線の共通部分（b－c間）を**分路巻線**、共通でない部分（a－b間）を**直列巻線**という。

単巻変圧器は、一次（高圧）巻線の一部が二次（低圧）巻線と共通になっている。その他の特徴としては、次のものがある。

- 等価容量が小さく経済的である。
- 重量及び損失が小さい。
- インピーダンス及び電圧変動率が小さい。
- 励磁電流及び無負荷損が小さい。
- 高電圧側に発生した異常高電圧が低電圧側に波及する。

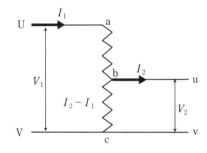

図2・2・1　単巻変圧器

3) 変圧器の効率と損失

変圧器の効率は、出力／（出力＋損失）で表される。

変圧器の損失には、**鉄損**（無負荷損）と**銅損**（負荷損）などがあり、鉄損は、負荷電流の大きさにかかわらず、ほぼ一定の値を示す。また、銅損は、変圧器巻線の抵抗損であるため、負荷電流の二乗に比例して増える。

変圧器の負荷電流に対する効率と損失を、図2・2・2に示す。

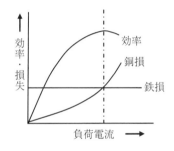

図2・2・2　負荷電流に対する効率と損失

負荷時タップ切替器： **H29**
負荷がかかった状態で停電することなく、変圧器1次側の巻数を変えることによって変圧器の巻数比を変え、2次側の電圧を任意に変えることができる。

鉄損：
主に鉄に生じるヒステリシス損とうず電流損とを合わせたもの。

銅損：
主に抵抗中で費やされる電力損のこと。
抵抗損と同意語。

4）中性点接地方式

変圧器の中性点接地は、系統の地絡故障時などの異常電圧の抑制と保護継電器の確実な動作のために行うもので、大別して**直接接地**、**抵抗接地**、**非接地**に分類される。

表 2・2・1 に標準的な中性点接地方式を示す。

R04

表 2・2・1　標準的な中性点接地方式

電　圧	中性点接地方式	
187kV 以上の送電系統	**直接接地**	
154kV の送電系統	**抵抗接地**	抵抗接地
		補償リアクトル接地
66 〜 154kV の送電系統	抵抗接地	抵抗接地
		消弧リアクトル接地
		補償リアクトル接地
22 〜 33kV の送電系統	抵抗接地	
6.6 〜 22kV の配電系統	**非接地**	

① **直接接地方式**
・ 1線地絡事故が起こった場合でも、健全相の対地電圧が上昇しない。（常時の相電圧 E ／ $\sqrt{3}$ 程度）
・ 地絡電流が大きく、通信線への電磁誘導障害を与えるため、故障電流を瞬時（0.1 秒以内）に遮断する遮断器及び保護継電器を設置する必要がある。
・ 変圧器巻線を段絶縁にすることができ、価格の低減が可能。

R01　H28

② **抵抗接地方式**
・ 1線地絡事故が起こった場合の健全相の対地電圧は上昇する。（常時の $\sqrt{3}$ 倍の線間電圧以上）
・ 地絡電流が抑制され、通信線に対する誘導障害が低減できる。

③ **消弧リアクトル接地方式**
・ 1線地絡事故時の損失電流が少なく、アークの大部分が自然消弧する。
・ 通信線への電磁誘導障害を軽減できる。

④ **非接地方式**
・ 1線地絡事故が起こった場合の健全相対地電圧は上昇する。（常時の $\sqrt{3}$ 倍の線間電圧以上）
・ 地絡事故の選択遮断が困難。

(3)　遮断器

　遮断器は、常時は電路の負荷電流、充電電流などを開閉し、事故時は保護継電器からの指令で、短絡電流、地絡電流など故障電流を遮断する装置である。遮断器の種類と特徴は、表2・2・2のとおりである。

R04

表2・2・2　遮断器の種類と特徴

遮断器の種類	特　徴
油遮断器（OCB）	消弧媒体に絶縁油が用いられ、消弧能力は高いが、絶縁油の浄油処理が必要など保守面での取扱いが面倒であることなどから最近の使用は少ない。
空気遮断器（ABB）	ノズル状の消弧室内でアークを発生させ、圧縮空気をアークに吹き付けて消弧する方式。部品の共通化により保守が容易であるが、操作時の音が大きく騒音対策が必要となる。
ガス遮断器（GCB）	消弧媒体にSF$_6$ガスを用いた遮断器で、消弧方式にパッファ式、2圧力式などがある。パッファ式は構造が簡単で消弧を自動制御でき、優れた遮断性能、保守点検が容易などの点から、高圧から超高圧まで幅広く使用されている。また、近年主流のGIS（ガス絶縁縮小形開閉装置）の構成要素でもある。
真空遮断器（VCB）	アークにより発生した金属蒸気プラズマを拡散することにより消弧する方式で、遮断後の絶縁回復特性に優れている。
磁気遮断器（MBB）	遮断電流によって作られる磁界と発生するアーク電流との相互作用によって、アークを消弧室に引込み消弧する方式で、可燃物を使用していないため火災の危険がない。

①　高圧遮断器の引外し方式

R05

　高圧遮断器の引外し方式には、事故電流を変流器で検出し動作することで制御電源が不要な「過電流引外し」や、直流電源装置を実装し制御電源とする「電圧引外し」、コンデンサに蓄電し数回の引外しが可能な「コンデンサ引外し」などがある。

②　高圧限流ヒューズ

　高圧限流ヒューズの種類は、溶断特性により、一般用、変圧器用、電動機用、コンデンサ用の4種類があり、それぞれG・T・M・Cと表記される。

(4) 断路器・負荷開閉器

① 高圧断路器 (DS)

　高圧断路器は、負荷電流を開閉するのではなく、点検などのために単に充電された回路を切り離したり、接続を変えるために使用される開閉装置である。

　断路器に故障電流や負荷電流を遮断する能力はないが、外部から開閉状態が容易に確認できるため、電路の確実な開閉を必要とするような受電設備の引込口付近や避雷器の電源側に設置される。

　高圧受電設備規程では、断路器の取付け方法を次のように規定している。

・　操作が容易で危険のおそれがない箇所を選んで取付けること。

・　横向きに取付けないこと。

・　縦に取付ける場合は、切替え断路器のときを除き、刃受を上部とすること。

・　刃は、開路した場合に充電しないよう負荷側に接続すること。

・　刃がいかなる位置にあっても、他物から10cm以上離隔するよう施設すること。

② 高圧交流負荷開閉器 (LBS)

　高圧交流電路に使用し、通常回路条件で所定の電流を投入して、通電及び遮断し、短絡など特定の異常回路条件下で指定した時間、電流を通電できる開閉機器である。

　気中負荷開閉器、真空負荷開閉器、ガス負荷開閉器などの種類がある。

③ 電力ヒューズ (PF) 又は高圧限流ヒューズ

　遮断原理から限流形と非限流形の2種類がある。

　限流形は、短絡時の限流効果を有する反面、一般的には小電流遮断性能が劣る。非限流形は、小電流遮断性能は良いが、短絡電流に対して限流効果は期待できない。

④ 高圧交流電磁接触器 (MC)

　3kV・6kVの高圧電動機制御など、高圧回路の負荷電流を頻繁に開閉する目的に使用される。主接触部、操作電磁石、補助接触部で構成され、数十万回の開閉に対する耐久性を有するが、電気回路の異常電流を遮断保護する機能を持たない。

補　足

所定の電流
負荷電流：負荷が通常状態のとき、開閉器の各極に流れる電流
励磁電流：負荷が無負荷変圧器のとき、開閉器の各極に流れる電流
充電電流：負荷が無負荷電路のとき、開閉器の各極に流れる電流

⑤　高圧カットアウト（PC）

　高圧カットアウトは、内部にヒューズを装着できる機構を持った負荷電流開閉器である。一般的には、柱上変圧器の一次端子付近に設置される。磁器性密閉構造で、**筒形**と**箱形**がある。

　内線規程では、「高圧カットアウトは、ヒューズを入れず素通しとして断路器の代わりに使用することができる。」と示されている。

(5) 母線

　母線は、変電所内で電力系統の回線を各機器に接続し、他系統より電力を集中したり、他系統に電力を分配したりする導線（導体）である。それぞれの母線に、断路器、遮断器などが設置されている。

　母線方式には、単母線、複母線及びループ状母線などがある。

①　単母線

　設備機器が少なく経済的には有利であるが、設備事故が発生すると全停電となりやすい。また、母線の点検修理時にも停電を必要とする場合が多い。

②　複母線

　二重母線・三重母線があるが、一般的には**二重母線**を採用している。重要度の高い変電所や異系統受電が必要な場合などに採用される。単母線に比べ高価であるが、1母線が故障した際は、直ちに他の母線に切替えて送電することができる。

③　ループ状母線

　母線をループ状に構成し、異系統受電用としては二重母線より有利となる。しかし、一般の系統運用では、二重母線ほど自由度はない。

(6) 計器用変成器

　計器用変成器は、高電圧や大電流を計測器、制御装置及び保護継電器に適合した電圧、電流値に変成する機器で、変電所の運転監視制御になくてはならないものである。

①　計器用変圧器（VT）

　高圧、特別高圧、超高圧などの電力系統の電圧値を、これに比例する電圧値に変成するものである。計器用変圧器の定格二次電圧の標準は、110Vである。計器用変圧器の二次側電路には、D種接地工事を施す。

ポイント　R03　H27

二重母線方式の特徴
- 重要度の高い変電所に採用されているが、単母線方式に比べ高価である。
- 片母線停止作業時に送電線や変圧器などを停止する必要がない。
- 母線を分割して運用する場合、送電線や機器の組み合わせが自由である。
- 母線事故の場合は、複数の送電線や機器が停止する。

② 計器用変流器（CT）

　計器用変流器は、高圧、特別高圧、超高圧などの電力系統の電流値を、これに比例する電流値に変成するものである。変流器の定格二次電流の標準は、1 A 又は 5 A である。一次電流が流れている時、二次回路をオープンすれば、二次回路は電流を流そうとして高電圧を発生する。このため二次側回路は開路してはならない。また、変流器の二次側電路には、D 種接地工事を施す。

③ 零相変流器（ZCT）

　地絡事故を検出するため、地絡時の零相電流を取出し、地絡継電器と組合せて使用する。

　零相変流器には、**貫通形**と**分割貫通形**がある。一般の変流器との構造上での相違点は、一次側の三相回路の導体を一括して鉄心窓内を通すことである。

(7) 調相設備

　調相設備には、回転機である同期調相機、静止機である電力用コンデンサ、分路リアクトル、静止形無効電力補償装置がある。

　無効電力の制御、電圧変動の抑制などのために設置される。

H27

① 電力用コンデンサ

　コンデンサを直並列に接続して、電力系統の無効電力の調整、誘導電動機などの力率改善などの目的で設置する。

　母線及び変圧器の三次側に接続され、放電コイル、直列リアクトルなどから構成されている。

② 分路リアクトル

　電力系統に並列に接続し、軽負荷時の電圧上昇を引き起こす進相無効電力を補償する目的で設置する。

　長距離送電線やケーブル系統の充電電流や、進相負荷による電圧上昇（フェランチ現象）を抑制する。

③ 静止形無効電力補償装置（SVC）

　静止形無効電力補償装置（SVC）は、一般的には高圧用変圧器、進相コンデンサ、サイリスタ装置で構成され、サイリスタによりリアクトル電流を位相制御し、遅相無効電力を連続的に変化させ、並列に設置した電力用コンデンサ（進相コンデンサ）との合成電流で、進相から遅相まで連続的に無効電力を調整する装置である。

SVC の基本方式には、次のようなものがある。

イ）TCR 方式：サイリスタ装置とリアクトルの直列接続で構成
され、サイリスタ点弧角を位相制御することにより、リアクト
ル電流を連続的に高速で変化させる方式。

ロ）TCT 方式：基本原理は TCR 方式と同じであるが、この方
式では降圧用変圧器の漏えいインピーダンスを大きくして、直
列リアクトルを兼用させている。

ハ）TSC 方式：複数のサイリスタ装置により複数の並列コンデ
ンサを開閉させて無効電力の段階的補償を行う方式。

(8) 避雷設備

　変電所の装置や機器類は、雷サージや、遮断器が無負荷充電時に線
路を開閉する際に発生する開閉サージに常にさらされている。このた
め、設備の絶縁を高めるか、異常電圧を低減するなどの対策が必要と
なる。

① 避雷器

　避雷器は、直撃雷、誘導雷などの雷サージや、回路の開閉装置の
操作などに起因する開閉サージ、断路器サージなどの過電圧を制限
して電気設備の絶縁を保護することと、放電終了後、続流を短時間
に遮断して線路の電位を正規状態に原状復帰させる機能を持つ装置
である。なお、避雷器に施す接地は A 種接地工事である。

(9) GIS（ガス絶縁開閉装置）

　GIS（ガス絶縁開閉装置）は、GIS 変電所とも呼ばれ、絶縁性能、
遮断能力の優れた SF_6 ガスを絶縁媒体として充填した、金属製圧力
容器内に、遮断器、断路器、母線、変成器、避雷器、接地装置などを
収納した装置である。公称電圧 22kV、33kV、66kV 又は 77kV など
のものがある。

　GIS の特徴は、次のとおりである。

① 従来の気中絶縁形変電所に比べ、敷地面積を大幅に縮小できる。
② 露出部がないため、塩害・汚損の心配がない。
③ 充電部が露出していないので安全である。
④ 開閉時の騒音が少ない。
⑤ 保守点検の頻度が少なく、無人化できる。

補　足　R05　H30

酸化亜鉛形避雷器
従来は直列ギャップ付き避雷器
が用いられていたが、現在は酸
化亜鉛形避雷器が主流となって
いる。主な特徴は以下の通り。
・非直線抵抗特性の優れた酸化
　亜鉛（ZnO）素子を用いるこ
　とにより、直列ギャップを必
　要としない。
・放電時間遅れがない。
・保護特性がよい。
・サージ処理能力（エネルギー
　耐量）に優れている。
・耐汚損特性がよい。

R06　R02　H30　H27

（10）保護継電器

R06

保護継電器は、送電線や機器に故障が発生した場合、故障を検出し遮断器に信号を送り、故障回線を自動的に切離すために設置されるものである。

保護継電器には、次のようなものがある。

① 過電流継電器（OCR）

過負荷事故、短絡事故の際に流れる過電流を検出し、遮断器を動作させる。

② 過電圧（OVR）・不足電圧（UVR）継電器

母線の過電圧及び不足電圧を検出し、遮断器を動作させる。短時間の電圧変動では動作しないよう反限時特性を持たせたものが使用される。

H28

用　語

反限時特性：
流れる電流の量あるいは電圧の変化によって遮断時間に変化を持たせること。

③ 地絡継電器（GR）

送電線や機器に地絡事故が発生した場合に、零相電流や零相電圧を検出して動作し、事故回線を遮断する。

零相電流を検出する零相変流器（ZCT）などと組合せて使用する。

④ 地絡方向継電器（DGR）

電圧、電流の極性の方向を判別して地絡回線を選択するもの。

2▶ 変 電 所 の 保 守

(1) 変電所の塩害対策

　変電所の塩害で、特にがいし類の汚損が問題となる。塩害はがいしの絶縁強度を低下させ、塩害が進むとがいしの破壊に至ることもある。

　がいしの塩害を防止するための方法として、次のものがある。

- ・　がいしの絶縁強化。
- ・　がいしの自動活線洗浄。
- ・　不良がいしの交換。
- ・　がいしにシリコンコンパウンドなどの発水性物質を塗布する。

(2) 変電所の施設

　電技・解釈第38条に、「発電所ならびに変電所、開閉所及びこれらに準ずる場所の施設」の規定がある。

　高圧又は特別高圧の機械器具及び母線等を屋外に施設する発電所、変電所、開閉所及びこれらに準ずる場所には、構内に取扱者以外の者が立ち入らないように施設する。図2・2・3に示す。

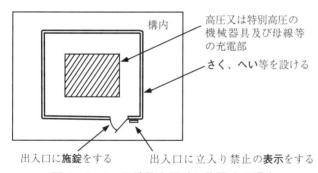

図2・2・3　母線等を屋外に施設する場合

　さく、へい等と特別高圧の充電部分が接近する場合は、さく、へい等の高さとさく、へい等から充電部分までの距離との和は表2・2・3に掲げる値以上とする。

表2・2・3　さく、へい等から充電部分までの距離

使用電圧の区分	さく、へい等の高さとさく、へい等からの充電部までの距離との和
35,000 V 以下	5 m
35,000 V を超え160,000 V 以下	6 m
160,000 V を超える	6m に 160,000 V を超える 10,000 V 又はその端数ごとに 12cm を加えた値

2-3 ▶ 送 配 電 設 備

1 ▶ 送 電 設 備

(1) 送電線路

　水力、火力、原子力などの発電所で発電した電力を都市周辺の変電所並びに、変電所相互間や、変電所から大規模需要家までを結ぶ電線路とこれに付帯する設備を総称して送電線路という。

　発電所と変電所を結ぶ送電線路を**電源線**、変電所相互間を結ぶ送電線路を**連系線**、変電所と需要家を結ぶ送電線路を**負荷線**ということもある。また、送電線路には架空送電線路と地中送電線路がある。

(2) 送電方式

送電線路の電気方式では直流送電と交流送電がある。

① 直流送電

　直流送電は、100〜500kV の高電圧、大電流幹線、周波数の異なる系統間の連系ならびに海底ケーブルなどに採用されている。

　直流送電には、次のような利点と欠点がある。

R06　R03

＜利点＞
・　無効電力を無視できる。力率が常に 1 である。
・　リアクタンス、位相角を考慮する必要がない。
・　線路電圧が同じ実効値の交流電圧の $1/\sqrt{2}$ なので絶縁が容易である。
・　交直変換装置の開発により、異周波数電力系統間の連系ができる。

＜欠点＞
・　交直変換装置から発生する高調波の障害対策が必要となる。
・　交直変換装置、無効電力供給設備が必要となる。
・　電圧変換が交流送電のように容易にできない。
・　大電流遮断器の製造が困難である。

② 交流送電

　送電線路のほとんどは交流三相 3 線式で、交流方式は変圧器によって簡単に効率よく電圧の変換をすることができる。

補 足　R06　H30　H28　H27

線路定数
架空送電線路の送電電圧、受電電力などの電気的特性は、抵抗、インダクタンス、静電容量、漏れコンダクタンス、の 4 つの線路定数によって決まる。電線の種類・太さ、電線の配置は線路定数に影響する。

2 ▶ 架 空 送 電 線 路

(1) 架空送電線路
架空送電線路は、電線、電線付属品、架空地線、鉄塔、がいしなど
から構成されている。

1) 電線
架空送電線路に使用する、代表的な電線には次のようなものがあ
る。

① 硬銅より線（HDCC）

導電率が97％と非常に高く、送電線の電線として古くから用い
られてきたが、最近は引張強度が大きく、経済性に優れたアルミ系
電線が取って代わるようになってきている。

② 鋼心アルミより線（ACSR）

鋼心アルミより線は、比較的導電率の高い（約61％）硬アルミ
線を引張強度の大きい亜鉛メッキ鋼より線の周囲により合わせたも
のである。

鋼心アルミより線の形状を、図2・3・1に示す。

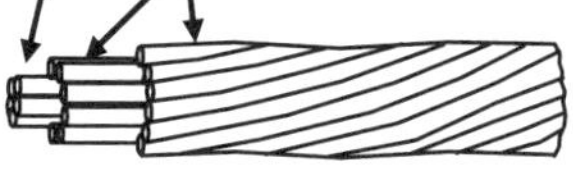

亜鉛メッキ鋼線（St）
硬アルミ線（Al）

図2・3・1 鋼心アルミより線の形状

③ 鋼心耐熱アルミ合金より線（TACSR）

アルミニウム地金にごく少量のジルコニウムなどを添加した耐熱
アルミ合金線を鋼より線の周囲により合わせたものである。導電率
はやや低い（約60％）が耐熱性に優れており、最高許容温度を高
く取ることができる。許容電流を40～60％増大し、大容量送電に
適している。

④ 鋼心イ号アルミ合金より線（IACSR）

電気的特性はやや落ちるが、機械的強度は大きい。径間が大きい
場合及び架空地線に使用される。

R06 R03

補 足

鋼心アルミより線
・機械的強度（引張り強度）が
　大きい。
・軽量である。
・コロナ放電が生じにくい。

2) 電線付属品

① クランプ

電線を鉄塔に支持するのに用いる接続管をクランプという。

クランプの種類としては、次のようなものがある。

- ボルト締付け耐張クランプ、くさび形耐張クランプは耐張鉄塔で用いる。
- 圧縮クランプは鋼心アルミより線で用いる。
- 懸垂クランプは懸垂鉄塔で用いる。

② スペーサ

２条及び４条などの多導体方式では、電線相互の接近・衝突を防止するため、ある程度の間隔（30～90m）に取付けるものである。

③ ダンパ

電線に対し直角にゆるやかな風が当たると、電線の背後にうずができる。これをカルマンうずという。このカルマンうずによって微風振動が発生し、長期間に電線が疲労劣化し、より線の素線が断線する。これらの振動を防止するために用いられるのがダンパである。

ダンパの代表的なものを、図2・3・2に示す。

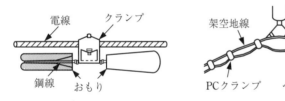

ストックブリッジダンパ　　　　　　ベートダンパ

図2・3・2　ダンパ

④ アーマロッド

送電線の電線の把持部で、電線の振動による疲労防止と事故電流による溶断防止、雷による溶断防止の対策として、電線を把持する部分に電線と同一系統の金属を巻き付けて補強するものである。

図2・3・3　アーマロッド

補　足

耐張鉄塔

直線部の補強、鉄塔の両側の径間に差がある場合、電線の張力が平衡していない箇所に使われる鉄塔。

補　足

懸垂鉄塔

電線路に角度を必要としない箇所、あまり強度を必要としない箇所に使われる鉄塔。

R06

⑤ アークホーン（防絡具）

　がいしが雷サージによりフラッシオーバすると、がいしが破損したり電線が溶断したりする。これを防止するために取付けられるのがアークホーンで、雷サージによるフラッシオーバをアークホーン間で起こさせ、後続アークががいし表面に触れないようにするものである。超高圧以上で用いるアークホーンの形状はリング状で、がいしや架線金具から発生するコロナ放電を防止し、がいし連の電位分布を適正にする機能もある。

補　足

フラッシオーバ
火花放電

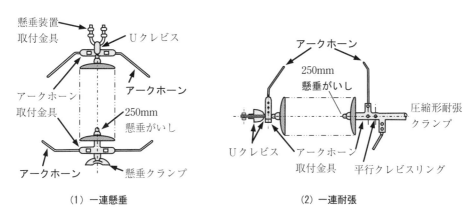

(1) 一連懸垂　　　　　　　　　　　(2) 一連耐張

図2・3・4　アークホーン

3) 架空地線

　架空地線は架空送電線への雷の直撃を防止するために、鉄塔の最頂部に1条又は2条設置されるものである。

　雷撃はほとんど架空地線か鉄塔に落ち、架空地線→鉄塔→塔脚接地→大地に流入する。塔脚接地抵抗が高いと、架空地線や鉄塔電位が上昇し、架空地線と導線あるいは鉄塔と導線の間の電位差が絶縁耐力以上になり、架空地線あるいは鉄塔腕金から導線にフラッシオーバする。これを**径間逆**フラッシオーバという。

`R06　R04　R02　R01　H30`

　近年光通信ルートとして架空地線を利用するため、光ファイバ複合架空地線（OPGW）が開発・適用されている。

　架空地線に落雷したとき、その雷電流は、図2・3・5のように鉄塔を通って大地に流れるので、その雷電流を I〔A〕、接地抵抗を R〔Ω〕とすれば、鉄塔の対地電圧は $V = R \cdot I$〔V〕だけ上昇する。

　架空地線を2条敷設して、その中間の区域に導体を入れるように鉄塔を設計すると、架空地線の遮へい率は高まる。架空地線の遮へい率は遮へい角 α（図2・3・6）が小さいほど100％に近づく。

`H28`

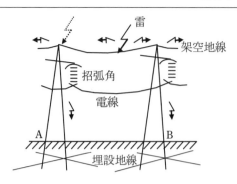

図2・3・5　架空地線

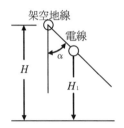

図2・3・6　架空地線の遮へい角

R01

4) 鉄塔

　架空送電線の支持物には、鉄塔、鉄柱、鉄筋コンクリート柱、木柱などがある。鉄塔には図2・3・7に示すような名称及び形状のものがある。

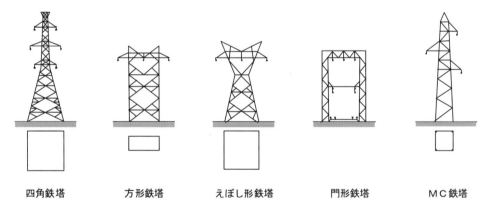

四角鉄塔　　　　方形鉄塔　　　えぼし形鉄塔　　　門形鉄塔　　　ＭＣ鉄塔

図2・3・7　各種鉄塔の形状

5)　がいし

がいしは、電線を支持物（鉄塔）に取付けるものであり、がいしには次のような条件が必要となる。

・　送電線路の正常電圧では勿論であるが、雷事故、地絡事故などの異常電圧に対しても絶縁耐力があること。

・　電線の自重や風圧加重に対しても十分な機械的強度を持っていること。

・　温度変化や雨、雪、霧などによるがいし表面の湿気に対しても漏れ電流などが増加しない特性であること。

送電用がいしの種類には、次のようなものがある。

①　懸垂がいし

一般的に広く用いられているがいしで、使用電圧に応じて連結して使用する。連結方式によって**クレビス形**と**ボールソケット形**がある。

懸垂がいしは直径250 mmのものが最も多く用いられ、直径280 ～ 380 mm程度の大型のものは、多導体送電線など高強度を必要とする線路に使用する。

②　耐霧がいし

構造は懸垂がいしと同じであるが、塩害による汚損や大気中の汚染物質の多い工業地帯などで多く用いられる。下ひだを長くして磁器表面の漏れ距離を約50%長くしたものである。

③　長幹がいし

耐霧がいしと同じように、塩害による汚損地域の発電所母線の引留用に用いられる。円形状のひだ付磁器棒の両端に連結用キャップをかぶせた構造で、懸垂がいしと同様に用いられる。

表面の漏れ距離が長く、塩害に対する絶縁性に優れている。

④　ラインポストがいし

長幹がいしと同様の構造であるが、下端はピンにより支持部材に固定するため、懸垂がいしと異なり曲げ荷重が加わる。機械的強度の面から77kV以下の送電線に使用される。

補　足

高圧耐張がいし
高圧架空配電線路の引留め部分の支持用として使用する。

高圧ピンがいし
張力のかからない高圧線用として直線線路、変圧器や開閉器の縁廻り線等に使用される。

(2) 風圧荷重の計算

架空電線路に使用する支持物の強度計算に適用する風圧荷重には、**甲種、乙種、丙種風圧荷重**の3種類がある。

① 甲種風圧荷重

高温季において、風速40m/sの風があると仮定したときの荷重。風圧を受ける各部材の垂直投影面積1㎡について、その値を定めている。（例：鉄塔単柱丸形780Pa、鋼管1,670Pa）

② 乙種風圧荷重

氷雪の多い地方の低温季に、架渉線に厚さ6㎜、比重0.9の氷雪が付着した状態に対し、垂直投影面積1㎡につき490Pa（多導体では440Pa）、その他のものにあっては甲種風圧荷重の1/2の風圧と仮定したときの荷重。

③ 丙種風圧荷重

氷雪の多くない地方における低温季や、人家の多く連なっている場所において、甲種風圧荷重の1/2の風圧と仮定したときの荷重。

(3) 送電線路の振動現象

① 微風振動

ゆるやかな一様の風が電線に直角に当たると電線の背後にうず（カルマンうず）を生じ、電線の上下方向に圧力が加わり、その周波数が電線の固有振動数と等しくなると、共振を起こして電線が定常的に振動する現象をいう。

② コロナ振動

電線の下面に水滴が付着すると下面の表面電位の傾きが高くなり、コロナが発生する。コロナが激しくなると電線には水滴の射出の反力として上向きの力が働き、振動を起こす現象をいう。

③ ギャロッピング

電線表面に氷雪などが付着し、電線の断面が非対称となり、これに水平風が当たると揚力が発生するために起きる自励振動をいう。

電線の断面が大きいほど、単導体より多導体に多く発生する。

ポイント

微風振動の特徴　R06　R02

① 一般に直径に対して重量の軽い電線に起こりやすい。

② 支持物間の径間が長く、電線の張力が大きいほど起こりやすい。

③ 耐張箇所より懸垂箇所で、断線の被害が発生しやすい。

④ 風速が毎秒数m程度の一様な風が、電線に直角に当たるときに起こりやすい。

R05

④ サブスパン振動

多導体の架空送電線固有のもので、多導体に取付けたスペーサに氷雪などが付着し、これに風速 10m/s 以上の風が当たるとギャロッピング同様に、自励振動を起こす。樹木の少ない平坦地において最も発生しやすい。

⑤ スリートジャンプ

電線に付着した湿った氷雪は風上方向において大きくなり、重力のためこれが電線の周りを回転して下側に移動し、次第に直径を増していく。突風や自然荷重のため氷雪の付着力が不足すると突然落下し、電線がはね上がる現象である。

スリートジャンプ対策としては、

・ 電線の張力を大きくする。
・ 径間長を短くする。
・ 電線相互の間隔（オフセット）を大きくする。
・ 単位重量の大きい電線を使用する。
・ 電線の着雪を防止するリングを用いる。

R05 R03 R01 H28

(4) 送電線路のその他の障害

1) コロナ放電

① コロナ放電による障害

電線の表面から外に向かっての電位の傾きは、電線の表面において最大となり、表面から離れるに従って減少していく。その値がある電圧（コロナ臨界電圧）以上になると、周囲の空気層の絶縁が失われてイオン化し、低い音や、青白い光を発生する。この現象をコロナ放電という。

② コロナの影響と対策

架空送電線路にコロナが発生すると、コロナ損を生ずるほか、消弧リアクトル系の接地方式において消弧不能になるおそれがある。また、遮へい線のない近接通信線に誘導障害を与えたり、コロナによる電線の腐食、ラジオ妨害などの受信障害を引き起こすことがある。しかし、一方で、コロナは送電線路の異常電圧進行波の波高値を減衰させる効果がある。

③ コロナ発生防止対策

・ 電線の太さを太くする。

補 足

コロナ臨界電圧
コロナが発生する最小の電圧を臨界電圧といい、標準の気象条件（20℃、760hPa）において波高値で 30kV/cm である。
直流では約 30kV/cm、交流（実効値）では約 21kV/cm（$30/\sqrt{2}$）に相当する。

R05 H30

- ・　複導体、多導体の採用。
- ・　がいしへのシールドリングの取付け。
- ・　電線に傷を付けない。
- ・　金属の突起をなくす。

2）誘導障害

H27

　送電線と通信線が並行していたり、接近している場合、送電線の電界や磁界の影響により、通信線などへ静電誘導障害、電磁誘導障害を与える。

①　静電誘導障害

　超高圧送電線下で静電誘導によって通信線などに影響を与えるおそれがある場合は、電線の地上高さを高くしたり、2 回線垂直配列の送電において電線配列を逆相配列にしたりする。

　静電誘導障害の低減対策には、次のようなものがある。

- ・　通信線との離隔距離をできるだけ大きくする。
- ・　送電線のねん架を十分に行い、相互の静電容量の不平衡をなくす。
- ・　遮へい線を通信線間に設ける。
- ・　通信線を遮へい層付ケーブルとする。

②　電磁誘導障害

R05　R01

補　足

電磁誘導電圧の制限値
中性点直接接地方式の超高圧送電線路の場合は 430V、その他の場合は 300V を基準としている。

　送電線の磁界に起因する誘導障害であり、送電線の地絡電流などによって通信線に電磁誘導電圧が誘起される。

　電磁誘導障害の低減対策には、次のようなものがある。

- ・　通信線との離隔距離をできるだけ大きくする。
- ・　通信線に遮へいケーブルを使用する。
- ・　通信線に避雷器を取付ける。
- ・　電力線と通信線の間に、導電率の大きな遮へい線を設ける。
- ・　送電線故障時に、故障線を迅速に遮断する。
- ・　中性点の接地抵抗を大きくして、地絡電流を適当な値に抑制する。
- ・　中性点の接地箇所を適切に選ぶ。
- ・　ねん架や逆相配列を行う。
- ・　架空地線に導電率の良い鋼心イ号アルミ線などを使用するとともに条数を増加する。

③ ねん架の目的

　三相3線式の線間及び大地との距離が等しくない場合、各相のインダクタンス、静電容量が不平衡になっている。この不平衡は近接する通信線に誘導障害を与えたり、地絡保護に支障を与えたりする。この不平衡を低減するために**ねん架**が必要になる。

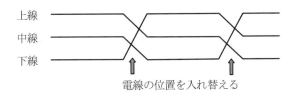

上線
中線
下線
電線の位置を入れ替える

図2・3・8　ねん架

3) 送電線の雷害（異常電圧）と対策　　　　　　　　　　　R06

　送電線の異常電圧には、電力系統の内部原因によって生ずる内部異常電圧（内雷）と、主に雷によって生ずる外部異常電圧（外雷）とがある。

　その対策としては、次のようなものがある。

・　架空地線を設置する。
・　埋設地線を設置し、鉄塔の接地抵抗を下げる。
・　アークホーン、アーマロッドを設置する。
・　避雷器を設置する。
・　不平衡絶縁を採用する。

4) 送電線の塩害対策　　　　　　　　　　　　　　　　　　R01

・　がいしの連結数を増やす。
・　耐塩がいし、深溝がいし、長幹がいしを使用する。
・　シリコンコンパウンドなど、はっ水性物質をがいし表面に塗布する。
・　がいし洗浄装置によって、がいしを洗浄する。

5) 送電線の風音公害対策

　送電線の直角方向に強風が吹き付けると、送電線表面の圧力が不連続となりジェット音を発生し、騒音公害のもととなる。この風音は送電線の表面が円滑なほど大きくなるため、スパイラルロッドを巻き付ける、低風音形電線を使用するなどの対策を講ずる。

6) フェランチ現象

　フェランチ現象は、長距離送電線路や負荷が非常に小さい場合や無負荷の場合などで、線路を流れる電流が静電容量のため進み電流となり、受電端電圧が送電端電圧よりも高くなる現象をいう。

　これを防止するためには、同期調相機や分路リアクトルの設置が有効である。

R04　R02　R01　H29

(5) 送電線路の保守・点検

　架空送電線路において、定期的に送電線路付近のルート巡視を行い点検・調査を行うことは、電力の安定供給及び設備の継続的維持に欠かせない重要な保守業務である。

　保守作業の主な内容として、

・送電線路付近の工作物や樹木との交差接近状況を月1回程度、定期的に行うルート巡視において調査する。

・支持物の金具連結部や電線把持部及び電線に腐食や摩耗がないかを点検する。

・がいしの破損、汚損状況をパイロットがいしにより測定する。

などがある。

補　足

パイロットがいし
がいしの汚染状態の確認など、保守点検作業の判断基準とするがいし（試験がいし）。

3▶ 地 中 送 電 線 路

（1）地中送電線路の特徴

　地中送電線路は、電線にケーブルを使用し、ケーブルを収納する地下構築物から構成されている。

　地中送電線路の利点は、地中に構築されているため、落雷、暴風雨、氷雪などの自然現象や建屋等の火災などの事故からの影響が少なく、架空送電線路に比べ、電力供給の信頼度が高い。また、管路、暗きょなどの収納スペースを繰返し使用することができる。

　一方、短所は架空送電線路に比べ建設に時間がかかり費用が高くなること、また、事故復旧に時間がかかり費用が高いことなどである。

補　足

地中ケーブルの充電電流および充電容量は、ケーブルこう長、静電容量、使用電圧、使用周波数によって算出する。

（2）地中送電ケーブルの種類と特徴

　わが国では、現在 CV ケーブルと OF ケーブルが主流である。

① ケーブルの種類

　下図に代表的なケーブルの構造を示す。

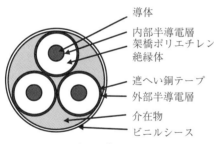

図 2・3・9　CV ケーブル
（シース一括形）

導体
内部半導電層
架橋ポリエチレン絶縁体
遮へい銅テープ
外部半導電層
介在物
ビニルシース

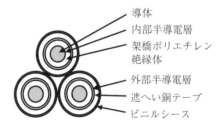

図 2・3・10　CVT ケーブル
（トリプレックス形）

導体
内部半導電層
架橋ポリエチレン絶縁体
外部半導電層
遮へい銅テープ
ビニルシース

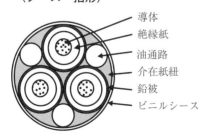

図 2・3・11　OF ケーブル

導体
絶縁紙
油通路
介在紙紐
鉛被
ビニルシース

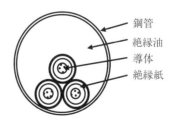

図 2・3・12　POF ケーブル
（パイプ形 OF ケーブル）

鋼管
絶縁油
導体
絶縁紙

② CV ケーブルの特徴

・ 導体の許容温度が 90℃ と高く、許容電流が大きい。

・ 軽量で作業性が良く、耐熱性も良い。

・ 絶縁物の比誘電率が小さく、誘電体損失や充電電流が小さい。

・ 保守が容易である。

・ OF ケーブルのような給油装置などの付属設備が不要である。

・ 高低差に関係なく敷設できる。

・ 水トリー現象が見られる。

③ CV ケーブルの許容曲げ半径

ケーブルの許容曲げ半径は、ケーブル外径の 10 倍以上とする。ただし、CVT ケーブル及び低圧ケーブルは外径の 8 倍以上とする。

(3) 地中電線路の敷設方式

地中送電ケーブルの敷設方式としては、**直埋式**、**管路式**、**暗きょ式**がある。

① 直接埋設式（直埋式）

直接埋設式の埋設深さの規定は、次のとおりである。

・ 車両その他の重量物の圧力を受ける

おそれのある場所・・・・・・・・・・・・・・・・・・・・・ 1.2m 以上

・ その他の場所 ・・・・・・・・・・・・・・・・・・・・・・ 0.6m 以上

図2・3・13 に直埋式を示す。

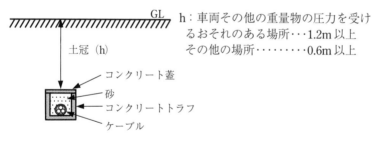

図2・3・13　直埋式

補　足　R06　R03

電力ケーブルは、

・導体断面積が大きいほど

・絶縁物の比誘電率が小さいほど

・絶縁体の誘電正接（tan δ）が小さいほど

大きな電流を流すことができる。

用　語

水トリー

CV ケーブルの絶縁体（架橋ポリエチレン）内に、何らかの原因で進入した微少の水分が、長い年月の間に木の枝のような形に凝集浸透して絶縁劣化が進行する現象。

② 管路式

　車両その他の重量物の圧力に耐える管を使用し、管相互の接続部
は水が浸入しにくいように施設する。必要に応じ、管路の途中や末
端に地中箱（マンホール）を設ける。

　図2・3・14に管路式を示す。

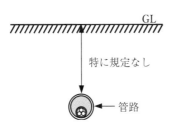

図2・3・14　管路式

③ 暗きょ式

　車両その他の重量物の圧力に耐える暗きょを使用し、かつ、地中
電線には耐熱措置を施し、暗きょ内には自動消火設備を設ける。

　地中電線を収める防護装置の金属製部分、金属製地中箱及び地中
電線被覆の金属部分にはD種接地工事を施す。

　図2・3・15に暗きょ式を示す。

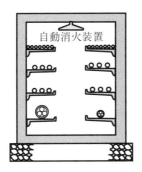

図2・3・15　暗きょ式

ポイント

地中電線路の施設（電気設備の
技術基準とその解釈第120条）
JIS C 3653（**電力用ケーブル
の地中埋設の施工方法**）

4▶ 送 電 線 路 の 保 護

(1) 送電線の保護方式

1) 再閉路方式

架空送電線の事故は、雷によるフラッシオーバが最も多い。この場合、雷による故障電流を一旦遮断すれば、ほとんど絶縁が回復するので、遮断器を再投入すれば送電を再開できることが多い。これを再閉路方式という。

再閉路方式は、電力系統の安定度を向上させるとともに、同期化力を増大させるものでもある。

再閉路方式には、事故遮断後1秒以内に送電を再開する**高速度再閉路方式**と、無電圧が1分程度の**低速度再閉路方式**がある。

前者は主に超高圧線路で、後者は配電線路などで使用される。

2) 保護継電方式

送電線路に短絡事故や地絡事故が発生したときは、事故区間を切り離して事故による損傷を最小限にとどめるとともに、健全区間による送電を確保し事故が他に波及しないようにしなければならない。

これらの対策として、次のような保護継電方式が用いられる。

① 過電流継電方式

送電線路又は電気機器に、一定以上の負荷電流又は故障電流が流れた場合、電流の大きさだけで動作し、遮断器に引外し指令を出す最も基本的な継電方式である。

② 方向過電流継電方式

両端電源の場合、事故点の位置により事故電流の方向が異なるため、無方向性では事故区間の遮断をすることができない。このため、方向性を有した継電方式が採用される。

③ 差動継電方式

送電線の被保護区間に出入する2つ又はそれ以上の電流のベクトル差が予定値以上になったとき動作し、遮断器に引外し指令を出すものである。

R03　H29

ポイント　　R01　H27

高速度再閉路方式の種類と特徴
①単相再閉路：一線地絡故障時に故障相のみを選択遮断し再閉路する方式
②三相再閉路：故障相と無関係に三相とも遮断し再閉路する方式
③多相再閉路：平行二回線送電線の故障時に二相が健全な場合、故障相のみを選択遮断し再閉路する方式

R06　R04

補　足

後備保護リレー：
送電系統の一部に事故が発生し、主保護リレーの遮断器が不良で故障区間を除去できなかったときに動作して故障を除去する。主保護リレーのバックアップとして設置される保護継電方式である。

④　反限時継電方式

事故電流が大きいほど動作時間を短くすることで、選択性を維持しながら事故の除去を行うものである。

⑤　定限時継電方式

事故電流の大きさに関係なく動作時間を限時継電器の設定によって定めることができ、事故電流が小さいときでも動作時間が不必要に伸びるのを防ぐことができる。

⑥　距離継電方式

事故時の電圧・電流を使って故障点までの線路インピーダンスを測定し、それが保護範囲内のインピーダンスより小さければ事故とみなして動作し、遮断器に引外し指令を出すものである。

H28

⑦　回路選択継電方式

66 ～ 154kV の平行 2 回線送電線の主保護継電方式として採用される方式である、平行 2 回線の一方に故障が発生した場合、両回線の電流又は電力を比較して故障回線を遮断する。

⑧　表示線継電方式

送電線の保護区間の両端に表示線（パイロットワイヤ）を設けて相互に伝送し、一致した判定に基づき同時に動作させる方式である。比較的短距離の送電線に適用される。

⑨　位相比較継電方式

送電線における被保護区間端子の電流の位相角の差が、予定値を超えたとき動作し、遮断器に引外し指令を出す方式である。

⑩　搬送継電方式

保護区間の両端局の状態を、表示線の代わりに電力線搬送又はマイクロ波搬送を用いて相互に伝送する方式である。一般に長距離送電線保護に適用される。

⑪　パイロット継電方式

差動継電方式を線路の保護に応用したもので、被保護送電線の両端を事故点の位置に関係なく確実に選択し、高速遮断する方式である。

(2) 中性点接地方式

1) 中性点接地の目的

　送電線路に接続された変圧器の Y 結線の三相接続点を**中性点**といい、中性点を接地する方式を**中性点接地方式**という。

　中性点を接地しないと、一線地絡時の異常電圧によって機器や線路の絶縁を害することや、地絡時の故障電流が小さいため故障検出が困難となるなどの障害を引き起こすことがある。

2) 接地方式の種類

①　直接接地方式

　中性点を抵抗やリアクトルを用いずに直接接地する方式で、187 kV 超の送電線に用いられる。地絡時における健全相の電圧上昇がほとんどなく、遮断器開閉時の異常電圧を低減できるため絶縁設計が容易となるが、反面、地絡電流が増大し、通信線への電磁誘導障害について注意が必要となる。

②　抵抗接地方式

　$100 \sim 1,000\,\Omega$ 程度の抵抗を通じて中性点を接地し、地絡電流を $100 \sim 300\,A$ 程度に抑制する。154 kV 級以下の線路に普及している。

③　消弧リアクトル接地方式

　送電線の対地静電容量と並列共振させるため、鉄心リアクトルで中性点を接地する。一線地絡時のアークを自動的に消滅させる効果があるが、施設費が大きい。$22 \sim 154\,kV$ 系で採用される。

H27

(3) 送電線の事故点測定法

1) 架空送電線

①　サージ受信法

　送電線路に事故が発生した場合、事故点に発生するサージを、受電端と送電端で受信し、その伝送する時間の差により距離を求める方法である。

②　パルスレーダ法

　事故ケーブルにパルス電圧を加え事故点からの反射パルスを受信して、その伝搬時間から距離を求める方式で、単 1 パルス方式と反復パルス方式がある。

2）地中送電線

① マーレーループ法

　ホイートストンブリッジの原理を応用して、事故点までの抵抗値を測定し、その距離を求める方法である。ただし、断線事故の測定には使用できない。測定回路例を図2・3・16に示す。

R02　H29　H28

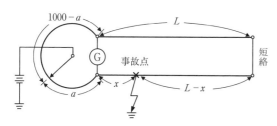

図2・3・16　マーレーループ法

x　：事故点までの距離〔m〕

G　：検流計

L　：ケーブルの長さ〔m〕

a　：抵抗辺が0 ～ 1000で目盛られている場合、事故時に
　　　接続されたブリッジ端子までのすべり線の読み

　ブリッジの平衡条件から次式で事故点までの距離を求めることができる。

$$\frac{1,000 - a}{a} = \frac{2L - x}{x} \qquad \therefore x = \frac{2aL}{1,000} \text{〔m〕}$$

② パルスレーダ法

　パルスレーダ法は、事故相と健全相を用い、事故相に繰返しパルス電圧を印加して、事故点の放電による進行波パルスの反射をオシログラフで観測して、その往復伝播時間から故障点までの距離を測定するものである。事故ケーブルにパルス電圧を加え事故点からの反射パルスの伝搬時間から距離を求める**送信式**と、事故ケーブルに高圧を印加して事故点で放電させ、発生するパルスを検出して事故点までの距離を求める**放電検出式**がある。

R03

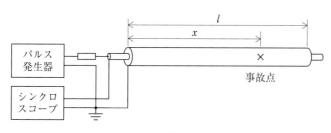

図2・3・17　パルスレーダ法

補　足　H29

ケーブルの充電電流

交流の地中送電線路に用いられるケーブルの充電電流は次式で表される。

$$I_c = 2\pi f C V l \text{〔A〕}$$

f：周波数〔Hz〕

C：単位長あたりの静電容量〔F/m〕

V：線間電圧〔V〕

l：ケーブルこう長〔m〕

x：遠端から事故点までの距離〔m〕

l：ケーブルの長さ〔m〕

v：パルス伝搬速度〔m/μs〕

t：パルスを送り出してから反射波が返ってくるまでの時間〔μs〕

次式で事故点までの距離を求めることができる。

$x = \dfrac{vt}{2}$〔m〕

③　静電容量法

　断線事故が起きた時に、事故相と健全相の静電容量の比から、事故点までの距離を求める方法である。

④　サーチコイル法

　事故線に信号電流を流し、その電流による磁束をサーチコイルで検出する方法である。

⑤　絶縁劣化測定法 R04

- 直流漏れ電流法

　ケーブル導体とシースの間に一定の直流電流を加え、漏れ電流の大きさ・時間特性などを定期的に測定しその変化から、絶縁状態を調べる測定法である。

- 部分放電法

　直流又は交流電圧印加時の部分放電電荷量を測定し、絶縁状態を調べる測定法である。

- 誘電正接法（tan δ 法）

　シェーリングブリッジを使用して、絶縁物の誘電正接（tan δ）を測定し、絶縁状態を調べる測定法である。

5 ▶ 配　電　設　備

(1) 配電線路

　配電線路は電力の端末に位置し、配電用変電所から需要家に至るまでの設備である。一般には、送電系統（66kV 又は 77kV）から配電用変電所において高圧配電系統（6.6kV）に降圧され、高圧配電線、変圧器、低圧配電線、引込線などから構成される。

1) 配電方式

　表 2・3・1 に配電線路の分類・電圧・配電方式を示す。

表 2・3・1　配電線路の分類・電圧・配電方式

分　類	電　圧	配電方式
特別高圧	22（又は 33）kV 33kV	三相 3 線式
高　　圧	3.3kV 6.6kV	三相 3 線式
低　　圧	200V	単相 2 線式 三相 3 線式
	100V/200V	単相 3 線式 三相 4 線式（灯動共用 V 結線を含む）
	100V	単相 2 線式

2) 特別高圧・高圧配電線路

　特別高圧配電線は、22kV 又は 33kV 三相 3 線式で、大都市圏の大規模需要家へ用いられる。

　高圧配電線は、3.3kV 又は 6.6kV 三相 3 線式非接地方式が用いられる。

　低圧配電線は、一般家庭用電灯、小形電気機器などには 100V 単相 2 線式又は 100V/200V 単相 3 線式、小規模工場などの電動機などには 200V 三相 3 線式が用いられる。

① 特別高圧、高圧配電線路の受電形態

　特別高圧、高圧配電線路の基本形態には、**樹枝状方式、ループ方式、ネットワーク方式**がある。

　高圧配電線路の基本形態を、図 2・3・18 に示す。

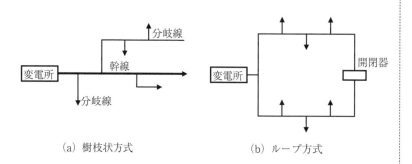

(a) 樹枝状方式　　　　　　　(b) ループ方式

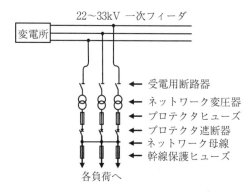

22～33kV　一次フィーダ

← 受電用断路器
← ネットワーク変圧器
← プロテクタヒューズ
← プロテクタ遮断器
← ネットワーク母線
← 幹線保護ヒューズ

各負荷へ

(c) スポットネットワーク方式（需要家設備）

図 2・3・18　高圧配電線路の基本形態

② ネットワーク方式の特徴（需要家設備）

　一般的には 22kV、33kV 2 ～ 4 回線の配電線に接続された変圧器の低圧側（二次側）をネットワークしたもので、大規模ビルなどで供給の信頼度を要求される負荷に対して用いられる。このように 1 箇所に負荷を供給する方式をスポットネットワークという。

＜利点＞

・ 一次側配電線又は変圧器において事故が発生した場合でも、残った設備で無停電供給できるため、信頼度が高い。

・ 電圧降下、電力損失が少ない。

・ 電動機の始動電流による照明のちらつき（フリッカ）の影響が少ない。

・ 負荷増加に融通性がある。

＜欠点＞

・ 保護装置が複雑で建設費が高い。

・ **回生電力**を発生する回転負荷（電動機）がある場合、ネットワークプロテクタが不必要動作することがある。

補　足　　H30　H29

ネットワークプロテクタのリレー特性

・母線が無電圧で、変圧器二次側が充電された場合⇨遮断器を自動投入（無電圧投入）

・変圧器側電圧が高く位相が適正である場合⇨遮断器を自動投入（差電圧投入）

・母線から変圧器に電力が逆流した場合⇨遮断器を自動遮断（逆電力遮断）

用　語

回生電力

モータ減速時、モータは発電機として動作する。このとき発生する電力を回生電力という。

3) 低圧配電線路

　低圧配電線路の形態には、単独の変圧器から供給する**単独系統方式**、高圧配電線に接続された変圧器の低圧側を連系した**低圧バンキング方式**、系統の異なった高圧配電線に接続された変圧器の低圧側を連系した**低圧ネットワーク方式**がある。

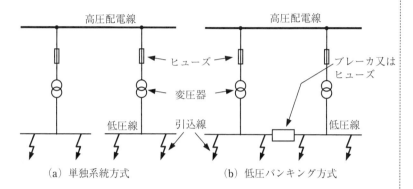

　　　（a）単独系統方式　　　　　　　（b）低圧バンキング方式

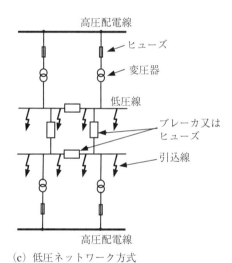

（c）低圧ネットワーク方式

図 2・3・19　低圧配電線路の基本形態

(2) 架空配電線路

1) 架空配電用絶縁電線

　架空配電用絶縁電線には、次のようなものがある。
- ・　高圧用絶縁電線：架橋ポリエチレン電線（OC）
  　　　　　　　　　　ポリエチレン電線（OE）
- ・　低圧用絶縁電線：屋外用ビニル絶縁電線（OW）
- ・　低圧引込用絶縁電線：引込用ビニル絶縁電線（DV）

2）電線のたるみ（弛度）の計算 R04　R02

図2・3・20のように、電線の両支持点間に高低差がない場合、電線のたるみ D 〔m〕は、次式で表される。

$$D = \frac{WS^2}{8T} \text{〔m〕}$$

S：径間長〔m〕

T：電線の水平張力〔N〕

W：電線の単位長さ当たりの重量〔N/m〕

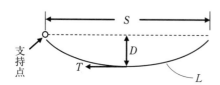

図2・3・20　電線のたるみ

すなわち、電線のたるみは電線単位長さの重量と径間長の二乗に比例し、水平張力に反比例する。

また、電線の実長 L 〔m〕は、次式で表される。

$$L = S + \frac{8D^2}{3S} \text{〔m〕}$$ H30　H27

3）引留柱の許容引張強度

引留柱の支線に必要な許容引張強度 T_S 〔N〕は、次のように求められる。

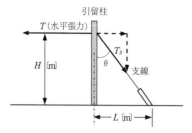 H29

図2・3・21　支線に必要な許容引張強度

図2・3・21のように支線に必要な許容引張強度 T_S 〔N〕は、次式で求めることができる。

T：電線の水平張力〔N〕

H：支線の取付高さ〔m〕

L：支線の根開き〔m〕

θ：電柱と支線の角度〔度〕

α：支線の安全率（2.5 以上とする。木柱、A 種鉄柱、鉄筋コンクリート柱は 1.5 以上とする）

$$T_\mathrm{S} \geqq \alpha \frac{T}{\sin \theta}$$

ここで、$\sin \theta = \dfrac{L}{\sqrt{L^2 + H^2}}$ であるから

$$T_\mathrm{S} \geqq \alpha\ T\ \frac{\sqrt{L^2 + H^2}}{L}$$ となる。

(3) 配電線の保護方式　　R06　R05

1) 保護継電器

① 過電流継電器（OCR）

　過負荷事故又は短絡事故を保護するもので、電流の大きさだけで動作し、遮断器に引外し指令を出すものである。過負荷事故には限時特性で保護を行い、短絡事故では瞬時特性で保護を行う。

② 過電圧継電器（OVR）・不足電圧継電器（UVR）

　過電圧継電器は、線路の過電圧から機器を保護するもので、予定値を超える電圧が回路に加わったときに警報発信や関係機器を動作させる。

　地絡過電圧用の継電器もある。

　不足電圧継電器は、停電や短絡事故などに伴い、電路の電圧が予定値以下に低下した場合に警報の発信指令、予備電源の起動指令などに用いられる。

③ 地絡方向継電器（DGR）

　配電線や機器に地絡事故が発生した場合に、零相電圧と零相電流とで地絡方向を選択して遮断する。DGR は OVGR と組合せて用いられる。

④ 地絡過電圧継電器（OVGR）

　配電線や機器に地絡事故が発生した場合に、零相電圧を検出して動作し、事故回線を遮断する。OVGR は DGR と組合せて用いられる。

2) フリッカ低減策

　需要家の大型電動機、アーク炉、溶接機など機器の負荷電流が変動すると、電圧降下により電圧が変化する。電圧変動が短時間に頻繁に繰返されると、この配電線から受電している電灯の明るさが変動し、ちらつきの不快感を与える。この現象を**フリッカ**という。

　フリッカを低減する対策には次のようなものがある。

① 　変動負荷を短絡容量の大きい電源系統に接続する。　　　　　　R05　R02　H30　H27

② 　変動負荷に対し、専用線あるいは専用変圧器で供給して一般線と分離する。

③ 　変動負荷が接続される配電線のインピーダンスを低減する。

④ 　変動負荷に対し、フリッカ発生需要家側に静止形無効電力補償装置（SVC）を設置する。

⑤ 　アーク電流が不安定な交流アーク炉に代え、安定した電流が得られる直流アーク炉を採用する。

⑥ 　負荷変動と飽和リアクトルを並列に接続する。

⑦ 　配電線の電線サイズを太くする。

⑧ 　直列コンデンサによって短絡容量を増し、電圧降下を補償する。

⑨ 　アーク炉用変圧器の一次側に直列リアクトルを挿入する。特に可飽和リアクトルが効果が高い。

⑩ 　フリッカ発生機器の電源を、三巻線補償変圧器から供給する。

3) 高調波低減策

　高調波とは、電源基本周波数（50Hz又は60Hz）の整数倍の周波数を持つ正弦波のことをいい、電源電圧がひずみ波形となる場合は、必ずこの高調波成分が含まれている。高調波により障害を受ける機器としては電力用コンデンサで、次に変圧器、コンデンサ用直列リアクトルなどである。障害の種類としては、機器の異常音、過電流継電器、配線用遮断器の誤動作ならびにリアクトル・コンデンサの焼損などがある。高調波低減策として、次のような方法がある。

・　高調波発生機器にフィルタを設ける。　　　　　　　　　　　　R04　H29

・　短絡容量を大きくする。

・　直列リアクトルの高調波による耐性を強化する。

第 **3** 章

構内電気設備

3-1 ▶ 共通事項（電技解釈と内線規程）

1 ▶ 電圧と電気方式

(1) 電圧の区分 （電技第2条）

交流・直流の電圧区分を、表3・1・1に示す。

表3・1・1　電圧の区分

	交　流	直　流
低　圧	600 V 以下	750 V 以下
高　圧	600 V 超過〜7,000 V 以下	750 V 超過〜7,000 V 以下
特別高圧	7,000 V 超過	

(2) 幹線の電気方式

建築物における幹線とは、建築設備を構成する様々な負荷（電灯、動力）に対して電気エネルギーを供給する主幹配線であり、内線規程においては、引込口から分岐過電流遮断器に至る配線のうち、分岐回路の分岐点から電源側の部分をいう。

幹線の概要を、図3・1・1に示す。

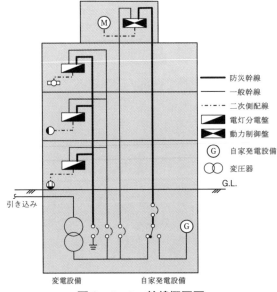

——	防災幹線
—	一般幹線
-・-	二次側配線
◣	電灯分電盤
◤◢	動力制御盤
Ⓖ	自家発電設備
◯◯	変圧器

G.L.

引き込み

変電設備　　　自家発電設備

図3・1・1　幹線概要図

① 単相2線式

　負荷容量の少ない小規模なビルや一般住宅など低圧需要家の引き込みや、高圧需要家のコンセント回路に用いられる。一般に1線を接地して使用するので対地電圧、相間電圧ともに100Vである。

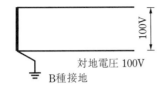

対地電圧 100V
B種接地

図3・1・2　単相2線式100V

② 単相3線式

　主に電灯・コンセントの幹線として広く用いられ、中性線を共有し、3本の電線で供給する。100Vと200Vの2電圧が取れ高圧需要家においては、前者（片側の電圧線と中性線）をコンセント回路に、後者（両側の電圧線）を電灯回路に利用する。

　低圧需要家の引き込みにおいては、中性線と各電圧側電線間の負荷は平衡させるのが原則となっている。

　なお、この方式は中性線を接地して用いるので、最大供給電圧は200Vであるが対地電圧は100Vである。

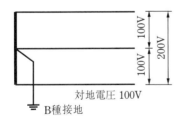

対地電圧 100V
B種接地

図3・1・3　単相3線式100V/200V

③　三相3線式

　動力幹線として広く一般に用いられ、電動機効率、幹線の経済性
などの点で単相より優れている。

　この方式は1線を接地して用いるので対地電圧は200Vである。

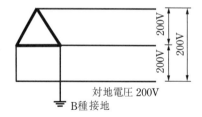

図3・1・4　三相3線式200V

④　三相4線式

　大規模なビル（大容量な幹線）などに多く用いられ、相間電圧が
400V級で、中性線と相間の電圧が230V級となり、動力用の三相
400V級と電灯用の単相の230V級が同時に取出せるのが特徴であ
る。

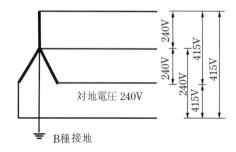

図3・1・5　三相4線式240V/415Vの例

(3) 電路の対地電圧の制限　（電技・解釈第 143 条）

1) 住宅の屋内電路の対地電圧

　住宅の屋内電路（電気機械器具内の電路を除く。以下この項において同じ）の対地電圧は、150V 以下であること。ただし、次の各号のいずれかに該当する場合は、この限りでない。

① 　定格消費電力が 2 kW 以上の電気機械器具及びこれに電気を供給する屋内配線を次により施設する場合

　イ　屋内配線は、当該電気機械器具のみに電気を供給するものであること。

　ロ　電気機械器具の使用電圧及びこれに電気を供給する屋内配線の対地電圧は、300V 以下であること。

　ハ　屋内配線には、簡易接触防護措置を施すこと。

　ニ　電気機械器具には、簡易接触防護措置を施すこと。ただし、次のいずれかに該当する場合は、この限りでない。

　　(イ)　電気機械器具のうち簡易接触防護措置を施さない部分が、絶縁性のある材料で堅ろうに作られたものである場合

　　(ロ)　電気機械器具を、乾燥した木製の床その他これに類する絶縁性のものの上でのみ取り扱うように施設する場合

　ホ　電気機械器具は、屋内配線と直接接続して施設すること。

　ヘ　電気機械器具に電気を供給する電路には、専用の開閉器及び過電流遮断器を施設すること。ただし、過電流遮断器が開閉機能を有するものである場合は、過電流遮断器のみとすることができる。

　ト　電気機械器具に電気を供給する電路には、電路に地絡が生じたときに自動的に電路を遮断する装置を施設すること。ただし、次に適合する場合は、この限りでない。

　　(イ)　電気機械器具に電気を供給する電路の電源側に、定格容量 3 kVA 以下の絶縁変圧器（1 次電圧は低圧であり、かつ、2 次電圧は 300V 以下）を施設すること。

　　(ロ)　(イ)の変圧器には、簡易接触防護措置を施すこと。

　　(ハ)　(イ)の変圧器の負荷側の電路は、非接地であること。

② 　当該住宅以外の場所に電気を供給するための屋内配線を次により施設する場合

　イ　屋内配線の対地電圧は、300V 以下であること。

　ロ　人が触れるおそれがない隠ぺい場所に合成樹脂管工事、金属管工事又はケーブル工事により施設すること。

③ 　太陽電池モジュールに接続する負荷側の屋内配線（複数の太陽電池モジュールを施設する場合にあっては、その集合体に接続す

補　足

人が容易に触れるおそれのある場所

内線規程では屋内においては床面などから 1.8m 以下、屋外においては地表面などから 2.0m 以下の場所としている。

る負荷側の配線）を次により施設する場合

イ　屋内配線の対地電圧は、直流450V以下であること。

ロ　電路に地絡が生じたときに自動的に電路を遮断する装置を施設すること。ただし、次に適合する場合は、この限りでない。

　(イ)　直流電路が、非接地であること。

　(ロ)　直流電路に接続する逆変換装置の交流側に絶縁変圧器を施設すること。

　(ハ)　太陽電池モジュールの合計出力は、20kW未満であること。ただし、屋内電路の対地電圧が300Vを超える場合にあっては、太陽電池モジュールの合計出力は10kW以下とし、かつ、直流電路に機械器具を施設しないこと。

ハ　屋内配線は、次のいずれかによること。

　(イ)　人が触れるおそれのない隠ぺい場所に、合成樹脂管工事、金属管工事又はケーブル工事により施設すること。

　(ロ)　ケーブル工事により施設し、電線に接触防護措置を施すこと。

④　第132条第3項（住宅の屋内に施設する電線路）の規定により、屋内に電線路を施設する場合

2) 住宅以外の場所の屋内に施設する家庭用電気機械器具に電気を供給する屋内電路の対地電圧

　住宅以外の場所の屋内に施設する家庭用電気機械器具に電気を供給する屋内電路の対地電圧は、150V以下であること。ただし、家庭用電気機械器具並びにこれに電気を供給する屋内配線及びこれに施設する配線器具を、次の各号のいずれかにより施設する場合は、300V以下とすることができる。

①　前項第①号ロからホまでの規定に準じて施設すること。

②　簡易接触防護措置を施すこと。ただし、取扱者以外の者が立ち入らない場所にあっては、この限りでない。

3) 白熱電灯に電気を供給する電路の対地電圧

　白熱電灯に電気を供給する電路の対地電圧は、150V以下であること。ただし、住宅以外の場所において、次の各号により白熱電灯を施設する場合は、300V以下とすることができる。

①　白熱電灯及びこれに付属する電線には、接触防護措置を施すこと。

②　白熱電灯は、屋内配線と直接接続して施設すること。

③　白熱電灯の電球受口は、キーその他の点滅機構のないものであること。

用　語

家庭用電気機械器具
小形電動機、電熱器、ラジオ受信機、電気スタンド、電気用品安全法の適用を受ける装飾用電灯器具など。

配線器具
開閉器、遮断器、接続器など。

2 ▶ 低圧幹線

(1) 低圧幹線の施設 （電技・解釈第148条）

1) 低圧幹線の施設

損傷を受けるおそれがない場所に施設すること。

2) 電線の許容電流 $[I_A]$

電線の許容電流は、低圧幹線の各部分ごとに、その部分を通じて供給される**電気使用機械器具の定格電流の合計値以上**であること。

また、図3・1・6に示すような低圧幹線に接続する負荷のうち、電動機又はこれに類する起動電流が大きい**電気機械器具**（以下この条において「電動機等」という。）の定格電流の合計が、他の電気使用機械器具の定格電流の合計より大きい場合は、他の電気使用機械器具の定格電流の合計に次の値を加えた値以上であること。

イ　電動機等の定格電流の合計が**50A以下の場合**は、その定格電流の合計の**1.25倍**

ロ　電動機等の定格電流の合計が**50Aを超える場合**は、その定格電流の合計の**1.1倍**

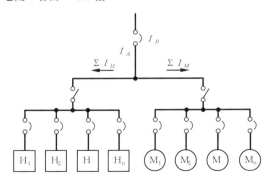

図3・1・6　電線の許容電流

$\Sigma I_H \geqq \Sigma I_M$ の場合　　$I_A \geqq \Sigma I_H + \Sigma I_M$

$\Sigma I_H < \Sigma I_M$ の場合　　$I_A \geqq \Sigma I_H + k \Sigma I_M$

k は定数で、$\Sigma I_M \leqq 50A$ の場合 1.25

　　　　　　　　$\Sigma I_M > 50A$ の場合 1.1

I_A：電線の許容電流

I_M：電動機の定格電流の合計

I_H：他の電気使用機械器具の定格電流の合計

また、これらの値を算定する際、需要率、力率などが明らかな場合は、これらによって適当に修正した負荷電流値以上の許容電流の

H30

用　語

電気使用機械器具

業務用電気機械器具・家庭用電気機械器具・白熱灯・放電灯（管灯回路の配線を除く）・管灯回路の配線である。

用　語

電気機械器具

配線器具・業務用電気機械器具・家庭用電気機械器具・白熱灯・放電灯（管灯回路の配線を除く）である。

用　語

他の電気使用機械器具

ヒーターなどである。起動の際に大きな起動電流が生じないもの。

ある電線を使用することができる。

3）過電流遮断器の施設（幹線）

　低圧幹線の電源側電路には、当該低圧幹線を保護する過電流遮断器を施設すること。ただし、次のいずれかに該当する場合は、この限りでない。

イ　低圧幹線の許容電流が、当該低圧幹線の電源側に接続する他の低圧幹線を保護する過電流遮断器の定格電流の55％以上である場合

ロ　過電流遮断器に直接接続する低圧幹線又はイに掲げる低圧幹線に接続する長さ8m以下の低圧幹線であって、当該低圧幹線の許容電流が、当該低圧幹線の電源側に接続する他の低圧幹線を保護する過電流遮断器の定格電流の35％以上である場合

ハ　過電流遮断器に直接接続する低圧幹線又はイもしくはロに掲げる低圧幹線に接続する長さ3m以下の低圧幹線であって、当該低圧幹線の負荷側に他の低圧幹線を接続しない場合

ニ　当該低圧幹線に電気を供給する電源が太陽電池のみであって、当該低圧幹線の許容電流が、当該幹線を通過する最大短絡電流以上である場合

4）過電流遮断器の定格電流〔I_B〕

　当該低圧幹線を保護する過電流遮断器は、その定格電流が、当該低圧幹線の許容電流以下のものであること。ただし、低圧幹線に電動機等が接続される場合の定格電流は、次のいずれかによることができる。

イ　電動機等の定格電流の合計の3倍に、他の電気使用機械器具の定格電流の合計を加えた値以下であること。

ロ　イの規定による値が当該低圧幹線の許容電流を2.5倍した値を超える場合は、その許容電流を2.5倍した値以下であること。

ハ　当該低圧幹線の許容電流が100Aを超える場合であって、イ又はロの規定による値が過電流遮断器の標準定格に該当しないときは、イ又はロの規定による値の直近上位の標準定格であること。

　一般の場合は、$I_B \leqq I_A$

　電動機を含む場合は、$I_B \leqq \Sigma I_H + 3 \Sigma I_M$

　ただし、$I_B \leqq 2.5 I_A{}'$ とする。$I_A{}'$ は電線の許容電流で、絶縁電線を管等に収めて使用する場合でも電流減少係数を乗じなくてもよい。

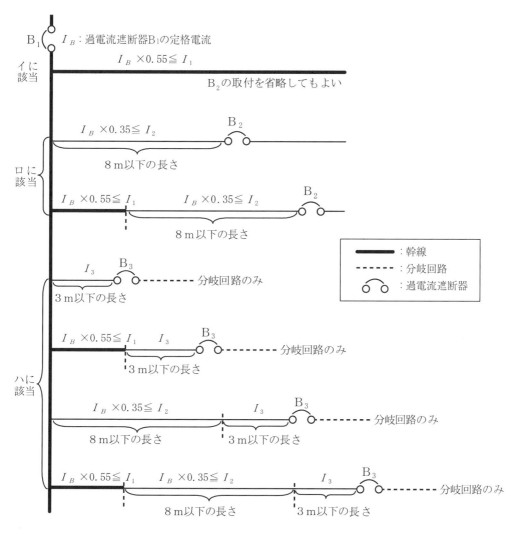

I_Bは、過電流遮断器(B₁)の定格電流
I_1は、イに規定する低圧屋内幹線の許容電流
I_2は、ロに規定する低圧屋内幹線の許容電流
I_3は、ハに規定する低圧屋内幹線の許容電流
B₁は、幹線を保護する過電流遮断器
B₂は、分岐幹線の過電流遮断器または分岐回路の過電流遮断器
B₃は、分岐回路の過電流遮断器

図 3・1・7　低圧幹線の過電流遮断器の施設

(2) 低圧分岐回路等の施設 （電技・解釈第149条）

1）低圧分岐回路の過電流遮断器及び開閉器の施設

① 低圧幹線との分岐点から電線の長さが3m以下の箇所に過電流遮断器を施設すること。ただし、分岐点から開閉器及び過電流遮断器までの電線が、次のいずれかに該当する場合は、分岐点から3mを超える箇所に施設することができる。

　イ　電線の許容電流が、その電線に接続する低圧幹線を保護する過電流遮断器の定格電流（I_B）の55％以上である場合

　ロ　電線の長さが8m以下であり、かつ、電線の許容電流がその電線に接続する低圧幹線を保護する過電流遮断器の定格電流の35％以上である場合

② 第①号の規定により施設する過電流遮断器は、各極（多線式電路の中性極を除く。）に施設すること。ただし、次のいずれかに該当する電線の極については、この限りでない。

　イ　対地電圧が150V以下の低圧電路の接地側電線以外の電線に施設した過電流遮断器が動作した場合において、各極が同時に遮断されるときは、当該電路の接地側電線

　ロ　第③号に規定する電路の接地側電線

③ 第①号に規定する場所には、開閉器を各極に施設すること。

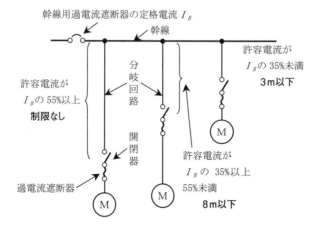

図3・1・8　分岐回路の開閉器及び過電流遮断器の施設

2)　低圧分岐回路の施設

①　低圧分岐回路は、次の各号により施設すること。　　　　　　　　　R04

　イ　第1項第①号の規定により施設する過電流遮断器の定格電流
　　　は、50A以下であること。

　ロ　電線は、太さが表3・1・2の中欄に規定する値の軟銅線もし
　　　くはこれと同等以上の許容電流のあるもの又は太さが同表の右
　　　欄に規定する値以上のMIケーブルであること。

表3・1・2　低圧分岐回路の電線　　　　　　　　　R01

分岐回路を保護する 過電流遮断器の種類	軟銅線の太さ	MIケーブルの太さ
定格電流が15A以下のもの	直径1.6 mm	断面積1 mm^2
定格電流が15Aを超え20A以下の配線用遮断器		
定格電流が15Aを超え20A以下のもの（配線用遮断器を除く）	直径2.0 mm	断面積1.5 mm^2
定格電流が20Aを超え30A以下のもの	直径2.6 mm	断面積2.5 mm^2
定格電流が30Aを超え40A以下のもの	断面積8 mm^2	断面積6 mm^2
定格電流が40Aを超え50A以下のもの	断面積14 mm^2	断面積10mm^2

②　低圧分岐回路に接続するコンセント、ねじ込み接続器、ソケット　　R06

　　低圧分岐回路に接続するコンセント又はねじ込み接続器及びソケ
　ットは、表3・1・3に規定するものであること。

表3・1・3　低圧分岐回路に接続するコンセント・ねじ込み接続器・ソケット

分岐回路を保護する 過電流遮断器の種類	コンセント	ねじ込み接続器又はソケット
定格電流が15A以下のもの	定格電流が15A以下のもの	ねじ込み型のソケットであって、公称直径が39 mm以下のものもしくはねじ込み型以外のソケット又は公称直径が39 mm以下のねじ込み接続器
定格電流が15Aを超え20A以下の配線用遮断器	定格電流が20A以下のもの	
定格電流が15Aを超え20A以下のもの（配線用遮断器を除く）	定格電流が20Aのもの （定格電流が20A未満の差込みプラグが接続できるものを除く）	ハロゲン電球用のソケットもしくはハロゲン電球用以外の白熱電灯用もしくは放電灯用のソケットであって、公称直径が39 mmのもの又は公称直径が39 mmのねじ込み接続器
定格電流が20Aを超え30A以下のもの	定格電流が20A以上30A以下のもの（定格電流が20A未満の差込みプラグが接続できるものを除く）	
定格電流が30Aを超え40A以下のもの	定格電流が30A以上40A以下のもの	
定格電流が40Aを超え50A以下のもの	定格電流が40A以上50A以下のもの	

③　分岐回路に接続する電灯受口及びコンセントの施設数は、表3・1・4に規定するものであること。

R06　R05　R03

表3・1・4　分岐回路の電灯受口及びコンセントの施設数

分岐回路の種類	受口の種類	電灯受口及びコンセントの施設数	
15A 分岐回路 20A 配線用遮断器 分岐回路	電灯受口専用	制限しない。	
	コンセント専用	住宅及びアパート	8個以下。ただし、定格電流が10Aを超える冷房機器、厨房機器などの大形電気機械器具を使用するコンセントは1個とする。
		その他	10個以下。ただし、美容院又はクリーニング店などにおいて業務用機械器具を使用するコンセントは1個を原則とし、同一室内に設置する場合に限り2個までとする。
	電灯受口とコンセント併用	電灯受口は制限しない。 コンセントはコンセント専用の欄による。	
20A 分岐回路 30A 〃 40A 〃 50A 〃	大型電灯受口専用	制限しない。	
	コンセント専用	2個以下	

④　**電動機**又はこれに類する起動電流が大きい**電気機械器具**のみに至る低圧分岐回路は、次によること。

イ　1)　①号の規定により施設する過電流遮断器の定格電流は、その過電流遮断器に直接接続する負荷側の電線の許容電流を **2.5 倍**した値（当該電線の許容電流が100Aを超える場合であって、その値が過電流遮断器の標準定格に該当しないときは、その値の直近上位の標準定格）以下であること。

ロ　電線の許容電流は、間欠使用その他の特殊な使用方法による場合を除き、その部分を通じて供給される電動機等の定格電流の合計を **1.25 倍**（当該電動機等の定格電流の合計が50Aを超える場合は、**1.1 倍**）した値以上であること。

⑤　定格電流が50Aを超える1の**電気使用機械器具**に至る低圧分岐回路は、次によること。

イ　低圧分岐回路には、当該電気使用機械器具以外の負荷を接続しないこと。

ロ　1)　①の規定により施設する過電流遮断器の定格電流は、当該電気使用機械器具の定格電流を **1.3 倍**した値以下であること。

ハ　電線の許容電流は、当該電気使用機械器具及び1)　①の規定により施設する過電流遮断器の定格電流以上であること。

3）住宅の屋内の施設

住宅の屋内には、次の各号のいずれかに該当する場合を除き、中性線を有する低圧分岐回路を施設しないこと。

① 1の電気機械器具に至る専用の低圧配線として施設する場合

② 低圧配線の中性線が欠損した場合において、当該低圧配線の中性線に接続される電気機械器具に異常電圧が加わらないように施設する場合

③ 低圧配線の中性線が欠損した場合において、当該電路を自動的に、かつ、確実に遮断する装置を施設する場合

4）低圧分岐回路に施設する開閉器の施設

低圧分岐回路に施設する開閉器は、1）③又は第173条第9項の規定により施設するものを除き、次の各号に該当する箇所に施設しないことができる。

① 開閉器を使用電圧が300V以下の低圧2線式電路に施設する場合は、当該2線式電路の1極

② 開閉器を多線式電路に施設する場合は、1）③の規定に適合する低圧電路に接続する分岐回路の中性線又は接地側電線

（3）低圧電路に施設する過電流遮断器の性能等（電技・解釈第33条） R02

1）低圧電路に施設する過電流遮断器の遮断容量

低圧電路に施設する**過電流遮断器**は、これを施設する箇所を通過する**短絡電流を遮断する能力を有する**ものであること。ただし、当該箇所を通過する最大短絡電流が10,000Aを超える場合において、過電流遮断器として10,000A以上の短絡電流を遮断する能力を有する配線用遮断器を施設し、当該箇所より電源側の電路に当該配線用遮断器の短絡電流を遮断する能力を超え当該最大電流以下の短絡電流を当該配線用遮断器より早く、または同時に遮断する能力を有する過電流遮断器を施設するときは、この限りでない。

3 ▶ 低圧屋内配線

(1) 低圧屋内配線の施設場所による工事の種類 （電技・解釈第 156 条）　R06　R05

　低圧屋内配線は、次の各号に掲げるものを除き、表 3・1・5 に規定する工事のいずれかにより施設すること。

① 　第 172 条第 1 項のショウウインドー、ショウケース内

② 　第 175 条粉じんの多い場所、第 176 条可燃性ガス等が存在する場所、第 177 条危険物等が存在する場所、第 178 条火薬庫の電気設備に施設するもの

表 3・1・5　施設場所の区分と工事の種類

施設場所の区分		使用電圧の区分	工事の種類											
			がいし引き工事	合成樹脂管工事	金属管工事	金属可とう電線管工事	金属線ぴ工事	金属ダクト工事	バスダクト工事	ケーブル工事	フロアダクト工事	セルラダクト工事	ライティングダクト工事	平形保護層工事
展開した場所	乾燥した場所	300V 以下	○	○	○	○	○	○	○	○			○	
		300V 超過	○	○	○	○		○	○	○				
	湿気の多い場所又は水気のある場所	300V 以下	○	○	○	○			○	○				
		300V 超過	○							○				
点検できる隠ぺい場所	乾燥した場所	300V 以下	○	○	○	○	○	○	○	○		○	○	○
		300V 超過	○	○	○	○		○	○	○				
	湿気の多い場所又は水気のある場所	−		○	○	○				○				
点検できない隠ぺい場所	乾燥した場所	300V 以下		○	○	○				○	○	○		
		300V 超過		○	○	○				○				
	湿気の多い場所又は水気のある場所	−		○	○	○				○				

（備考） ○ は、使用できることを示す。

(2)　がいし引き工事（電技・解釈第157条）

電線が他の低圧屋内配線又は管灯回路の配線と接近又は交差する場合は、次のいずれかによること。

イ　他の低圧屋内配線又は管灯回路の配線との離隔距離が、10cm（がいし引き工事により施設する低圧屋内配線が裸電線である場合は、30cm）以上であること。

ロ　他の低圧屋内配線又は管灯回路の配線との間に、絶縁性の隔壁を堅ろうに取り付けること。

ハ　いずれかの低圧屋内配線又は管灯回路の配線を、十分な長さの難燃性及び耐水性のある堅ろうな絶縁管に収めて施設すること。

ニ　がいし引き工事により施設する低圧屋内配線と、がいし引き工事により施設する他の低圧屋内配線又は管灯回路の配線とが並行する場合は、相互の離隔距離が6cm以上であること。

(3)　低圧配線と弱電流電線等又は管との接近又は交差（電技・解釈第167条）

がいし引き工事により施設する低圧配線が、弱電流電線等又は水管、ガス管若しくはこれらに類するものと接近又は交差する場合は、次の各号のいずれかによること。

①　低圧配線と弱電流電線等又は水管等との離隔距離は、10cm（電線が裸電線である場合は、30cm）以上とすること。

②　低圧配線の使用電圧が300V以下の場合において、低圧配線と弱電流電線等又は水管等との間に絶縁性の隔壁を堅ろうに取り付けること。

③　低圧配線の使用電圧が300V以下の場合において、低圧配線を十分な長さの難燃性及び耐水性のある堅ろうな絶縁管に収めて施設すること。

(4)　平形保護層工事（電技・解釈第165条）

平形保護層工事による低圧屋内配線は、次の各号によること。

①　住宅以外の場所においては、次によること。

イ　次に掲げる以外の場所に施設すること。

　(イ)　旅館、ホテル又は宿泊所等の宿泊室

　(ロ)　小学校、中学校、盲学校、ろう学校、養護学校、幼稚園又は保育園等の教室その他これに類する場所

　(ハ)　病院又は診療所等の病室

　(ニ)　フロアヒーティング等発熱線を施設した床面

　　㈭　別に規定する場所

ロ　造営物の床面又は壁面に施設し、造営材を貫通しないこと。

ハ　電線は、電気用品安全法の適用を受ける平形導体合成樹脂絶縁電線であって、20A 用又は 30A 用のもので、かつ、アース線を有するものであること。

ニ　平形保護層内の電線を外部に引き出す部分は、ジョイントボックスを使用すること。

ホ　平形導体合成樹脂絶縁電線相互を接続する場合は、次によること。

　㈦　電線の引張強さを 20% 以上減少させないこと。

　㈣　接続部分には、接続器を使用すること。

ヘ　平形保護層内には、電線の被覆を損傷するおそれがあるものを収めないこと。

ト　電線に電気を供給する電路は、次に適合するものであること。

　㈦　電路の対地電圧は、150V 以下であること。

　㈣　定格電流が 30A 以下の過電流遮断器で保護される分岐回路であること。

　㈵　電路に地絡を生じたときに自動的に電路を遮断する装置を施設すること。

②　住宅においては、JESC E6004 または JESC E6005 のいずれかにより施設すること。

(5)　フロアヒーティング等の電熱装置の施設（電技・解釈第195条）　R05　R02

1)　発熱線を道路、横断歩道橋、駐車場又は造営物の造営材に固定して施設する場合の施設方法

①　発熱線に電気を供給する電路の対地電圧は、300 V 以下であること。

②　発熱線は、ＭＩケーブル又は JIS C 3651（2004）「ヒーティング施設の施工方法」の「附属書 発熱線等」に適合するものであること。

③　発熱線に直接接続する電線は、ＭＩケーブル、クロロプレン外装ケーブル（絶縁体がブチルゴム混合物又はエチレンプロピレンゴム混合物のものに限る。）であること。

④　発熱線の施設方法

イ　人が触れるおそれがなく、かつ、損傷を受けるおそれがないようにコンクリートその他の堅ろうで耐熱性のあるものの中に

施設すること。

ロ　発熱線の温度は、80℃を超えないように施設すること。ただし、道路、横断歩道橋又は屋外駐車場に金属被覆を有する発熱線を施設する場合は、発熱線の温度を120℃以下とすることができる。

ハ　他の電気設備、弱電流電線等又は水管、ガス管若しくはこれらに類するものに電気的、磁気的又は熱的な障害を及ぼさないように施設すること。

⑤　発熱線相互又は発熱線と電線とを接続する場合は、電流による接続部分の温度上昇が接続部分以外の温度上昇より高くならないようにすること。

イ　接続部分には、接続管その他の器具を使用し、又はろう付けし、かつ、その部分を発熱線の絶縁物と同等以上の絶縁効力のあるもので十分被覆すること。

ロ　発熱線又は発熱線に直接接続する電線の被覆に使用する金属体相互を接続する場合は、その接続部分の金属体を電気的に完全に接続すること。

⑥　発熱線又は発熱線に直接接続する電線の被覆に使用する金属体には、使用電圧が 300 V 以下のものにあってはD種接地工事、使用電圧が 300 V を超えるものにあってはC種接地工事を施すこと。

⑦　発熱線に電気を供給する電路に設ける開閉器及び過電流遮断器の施設

イ　専用の開閉器及び過電流遮断器を各極（過電流遮断器にあっては、多線式電路の中性極を除く。）に施設すること。ただし、過電流遮断器が開閉機能を有するものである場合は、過電流遮断器のみとすることができる。

ロ　電路に地絡を生じたときに自動的に電路を遮断する装置を施設すること。

2)　電熱ボード又は電熱シートを造営物の造営材に固定して施設する場合の施設方法

①　電熱ボード又は電熱シートに電気を供給する電路の対地電圧は、150 V 以下であること。

②　電熱ボード又は電熱シートは電気用品安全法の適用を受けるものであること。

③　電熱ボードの金属製外箱又は電熱シートの金属被覆には、D種接地工事を施すこと。

④　別に定める規定に準じて施設すること。

4 ▶ 高 圧 屋 内 配 線

(1)　高圧屋内配線の施設 （電技・解釈第168条）

高圧屋内配線は、次の各号によること。

① 高圧屋内配線は、次に掲げる工事のいずれかにより施設すること。

　イ　がいし引き工事（乾燥した場所であって展開した場所に限る。）

　ロ　ケーブル工事

② がいし引き工事による高圧屋内配線は、次によること。

　イ　接触防護措置を施すこと。

　ロ　電線は、直径2.6mmの軟銅線と同等以上の強さ及び太さの、高圧絶縁電線、特別高圧絶縁電線又は引下げ用高圧絶縁電線であること。

　ハ　電線の支持点間の距離は、6m以下であること。ただし、電線を造営材の面に沿って取り付ける場合は、2m以下とすること。

　ニ　電線相互の間隔は8cm以上、電線と造営材との離隔距離は5cm以上であること。

　ホ　がいしは、絶縁性、難燃性及び耐水性のあるものであること。

　ヘ　高圧屋内配線は、低圧屋内配線と容易に区別できるように施設すること。

　ト　電線が造営材を貫通する場合は、その貫通する部分の電線を電線ごとにそれぞれ別個の難燃性及び耐水性のある堅ろうな物で絶縁すること。

③ ケーブル工事による高圧屋内配線は、次によること。

　イ　電線にケーブルを使用し、第164条（ケーブル工事）の規定に準じて施設すること。

　ロ　電線を建造物の電気配線用のパイプシャフト内に垂直につり下げて施設する場合は、第164条（ケーブル工事）の規定に準じて施設すること。

　ハ　管その他のケーブルを収める防護装置の金属製部分、金属製の電線接続箱及びケーブルの被覆に使用する金属体には、A種接地工事を施すこと。ただし、接触防護措置を施す場合は、D種接地工事によることができる。

(2) 高圧屋内配線と他の高圧屋内配線、弱電流電線等又は管との接近又は交差

高圧屋内配線が、他の高圧屋内配線、低圧屋内電線、管灯回路の配線、弱電流電線等又は水管、ガス管若しくはこれらに類するものと接近又は交差する場合は、次の各号のいずれかによること。

① 高圧屋内配線と他の屋内電線等との離隔距離は、15cm（がいし引き工事により施設する低圧屋内電線が裸電線である場合は、30cm）以上であること。

② 高圧屋内配線をケーブル工事により施設する場合においては、次のいずれかによること。

　イ ケーブルと他の屋内電線等との間に耐火性のある堅ろうな隔壁を設けること。

　ロ ケーブルを耐火性のある堅ろうな管に収めること。

　ハ 他の高圧屋内配線の電線がケーブルであること。

5 ▶ 電 圧 降 下

(1) こう長との関係

　幹線の電圧降下は少ないほどよいが、電線サイズが関係するので、幹線こう長が長い場合は経済性を考慮して選定する。

　表3・1・6に内線規程に示す電圧降下表を示す。

R06　R04

表3・1・6　内線規程に示す電圧降下表

	こう長	電 圧 降 下	
		幹 線	分 岐
一般供給の場合（低圧受電）	60m 以下	2%以下	2%以下
	120m 以下	4%以下	
	200m 以下	5%以下	
	200m 超過	6%以下	
変電設備のある場合（高圧受電）	60m 以下	3%以下	2%以下
	120m 以下	5%以下	
	200m 以下	6%以下	
	200m 超過	7%以下	

(2) 電圧降下計算式

　電圧降下の計算は、表3・1・7に示す計算式を用いる。この計算式は線路の抵抗分のみを考慮したものでリアクタンス・力率を無視している。

表3・1・7　電圧降下計算式

回路の電気方式	電 圧 降 下	対象電圧降下
単相2線式	$e = \dfrac{35.6 \times L \times I}{1,000 \times A}$	線間
三相3線式	$e = \dfrac{30.8 \times L \times I}{1,000 \times A}$	線間
単相3線式 三相4線式	$e = \dfrac{17.8 \times L \times I}{1,000 \times A}$	大地間

H28

　屋内配線など比較的配線こう長が短く、電線が細い場合に用いる。

　e ：電圧降下〔V〕

　I ：電流〔A〕

　A ：電線の断面積〔mm^2〕

　L ：こう長〔m〕

6▶ 電 路 の 保 護

(1) 過電流からの低圧幹線等の保護措置 （電技第63条）

　低圧の幹線、低圧の幹線から分岐して電気機械器具に至る低圧の電路及び引込口から低圧の幹線を経ないで電気機械器具に至る低圧の電路には、適切な箇所に**開閉器を施設**するとともに、過電流が生じた場合に当該幹線などを保護できるよう、**過電流遮断器を施設しなければ**ならない。ただし、当該幹線等における短絡事故により過電流が生じるおそれがない場合はこの限りでない。

(2) 地絡に対する保護措置 （電技第64条）

　ロードヒーティングなどの電熱装置、プール用水中照明灯、その他の一般公衆の立ち入るおそれがある場所又は絶縁体に損傷を与えるおそれがある場所に施設するものに電気を供給する電路には、地絡が生じた場合に、感電又は火災のおそれがないよう、**地絡遮断器の施設**その他の適切な措置を講じなければならない。

(3) 電動機の過負荷保護 （電技第65条）

　屋内に施設する電動機（出力0.2 kW以下のものを除く）には、過電流による当該電動機の焼損により火災が発生するおそれがないよう、**過電流遮断器の施設**その他の適切な措置を講じなければならない。ただし、電動機の構造上又は負荷の性質上、電動機を焼損するおそれがある過電流が生じるおそれがない場合は、この限りでない。

(4) 過電流遮断器の施設の例外 （電技・解釈第35条）

1) 過電流遮断器を施設しない箇所

① 接地線
② 多線式電路の中性線
③ 電路の一部に接地工事を施した低圧電線路の接地側電線

2) 次のいずれかに該当する場合

① 多線式電路の中性線に施設した過電流遮断器が動作した場合において、各極が同時に遮断されるとき
② 抵抗器、リアクトル等を使用して接地工事を施す場合において、過電流遮断器の動作により当該接地線が非接地状態にならないとき

ポイント R01 H27

地絡遮断装置を省略できる場合
① 機械器具を発電所又は変電所、開閉所に施設する場合。
② 機械器具を乾燥した場所に施設する場合。
③ 対地電圧が150 V以下の機械器具を水気のある場所以外の場所に施設する場合。
④ 機械器具に施されたC種接地工事又はD種接地工事の接地抵抗値が3 Ω以下の場合。
⑤ 二重絶縁構造の機械器具を施設する場合。

R06

(5) 低圧電路に施設する過電流遮断器の性能等（電技・解釈第33条）

1) 低圧電路に施設するヒューズの性能

　過電流遮断器として低圧電路に施設するヒューズ（電気用品安全法の適用を受けるものを除く。）は、水平に取り付けた場合（板状ヒューズにあっては、板面を水平に取り付けた場合）において、次の各号に適合するものであること。

① 定格電流の1.1倍の電流に耐えること。

② 表3・1・8の左欄に掲げる定格電流の区分に応じ、定格電流の1.6倍及び2倍の電流を通じた場合において、それぞれ同表の右欄に掲げる時間内に溶断すること。

表3・1・8　過電流遮断器（ヒューズ）の溶断

定格電流の区分	時　　　　間	
	定格電流の1.6倍の電流を通じた場合	定格電流の2倍の電流を通じた場合
30A 以下	60分	2分
30A を超え60A 以下	60分	4分
60A を超え100A 以下	120分	6分
100A を超え200A 以下	120分	8分
200A を超え400A 以下	180分	10分
400A を超え600A 以下	240分	12分
600A を超えるもの	240分	20分

2) 低圧電路に施設する配線用遮断器の性能

　過電流遮断器として低圧電路に施設する配線用遮断器（電気用品安全法の適用を受けるものを除く。）は、次の各号に適合するものであること。

① 定格電流の1倍の電流で自動的に動作しないこと。

② 表3・1・9の左欄に掲げる定格電流の区分に応じ、定格電流の1.25倍及び2倍の電流を通じた場合において、それぞれ同表の右欄に掲げる時間内に自動的に動作すること。

表3・1・9　配線用遮断器の動作

定格電流の区分	時　間	
	定格電流の1.25倍の電流を通じた場合	定格電流の2倍の電流を通じた場合
30A 以下	60分	2分
30A を超え 50A 以下	60分	4分
50A を超え 100A 以下	120分	6分
100A を超え 225A 以下	120分	8分
225A を超え 400A 以下	120分	10分
400A を超え 600A 以下	120分	12分
600A を超え 800A 以下	120分	14分
800A を超え 1000A 以下	120分	16分
1000A を超え 1200A 以下	120分	18分
1200A を超え 1600A 以下	120分	20分
1600A を超え 2000A 以下	120分	22分
2000A を超えるもの	120分	24分

3) 電動機用過負荷保護装置と短絡保護専用遮断器　R05

　過電流遮断器として低圧電路に施設する過負荷保護装置と短絡保護専用遮断器又は短絡保護専用ヒューズを組み合わせた装置は、電動機のみに至る低圧電路で使用するものであって、次の各号に適合するものであること。

① 過負荷保護装置は、次に適合するものであること。

　イ　電動機が焼損するおそれがある過電流を生じた場合に、自動

的にこれを遮断すること。

ロ　電気用品安全法の適用を受ける電磁開閉器、又は次に適合するものであること。

（イ）構造（ロ）完成品　JIS C 8201-4-1（2010）（省略）

② 短絡保護専用遮断器は、次に適合するものであること。

イ　過負荷保護装置が短絡電流によって焼損する前に、当該短絡電流を遮断する能力を有すること。

ロ　定格電流の1倍の電流で自動的に動作しないこと。

ハ　整定電流は、定格電流の13倍以下であること。

ニ　整定電流の1.2倍の電流を通じた場合において、0.2秒以内に自動的に動作すること。

③ 短絡保護専用ヒューズは、次に適合するものであること。

イ　過負荷保護装置が短絡電流によって焼損する前に、当該短絡電流を遮断する能力を有すること。

ロ　短絡保護専用ヒューズの定格電流は、過負荷保護装置の整定電流の値以下であること。

ハ　定格電流の1.3倍の電流に耐えること。

ニ　整定電流の10倍の電流を通じた場合において、20秒以内に溶断すること。

④ 過負荷保護装置と短絡保護専用遮断器又は短絡保護専用ヒューズは、専用の一の箱の中に収めること。

3-2 受 変 電 設 備

1 受 変 電 設 備

（1）受電設備計画

　受電設備容量は、建物の用途、規模、内容により異なり、空調方式や熱源などにも左右されるため、受変電設備を計画するにあたっては、適切な需要率及び余裕を見込んで設備容量の決定を行わなければならない。

ポイント

需要率・負荷率・不等率

① 負荷設備容量

　負荷設備容量 = 負荷密度〔W/m²〕× 延面積〔m²〕× $\dfrac{1}{1,000}$〔kW〕

② 最大需要電力

　最大需要電力 = 負荷設備容量〔kW〕× $\dfrac{需要率}{100}$〔kW〕

用　語

最大需要電力
需要家の設備が運転状態のときの負荷電力の最大値をいう。

③ 需要率

　需要率 = $\dfrac{最大需要電力〔kW〕}{負荷設備容量〔kW〕}$ × 100〔%〕

④ 負荷率

　負荷率 = $\dfrac{平均需要電力〔kW〕}{最大需要電力〔kW〕}$ × 100〔%〕

⑤ 不等率

　不等率 = $\dfrac{最大需要電力の総和〔kW〕}{合成最大需要電力〔kW〕}$ × 100〔%〕

(2) 受電方式

電力系統の構成図例を、図3・2・1に示す。

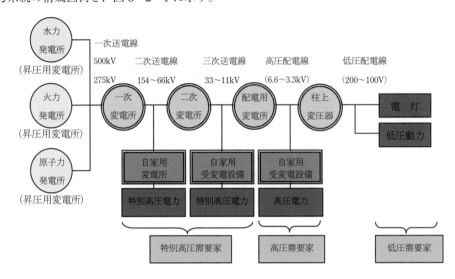

図3・2・1　電力系統構成図の例

① 1回線受電方式
R06　H27

T分岐式と専用線式がある。前者は最も一般的な受電方式であるが後備電源が無いので、供給信頼性は低い。

② ループ受電方式
R06　R04

ループ受電方式には、閉ループ受電方式と開ループ受電方式がある。開ループ受電方式は全ての需要家をループ状に結合したもので、需要家のCBを2回線共、常時閉にする方式である。一方、閉ループ受電方式は、開ループ受電方式と同様、全ての需要家をループ状に結合しているが、あらかじめ指定された需要家では、一方の受電CBは閉じて常用回線に、他方の受電CBは開いて予備回線にし、常用回線に事故が発生した場合には、受電CBを切替えて予備回線から受電する方式である。このループ受電方式は需要家内事故が他需要家に波及する可能性があり、保守・運営には注意を要する。

③ 常用・予備受電方式
R06

常用線と予備線の2回線を引込む方式で、通常時は常用線側から受電し、常用線が停電した時は需要家内事故でないこと、予備線が正常（充電状態）であることを条件に、受電用遮断器（又は負荷開閉器）を手動又は自動で切替えて、予備線側から受電することがで

きる。但し、切替は無瞬断ではなく、停電をともなう。なお、2回
線を電力会社の異なる変電所から引き込むことにより、信頼性を高
めることも可能である。

④ スポットネットワーク受電方式
　複数の配電線から分岐線で引込み、受電用断路器を経てネットワ
ーク変圧器に接続し、その2次側にはネットワークプロテクタ（プ
ロテクタヒューズとプロテクタ遮断器）を設置して、各バンクを1
つに接続するネットワーク母線を介して負荷に供給する方式であ
る。大工場など大容量・高信頼性を求められる需要家への方式とす
ることが多い。
　図3・2・2に各種受電方式の概略図を示す。

ポイント

スポットネットワーク受電
R05　R02　H30

H30　H29　H28

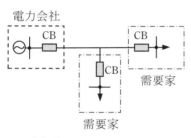

注1)　CB：遮断器
（1）1回線受電方式

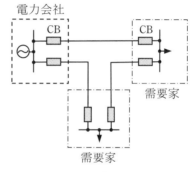

（2）ループ受電方式

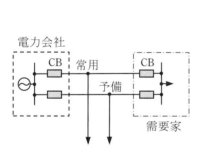

（3）常用・予備受電方式

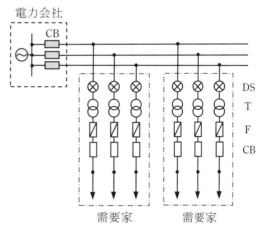

注2)　DS：断路器　　T：ネットワーク変圧器
　　　F：プロテクタヒューズ　CB：プロテクタ遮断器

（4）スポットネットワーク受電方式

図3・2・2　各種受電方式

2 ▶ 受電室などの施設

(1) 受電室の施設

受電室の機器の配置及び保守点検に必要な通路は、次の各号による。

① 変圧器、配電盤など受電設備の主要部分における距離基準は、保守点検に必要な空間及び防火上有効な空間を保持するため、表3・2・1の値以上の保有距離を有する必要がある。

② 保守点検に必要な通路は、幅0.8 m以上、高さ1.8 m以上とし、変圧器などの充電部とは、0.2m以上の保有距離を確保する。

③ 機器、配線などの離隔距離は、図3・2・3(1)及び(2)に示すとおりとする。

④ 通路面は、つまずき、すべりなどの危険のない状態に保持する。

表3・2・1　受電設備に使用する配電盤などの最小保有距離　〔単位：m〕

部位別 機器別	前面又は 操作面	背面又は 点検面	列相互間 （点検を行う面[*1]）	その他の面[*2]
高圧配電盤	1.0	0.6	1.2	———
低圧配電盤	1.0	0.6	1.2	———
変圧器など	0.6	0.6	1.2	0.2

[*1]：機器類を2列以上設ける場合をいう。
[*2]：操作面・点検面を除いた面をいう。

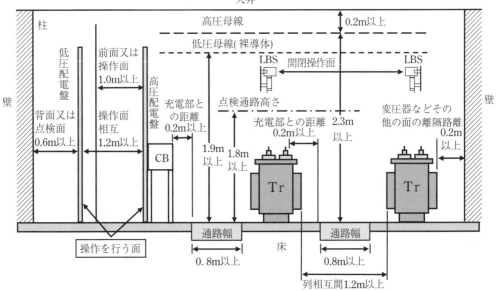

図3・2・3(1)　受電室内における機器、配線等の離隔（立面図）

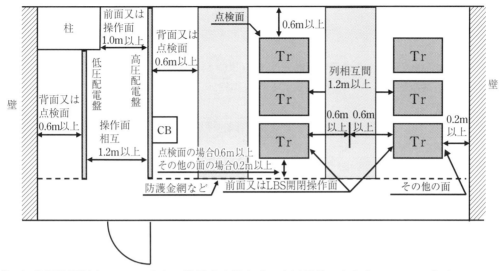

注1）絶縁防護板を 1.8 m の高さに設置する場合は、高圧母線の高さを 1.8 m にできる。

注2）図示以外の露出充電部の高さは、2 m 以上とする。

図 3・2・3（2）　受電室内における機器、配線等の離隔（平面図）

(2) 屋外に施設する受電設備の施設

受電設備（キュービクルを除く）を屋外に施設する場合、受電室の施設に準ずるほか、次の各号による。

① 機械器具の周囲に人が触れるおそれがないように適当なさく、へい等を設け、さく、へい等の高さ（H）とさく、へい等から充電部分までの距離（L）との和を **5m 以上**とする。H＋L≧5 m かつ、H≧1.5 m とする。

② さく、へい等には危険である旨の表示を行う。

③ 建築物から **3m 以上**の距離を保つこと。ただし、不燃材料で造り、又は覆われた外壁で開口部のないものに面するときは、この限りでない。

屋外における受電設備の設置例を、図 3・2・4 に示す。

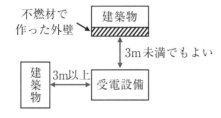

図 3・2・4　屋外における受電設備の設置例

(3) 屋内に設置するキュービクルの施設

　キュービクルを屋内に設置する場合、金属箱の周囲との保有距離、他造営物又は物品との離隔距離は表3・2・2に示す値とする。

表3・2・2　キュービクルの保有距離　〔単位：m〕

保有距離を確保する部分	保有距離
点検を行う面	0.6 以上
操作を行う面	扉幅*+保安上有効な距離以上
溶接などの構造で換気口がある面	0.2 以上
溶接などの構造で換気口がない面	－
備考1）溶接などの構造とは、溶接又はねじ止めなどにより堅固に固定されている場合をいう。	
備考2）*は扉幅が1m未満の場合は1mとする。	
備考3）保安上有効な距離とは、人の移動及び機器の搬出入に支障をきたさない距離をいう。	

　屋内に施設するキュービクルの保有距離を図3・2・5に示す。

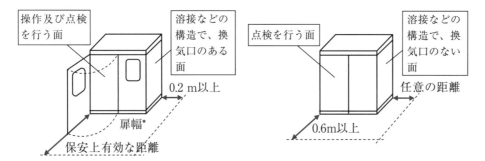

図3・2・5　屋内に施設するキュービクルの保有距離

(4) 屋外に設置するキュービクルの施設

　キュービクルを屋外に設置する場合、建築物等との離隔距離及び金属箱の周囲の保有距離は、次の各号による。

①　屋外に設けるキュービクル式受電設備は、建築物から3m以上の距離を保つこと。ただし、不燃材料で造り、又は覆われた外壁で開口部のないものに面するときは、この限りでない。

②　金属箱の周囲の保有距離は、1m＋保安上有効な距離以上とする。ただし、隣接する建築物等の部分が不燃材料で造られ、開口部に防火戸等の防火設備が設けてある場合は、屋内の設置基準に準じる。

③　キュービクルを高さ2m以上の開放された場所に設置する場合は、周囲の保有距離が3mを超え、かつ、安全上支障がない場合

を除き、高さ 1.1 m 以上のさくを設ける等の墜落防止措置を施す。

④ キュービクルの前面には、基礎に足場スペースが設けるか、代替できる点検用の台等を設ける。

⑤ 幼稚園、学校、スーパーマーケット等で幼児、児童が容易に金属箱に触れるおそれのある場所にキュービクルを設置する場合は、さく等を設ける。

(5) 屋外に施設するキュービクルへ至る通路などの施設　　R05

屋外に施設したキュービクルへ至る通路などの施設は、次の各号による。

① 保守、点検のための通路としては、保守員がキュービクルまで安全に到達できるように幅 0.8 m 以上の通路を全面にわたり確保すること。

既設のものでやむを得ない場合は、踏板（アルミ製等）及び手すり等を設けて保守員の安全が確保できる構造とすること。

また、次に該当する不安全な箇所を通行する場合は、労働安全衛生規則に準じた措置を施すこと。

a．高さ 2 m 以上で、かつ、さく又はへい等の墜落防止措置の無い場所を通行する場合

b．高さが 2 m 以上の場所に施設される垂直はしごを昇降する場合

c．スレート、塩化ビニール板等でふかれた屋根の上を通行する場合

d．その他、足場が特に悪く、墜落により落下のおそれのある場所を通行する場合

② 点検時及び事故対応等の緊急時に、保守員がキュービクルに到達するための屋内の通路は、住居部・出入口閉鎖等の支障がないようにする。

3 ▶ 機 器 の 保 護

(1) 変圧器の保護

変圧器の一次側には、表3・2・3に示す適用区分に従い、開閉装置を設置する。

表3・2・3　変圧器一次側の開閉装置

R06

機器種別	開 閉 装 置		
変圧器容量	遮断器 （CB）	高圧交流負荷 開閉器（LBS）	高圧カット アウト（PC）
300kVA 以下	○	○	○
300kVA 超過	○	○	×

変圧器の保護としては、過負荷保護と短絡保護に分けられる。

1) 過負荷保護

① 変圧器に油温検出装置を取付ける。

② 変圧器個々に過電流継電器、高圧カットアウトヒューズを取付ける。

③ 変圧器二次側に変流器を入れ、サーマルリレーを取付ける。

2) 短絡保護

① 変圧器個々に限流ヒューズ、高圧カットアウトヒューズ又は変流器や過電流継電器と組み合せた遮断器を取付ける。

3) 保護方式

① 過電流継電器

あらかじめ定められた電流値に応じて動作するもので、限時要素を有し整定タップで調整ができる。この継電器は受電用継電器として用いる場合は瞬時要素付とし、電力会社の配電用遮断器との保護協調を図る必要がある。

② 高圧限流ヒューズ

遮断器に比べ価格が安く小形軽量であるが、大きな遮断容量を持っている。高速遮断が可能で保守が簡単である。

③ 比率差動継電器

平常時や外部事故では動作せず、変圧器内部故障時に差動回路の平衡が破れ動作するものである。

補 足　H28

限時要素のタップの整定計算値

受電電圧 6.6kV、契約電力を W〔kW〕、負荷力率を $\cos\theta$ とするとき、CT の一次電流 I_1〔A〕は、

$W = \sqrt{3} \times 6.6 \times I_1 \times \cos\theta$〔kW〕

から求められる。

さらに、CT 比（CT 一次電流 I_1 ／CT二次電流 I_2）を n とすると、二次電流 I_2 は、$I_2 = I_1/n$〔A〕となるので、

限時要素の整定倍率 a が分かれば、OCR の限時要素のタップの整定計算値 I_L〔A〕は、

$I_L = aI_2 = I_1 \times a/n$〔A〕

となる。

高圧限流ヒューズの種類

溶断特性により、一般用、変圧器用、電動機用、コンデンサ用の4種類があり、それぞれ G・T・M・C と表記される。

④　ブッフホルツ継電器

絶縁劣化などが原因で発生するガスで動作する軽故障検出用と巻線の短絡事故が原因で発生する油流で動作する重故障検出用の二つの接点を持つ継電器である。

⑤　ピトー継電器

軽故障をフロートで検出し、重故障はピトー管を設け油量の変化により生ずるピトー管出口の圧力差で検出する。

⑥　衝撃油圧継電器

故障時に発生するガスにより内圧が上昇し油量調整装置が膨張する。これをリミットスイッチで検出する。

(2)　コンデンサの保護

R06

1)　開閉装置

進相コンデンサ回路に開閉装置を設ける場合は、表3・2・4に示す適用区分に従い、開閉装置を設置する。

表3・2・4　進相コンデンサの開閉装置

機器種別 進相コンデンサ容量	開閉装置			
	遮断器 (CB)	高圧交流負荷開閉器 (LBS)	高圧カットアウト (PC)	高圧真空電磁接触器 (VMC)
50kvar 以下	○	△	▲	○
50kvar 超過	○	△	×	○

【備考】　(1)　○は、施設できる。
　　　　　(2)　△は、施設できるが、進相コンデンサの定格設備容量を運用上変化させる必要がある場合には、遮断器もしくは高圧真空電磁接触器を用いることが望ましい。
　　　　　(3)　▲は、進相コンデンサ単体の場合のみ施設できる。（原則、進相コンデンサには直列リアクトルを設置すること。
　　　　　(4)　×は、施設できない。

2)　コンデンサの保護方式

①　進相コンデンサは、次の各号により施設すること。

・はく電極コンデンサ（NH）の場合は、進相コンデンサの一次側に限流ヒューズを施設すること。

・蒸着電極コンデンサ（SH）の場合は、保安装置を内蔵したコンデンサの採用、又はコンデンサ付属の保護接点の使用により電路から切り離すことができる適当な装置を施設すること。

②　進相コンデンサの回路には、コンデンサ容量に適合する放電コ

イル、その他開路後の残留電荷を放電させる適当な装置を設けること。ただし、コンデンサが変圧器一次側に直接接続されている場合、又は放電抵抗内蔵のコンデンサを用いる場合は、この限りでない。

③　進相コンデンサには、高調波電流による障害防止及びコンデンサ回路の開閉による突入電流抑制等や、系統でよく問題になる高調波のうち、低次で含有率が最も高い第5次高調波等に対して、高調波障害の拡大を防止するとともに、コンデンサの過負荷を生じないよう原則としてコンデンサリアクトルの6%、又は13%の直列リアクトルを施設すること。

4 ▶ 保 護 継 電 器

　保護継電器は、電力系統の電線路や負荷設備に短絡事故や地絡事故が発生した場合、適切な保護を行うことにより被害を最小限に抑え、他の系統への波及を防止するため、遮断器類を開放させたり、警報を発したりする装置である。動作原理によって、**誘導形**と**静止形**の2種類がある。

　保護継電器には、事故の種類や用途及び目的により次のような種類がある。

① **過電流継電器**（OCR）

　負荷側で発生した短絡事故や過負荷事故の過電流を変流器が検出し、過電流継電器が設定値に基づいて遮断器を動作させる。

② **過電圧継電器**（OVR）

　継電器の電圧コイルに計器用変圧器の二次電圧を加え、電圧が異常に上昇した場合、継電器の接点を閉じ遮断器を動作又は警報信号を出すもの。母線の電圧変動に対し保護するもので、短時間の電圧変動では動作しないように**反限時特性**を持ったものが使用される。

③ **不足電圧継電器**（UVR）

　電圧が設定値以下になった場合に動作するもの。入力電圧として停電や短絡事故検出には線間電圧、地絡事故検出には相電圧が用いられる。

④ **地絡継電器**（GR）

　地絡事故が起こった場合、零相電流を検出して遮断器を動作させる。零相電流を検出する**零相変流器**（**ZCT**）と組合せて使用する。

⑤ **短絡方向継電器**（DSR）

　短絡事故点の方向や電力潮流の方向を判定して動作するもの。

⑥ **地絡方向継電器**（DGR）

　零相電圧と零相電流から地絡事故の方向を検出するもの。

R06　R04　R03　R02

用　語

反限時特性：
遮断器に流れる電流（電圧）が定格を超えたとき、流れる電流（電圧）の量によって遮断作業時間が変わること。

5 ▶ キュービクル式高圧受電設備

(1) キュービクル式高圧受電設備
　JIS C 4620 は、需要家が電気事業者から受電するために用いるキュービクル式高圧受電設備（以下、キュービクルという。）―公称電圧6.6 kV、周波数50 Hz 又は 60 Hz で系統短絡電流 12.5 kA 以下の回路に用いる受電設備容量 4,000 kVA 以下のキュービクル―について以下のように規定している。

R06　R05　R04

適用規格：JIS C 4620「キュービクル式高圧受電設備」

(2) 用語の定義
　JIS C 4620 で用いる主な用語の定義は、次のとおりである。
・**キュービクル**：高圧の受電設備として使用する機器一式を一つの外箱に収めたもの。
・**受電箱**：電力需給用計器用変成器、主遮断装置など、主として受電用機器一式を収納したもの。
・**配電箱**：変圧器、高圧配電盤、高圧進相コンデンサ、直列リアクトル、低圧配電盤などを収納したもの。
・**主遮断装置**：キュービクルの受電用遮断装置として用いるもので、電路に過負荷電流、短絡電流などが生じたとき、自動的に電路を遮断する能力をもつもの。
・**CB形**：主遮断装置として遮断器（CB）を用いる形式のもの。
・**PF・S形**：主遮断装置として高圧限流ヒューズ（PF）（以下、限流ヒューズという。）と高圧交流負荷開閉器（LBS）とを組み合わせて用いる形式のもの。
・**受電設備容量**：受電電圧で使用する変圧器、高圧引出し部分（電動機を含む）などの合計容量（kVA）を受電設備容量という。なお、高圧電動機は、定格出力（kW）をもって機器容量（kVA）とし、高圧進相コンデンサは、受電設備容量には含めない。

(3) キュービクルの種類
　主遮断装置によって、CB形とPF・S形の2つがある。
　① CB形
　　主遮断装置として高圧交流遮断器（CB）を用いるもので、受電設備容量は、4,000kVA 以下とする。遮断器には、真空遮断器を用いることが多い。過電流継電器、地絡継電器と組合せ使用が可能で、過負荷保護・短絡保護及び地絡保護が正確かつ迅速にでき、調整も容易である。

R06　H30　H27

保守点検時の安全を確保するため、主遮断器の電源側に断路器を設ける。（図3・2・6にCB形結線図を示す。）

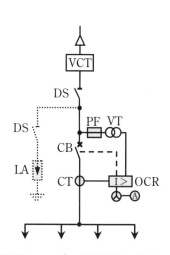

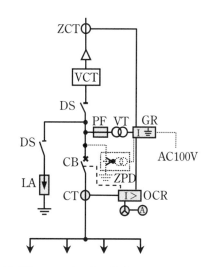

（a）受電点にGR付PASがあるもの　　（b）受電点にGR付PASがないもの

備考 1. 破線のZPDは、DGRの場合に付加する。
　　2. 破線のLAは、引き込みケーブルが比較的長い場合に付加する。
　　3. 破線のAC100Vは、変圧器二次側から電源をとる場合を示す。
　　4. 母線以降の負荷に至る結線図は紙面の都合上、割愛する。

図3・2・6　CB形結線図

注1）記号の名称は表のとおりである。

GR付 PAS	地絡継電装置付高圧交流負荷開閉器	CB	高圧交流遮断器
ZCT	零相変流器	TC	引外しコイル
VCT	電力需給用計器用変成器	OCR	過電流継電器
DS	断路器	PC	高圧カットアウト
LA	避雷器	LBS	高圧交流負荷開閉器
PF	高圧限流ヒューズ	VMC	高圧真空電磁接触器
VT	計器用変圧器	T	変圧器
CT	変流器	SC	高圧進相コンデンサ
ZPD	零相基準入力装置	SR	直列リアクトル
GR	地絡継電装置	A	電流計
		AS	電流計切換スイッチ

② PF・S形

R03　H29

　主遮断装置として高圧限流ヒューズ（PF）と高圧交流負荷開閉器（LBS）とを組合せて用いる。受電設備容量は 300 kVA 以下である。PF・S形は、短絡電流の遮断を PF で行い、負荷電流の開閉を LBS で行う。

　この PF・S形の場合、変圧器2次側の過電流遮断器との動作協調を考慮して、限流ヒューズは一般に短絡保護用として使用される。（図3・2・7に PF・S形結線図を示す。）

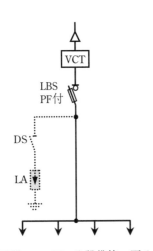

（a）受電点にGR付PASがあるもの

変圧器、コンデンサ設備等へ至る

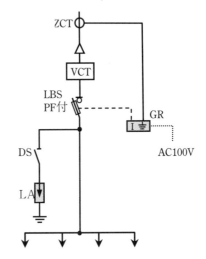

（b）受電点にGR付PASがないもの

変圧器、コンデンサ設備等へ至る

備考 1. 破線のLAは、引き込みケーブルが比較的長い場合に付加する。
　　　2. 破線のAC100Vは、変圧器二次側から電源をとる場合を示す。
　　　3. 母線以降の負荷に至る結線図は紙面の都合上、割愛する。

図3・2・7　PF・S形結線図

(4) キュービクルの構造

R06　R02

　キュービクルは、良質の機器・材料を用い、現場取付け、電線の接続、開閉装置の操作、機器類の保守・点検などが安全、かつ、容易にできる構造であるとともに、次の各項に適合しなければならない。

① 受電箱と配電箱とに区分する。ただし、PF・S形にあっては、区分しない構造であってもよい。

② 扉を開いた状態で、高圧充電露出部分がある場合には、日常操作において容易に触れないよう防護する。ただし、その露出部に絶縁性保護カバーを取り付けた場合は、この限りでない。

③ PF・S形の主遮断装置に用いる高圧交流負荷開閉器で高圧充電

露出部がある場合には、前面に透明な保護板を設け、赤字で危険表示をする。また、その相間及び側面に絶縁バリアを設ける。保護板は、難燃性又はこれと同等以上の耐火性能をもつものとする。

④　遮断器（引出し形は除く。）、変圧器、高圧進相コンデンサ及び直列リアクトルの高圧端子には絶縁性保護カバーを取り付ける。

⑤　高圧進相コンデンサ及び直列リアクトルを受電箱に収納する場合には、これらの機器を受電箱の下部に取り付け、上部及び周囲に保守点検に必要な空間を設ける。

⑥　外箱正面の内部で作業のしやすい位置に、高圧回路に用いる変流器、計器用変圧器、零相変流器などの試験用端子を設ける。ただし、専用の電気室に設置する屋内用の場合には、試験用端子は外箱の扉に設けてもよい。

⑦　正面内部の作業のしやすい位置に、保守点検用のコンセントを設ける。

⑧　PF・S形の主遮断装置の電源側は、短絡接地器具などで容易、かつ、確実に接地できるものとする。

⑨　断路器、高圧交流負荷開閉器などの操作に必要なフック棒を受電箱内に備え、かつ、扉表面には、フック棒を備えていることの表示をする。ただし、受電箱においてフック棒を使用しない場合、又は受電箱に収容が困難な場合は、配電箱に備えてもよい。

⑩　過負荷故障などの異常を警報する表示灯、ブザーなどを設ける。ただし、他の方法によって代替えできる場合は、この限りでない。

(5) 外箱など

①　外箱は、本体（ベースを含む。）、屋根、扉、囲い板及び底板で構成し、材料は次による。ただし、換気口については、JISに規定する金網、エキスパンドメタルとしてもよい。

　1)　本体、屋根、扉及び囲い板は、JISに規定する鋼鈑を用い、鋼板の厚さは、屋内用は標準厚さ1.6mm以上、屋外用は標準厚さ2.3mm以上又はこれらと同等以上の機械的強度をもつものとする。

　2)　底板は、JISに規定する鋼鈑を用い、鋼板の厚さは1.6mm以上又はこれらと同等以上の機械的強度をもつものとする。

　3)　ガラス窓を設ける場合は、厚さの呼びによる種類が6.8mm以上の金属製の網入り板ガラス又はこれと同等以上の機械的強度及び防火性能のものを用いる。

②　屋外用の屋根の傾斜は、1／30以上とする。

③　扉は施錠ができ、かつ、開いた状態で固定できるものとする。

なお、屋外用扉の施錠装置は、施錠した状態において強風などによって扉が開くことがないよう十分な強度及び耐久性をもつものとする。

④　通気口（換気口を含む。）には、小動物などの侵入を防止する処置として、直径 10mm の丸棒が入るような孔又は隙間がないものとする。また、ケーブルの貫通部なども同様とする。

(6)　機器の取付

①　機器は外箱の底面から、屋外用は 100mm 以上、屋内用は 50mm 以上の高さに取り付け、かつ、端子、コンセントなどの充電部分の取付位置は、外箱の底面から 150mm 以上の高さとする。

②　断路器は、開閉した状態が容易に判断できるように取り付ける。

③　引出し形遮断器などの引出し機器を使用する場合は、開路した状態が容易に判別できるように取り付ける。

(7)　電力需給用計量器及び電力需給用計量器用変成器の取付

①　電力需給用計量器の取付高さは、検針、保守などが容易な床上から 800 ～ 1,500mm とする。ただし、検針、保守などに支障がない場合は、この限りでない。

②　電力需給用計量器の検針窓の大きさは、横幅寸法は 120mm 以上、縦寸法は 180mm 以上とする。

(8)　主遮断装置の取付

①　PF・S 形は、高圧交流負荷開閉器と限流ヒューズを組み合わせたものとし、又は一体としたものとし、必要に応じ地絡継電装置を組み合わせたものとするほか、次による。

1)　高圧側の短絡に対しては限流ヒューズが遮断し、地絡に対しては高圧交流負荷開閉器が自動開路する機能をもつものとする。なお、限流ヒューズと引外し形高圧交流負荷開閉器との動作協調を十分に保ち得るものとする。

2)　高圧交流負荷開閉器の定格投入電流は、受電点短絡電流に対応する限流ヒューズの限流値以上とする。

3)　限流ヒューズ付高圧交流負荷開閉器は、ストライカによる引外し方式とする。

②　CB 形の主遮断装置は、遮断器と過電流継電器とを組み合わせたもの、又は一体としたものとし、必要に応じ地絡継電装置とを組み合わせたものとする。

(9)　変圧器の取付

①　変圧器1台の容量は、単相変圧器の場合は500kVA、三相変圧器の場合は750kVA以下とする。

②　変圧器の接続は、できる限り各相の容量が平衡になるようにする。不平衡の限度は、単相変圧器から計算し、設備不平衡率30%以下とする。ただし、100kVA以下の単相変圧器の場合、各線間に接続される単相変圧器容量の最大と最小との差が100kVA以下の場合又は電気事業者と協議の上、やむを得ない場合は、この限りでない。

③　変圧器の一次側に開閉装置を設ける場合は、遮断器、高圧交流負荷開閉器、又はこれらと同等以上の開閉性能をもつものを用いる。ただし、変圧器容量が300kVA以下の場合は、高圧カットアウトを使用することができる。

　なお、三相変圧器回路に限流ヒューズ付高圧交流負荷開閉器を使用する場合はストライカによる引外し方式とすることが望ましい。

④　変圧器などの保護のために必要がある場合には、電力ヒューズ、高圧カットアウト（ヒューズ付）などを用いてもよい。この場合、非限流ヒューズのガスの放出口の方向において配線、機器、金属板などから600mm以上離して取り付ける。

(10)　高圧進相コンデンサ及び直列リアクトルの取付

①　高圧進相コンデンサの開閉装置は、コンデンサ電流を開閉できる高圧交流負荷開閉器又はこれと同等以上の開閉性能をもつものとする。

②　高圧進相コンデンサには、限流ヒューズなどの保護装置を取り付ける。

③　一つの開閉装置に接続する高圧進相コンデンサの設備容量は、300kvar以下とする。ただし、自動力率調整を行う開閉装置は、設備容量を200 kvar以下とする。

④　直列リアクトルは、警報接点付とし、過熱時に警報を発することができるものとするとともに、自動的に開路できるものとする。

⑤　低圧進相コンデンサを設ける場合は、高圧進相コンデンサを省略することができる。

(11)　低圧回路の保護装置

①　変圧器二次側の低圧主回路には、そこを通過する短絡電流を確

補　足　　R06　R03

設備不平衡率：　　H28

単相変圧器と三相変圧器の混在する受変電設備において、設備不平衡率は30%以下になるように高圧受電設備規定で定められている。

設備不平衡率 = 各相に接続される単相負荷器総設備容量の最大・最小の差　/　総負荷設備容量 × 1/3 × 100（%）

R01

H29

実に遮断し、かつ、過負荷による過電流から配線を保護すること
ができる配線用遮断器などを設ける。

② 　300 V を超える引出し回路には、地絡遮断装置を設ける。ただ
し、防災用、保安用電源などは、警報装置に代えることができる。

③ 　変圧器二次側の低圧主回路に直接接続される補助回路には、定
格遮断電流が 5kA 以上の配線用遮断器などを設ける。

（12）低圧進相コンデンサ及び直列リアクトルの取付

① 　低圧進相コンデンサには専用の開閉装置を取り付ける。

② 　低圧進相コンデンサと組合わせる直列リアクトルは、警報接点
付とし、過熱時に警報を発することができるものとするとともに、
自動的に開路できるものとする。

（13）高圧引出口

① 　高圧引出口には、断路器及び遮断器又は限流ヒューズ付高圧交
流負荷開閉器を設ける。ただし、遮断器に引出し形遮断器を使用
する場合は、断路器を省略することができる。

② 　高圧引出口に地絡継電装置を設け、地絡保護ができるものとす
る。ただし、屋内用であって同一電気室内に引き出す場合にあっ
ては、この限りではない。

③ 　CB 形は、負荷設備に高圧電動機を使用することができる。

（14）高圧配線

R06

① 　高圧側の配線に使用する電線は、JIS に規定する絶縁電線（以
下、高圧用絶縁電線という。）、又はこれと同等以上の性能のもの
とし、太さは次による。

　1）CB 形の高圧用絶縁電線は、導体の公称断面積が 38mm^2 以上
のものを使用する。ただし、変圧器、計器用変圧器、避雷器、
高圧進相コンデンサなどの分岐配線には、導体の公称断面積
が 14mm^2 以上の高圧用絶縁電線を使用することができる。

　2）PF・S 形の高圧用絶縁電線は、導体の公称断面積が 14mm^2
以上のものを使用する。

（15）低圧配線

① 　低圧側の主回路配線は、そこを通過する短絡電流に耐える電線
又は銅帯を使用する。なお、電線には JIS に規定する絶縁電線（以
下、低圧絶縁電線という。）又はこれらと同等以上の性能のもの

を使用する。

② 補助回路には、低圧絶縁電線を使用し、公称断面積が1.25mm²以上の太さのものとし、その回路の電流容量を検討の上、使用する。ただし、変流器の定格二次電流が5Aの回路に使用する場合は2mm²以上の太さとする。

③ 主回路配線は、そこを通過する短絡電流の電磁力に耐えるように支持する。

（16）接地

キュービクル内の接地回路の配線及び接地端子は、次による。

① 接地電線及び接地母線は、低圧絶縁電線を使用する。ただし、接地母線には、銅帯を使用することができる。

② 機器などの接地は、A種接地工事、B種接地工事、C種接地工事及びD種接地工事に区分して接地端子又は接地母線まで配線する。

③ コイルモールド形の機器のように、外箱の無い高圧機器で鉄心が露出している計器用変圧器、変流器などは、鉄心にA種接地工事を施す。

④ 接地母線を設ける場合は、次による。

　1）B種接地工事の接地母線の太さは、その接地母線に接続する接地線の太さのうち最大の太さ以上とする。

　2）A種接地工事、C種接地工事及びD種接地工事の接地母線の太さは、その接地母線に接続する接地線の太さのうち最大の太さ以上とする。

⑤ B種接地工事の接地電線は、変圧器バンクごとに、それぞれ接地端子まで配線する。ただし、配線の途中で変圧器バンクごとに漏れ電流が安全に測定できる場合は、接地母線とすることができる。

⑥ 接地母線には、接地電線を接続する端子を設ける。

⑦ 外部の接地工事と接続する接地端子は、外箱の扉を開いた状態で、漏れ電流を安全に測定できるように取り付ける。

⑧ 接地種別に対応した接地端子を設ける。

⑨ 接地端子は銅又は黄銅製とし、接地電線が容易、かつ、電気的に確実に接続でき、緩むおそれがないものとする。

⑩ B種接地工事の接地端子は、外箱と絶縁し、他の接地端子とは容易に取外しできる導体で連結できる構造とする。

⑪ 避雷器用の接地端子は、外箱と絶縁し、他の接地端子と離隔する。

⑫ 接地端子の近くには、接地の種別を示す表示を行う。

(17) 換気

①　換気は、通気孔などによって、自然換気ができる構造とする。ただし、収納する変圧器容量の合計が 500kVA を超える場合は、機械換気装置による換気としてもよい。

②　機械換気装置を設ける場合は、次による。

1) 機械換気装置には、独立した検出装置をもつ故障警報装置を設ける。

2) 屋外用の換気口には、防雨用のフード、自動シャッタ、ガラリなどを設ける。

(18) 寸法

R02

①　キュービクルの外形寸法は、意図する性能を保持するのに必要な大きさであるとともに、次による。

1) 高さは、2,800mm 以下とする。ただし、搬送に支障のないように処置がされる場合は、この限りでない。

2) 外箱の横幅及び奥行は、機器及び配線が想定された機能を維持できるとともに、保守・点検・外部電線の接続などに必要な空間を確保できる寸法とする。

(19) 試験

試験の種類は、次による。

①　形式試験とは、その形式についてこの規格が要求する構造、性能などを満足することを検証するために行う試験をいう。

②　受渡試験とは、形式試験に適合したものと同一形式のものについてこの規格が要求する構造、性能などを満足することを検証するために行う試験をいう。

形式試験及び受渡試験の試験項目は、表3・2・5 に示すとおりである。

表3・2・5　形式試験及び受渡試験の試験項目

試験項目	形式試験	受渡試験	摘　　要
構　造　試　験	○	○	
動　作　試　験	○	○	
耐　電　圧　試　験	○	○	受渡試験は商用周波耐電圧に限る
防　水　試　験	○	——	屋外用のものに限る
温度上昇試験	○	——	

3-3 自家発電設備

1 ▶ 発電機と原動機

(1) 自家発電設備の構成

　自家発電設備とは、建築基準法で定める停電時の**予備電源**（発電機又は蓄電池）や消防法で定める消防設備など電源（**非常電源**）として設置するものをいう。

　自家発電設備の構成は、図3・3・1のとおりである。

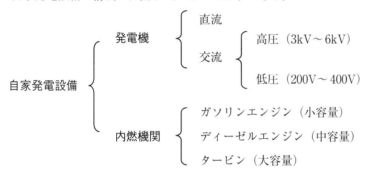

図3・3・1　自家発電設備の構成

(2) 内燃機関（原動機）の種類と特徴

　発電機を駆動する原動機としては、ディーゼル機関とガスタービンが最も多く用いられる。

　① ディーゼル機関

　一般的には、吸入→圧縮→爆発→排気の行程を2回転中に行う4サイクル機関が使用される。シリンダ配列は立型4気筒、6気筒、8気筒とV型8気筒、12気筒、16気筒がある。

　回転速度は、低速のものは750rpm以下、中速は750～900rpm、高速は1,000～3,600rpmのものがある。低速は常用の発電機に用いられ、中速・高速は非常用に用いられる。高速は外形寸法、重量が小さく設備費用も安価であるが、燃料、潤滑油の消費が多くなる。

　燃料に重油を使う場合、排気ガスによる公害を除去する装置が必要となる。振動・騒音が大きいという欠点がある。

補　足

原動機の冷却方式　　R02
ガスタービン―空冷式、
ディーゼル機関―空冷式と水冷式
水冷式の冷却方式には、次のような種類がある。
●ラジエータ冷却方式
●清水冷却方式
　• **クーリングタワー式**
　• 水槽循環式
　• 放流式
●熱交換冷却方式

② ガスタービン

圧縮した空気に燃料を噴射して生じた高温・高圧ガスを、タービン翼に吹き付けて駆動する原動機である。構造が簡単で小型軽量化できる単純開放サイクルのものが広く用いられている。

タービンの回転速度は数千～数万／毎分と非常に速いため、一般に減速装置を用いて 1,500 ～ 1,800 rpm 又は 3,000 ～ 3,600 rpm に落して使用する。

ガスタービンにはピストン運動がないため振動がない、冷却水を必要としない、燃料用空気を大量に必要とするなどの特徴がある。

(3) 発電機

自家発電設備の発電機の励磁方式として静止励磁方式とブラシレス励磁方式がある。JEM では力率は原則 0.8（遅れ）としている。

定格の種類としては、連続定格、短時間定格、反復定格の3種類がある。

定格出力は発電機の電機子端における電力で表し、JEM では kVA 及び kW で表す。

補　足

JEM
日本電機工業会規格

(4) ガスタービンとディーゼル機関の比較

表3・3・1にガスタービンとディーゼル機関の比較を示す。

R06　R04　R03　R01
H30　H29　H28

表3・3・1　ガスタービンとディーゼル機関の比較

比較項目	ガスタービン	ディーゼル機関
作 動 原 理	連続燃焼している燃焼ガスの熱エネルギーを直接タービンにて回転運動に変換（回転運動）	断続燃焼、爆発する燃焼ガスの熱エネルギーを一旦ピストンの往復運動に変換し、それをクランク軸で回転運動に変換（往復運動→回転運動）
出 力	吸入空気温度が高いときは、一定寿命を保証するために出力が制限される。	吸入空気温度による出力を減少する割合は少ない。
使 用 燃 料	灯油、軽油、A重油、天然ガス（プロパン）	軽油、A重油（B重油、C重油、灯油）
燃 料 消 費 率	ディーゼル機関に比べ多い 190～500 g/kWh	150～230g/kWh
燃焼用空気量	ディーゼル機関に比べ約2.5～4倍必要	多くを必要としない。
潤滑油消費量	0.04～0.5 g/kWh	0.7～4.1 g/kWh
回転率変動率	瞬時10%以下（一軸形の場合は50%以下） 制定5%以下	瞬時10%以下 制定5%以下
瞬時負荷投入率	一軸形の場合は100%投入可能 二軸形の場合は70%投入可能	平均有効圧力の高いものは、それに応じた投入率となる。
始 動 時 間	20～40秒	5～40秒
発電効率〔%〕	20～25	35～40
ＮＯx量　等	20～150ppm	300～1,000ppm
機器設備の条件	出力の割に小型、軽量で振動に対する考慮は不要	出力当たりの重量が重く、振動が大きいので対策が必要
冷 却 水	不要	必要
給 気	ディーゼルの3～4倍の給気を必要	必要であるが少量でよい
発 電 特 性	速度変動率、電圧変動率が少なく、瞬時耐負荷容量が大きい	速度変動率、電圧変動率が大きい

(5) 原動機出力の計算式

$$E = \alpha \cdot R_E \cdot K \cdot C_p \ \text{〔kW〕}$$

H27

α：補正係数（通常 1.0 又は 1.1）

E：原動機出力〔kW〕

R_E：原動機出力係数〔kW/kW〕

K：負荷出力合計〔kW〕

C_p：原動機出力補正係数（通常 1.0～1.2）

原動機出力係数（R_E）は、次の係数を求め、その値の最大値を採用するが、原則として $1.3D \leqq R_E \leqq 2.2$ の範囲とする。但し D は需要率

R_{E_1}：定常負荷出力係数と呼び、定常時の負荷によって定まる係数

R_{E_2}：許容回転数変動出力係数と呼び、過渡的に生じる負荷急変に対する回転数変動の許容値によって定まる係数

R_{E_3}：許容最大出力係数と呼び、過渡的に生じる最大値によって定まる係数

(6) 発電機出力の計算式

$$G = a \cdot R_G \cdot K$$

　　G：発電機出力〔kVA〕

　　a：補正係数（通常 1.0 又は 1.1）

　　R_G：発電機出力係数〔kVA/kW〕

　　K：負荷出力合計〔kW〕

なお、発電機出力係数（R_G）は、定常負荷出力係数（R_{G_1}）、許容電圧降下出力係数（R_{G_2}）、短時間過電流耐力出力係数（R_{G_3}）、許容逆相電流出力係数（R_{G_4}）の内の最大値を採用するが、原則として $1.47D \leqq R_G \leqq 2.2$ の範囲とする。ただし、D は需要率

(7) 発電機出力と原動機出力の整合

上記（5）と（6）で求められた出力の値を用いて、発電機と原動機の整合率を求める。原則として $1 \leqq \mathrm{MR} \leqq 1.5$ の範囲とする。

$$MR = \frac{E}{\left(\dfrac{0.8G}{\eta_p} \right)}$$

MR：整合率、E：原動機出力〔kW〕、G：発電機出力〔kVA〕

　　η_p：発電機効率（通常 $0.77 \sim 0.94$）

(8) 商用電源との切替え

非常用発電機の場合、商用電源受電用の遮断器と発電機用遮断器の間は電気的、機械的なインターロックを施し、商用電源と発電機電源が電気的に接続されないような回路構成としなければならない。

(9) その他

①　キュービクル式自家発電設備を屋外に設置する場合は、キュービクル式以外の受電設備、蓄電池設備、又は建築物等と相対する

R06

部分について 1.0 m 以上の保有距離を設けなければならない。

② キュービクル式以外の発電機及び原動機本体を屋内に設置する場合は、周囲から 0.6m 以上の保有距離を設けなければならない。

③ 原動機や発電機など振動する重量機器は、防振ゴムなどの振動吸収装置の上に設置する必要がある。しかし、振動吸収装置は地震などの揺れで異常振動を起こす恐れがあるので、振動吸収装置を取り付けた重量機器にはストッパを取り付けなければならない。

④ 発電機と電線管の接続部分には、振動による変位に耐えうるような可とう電線管を使用する。

2 ▶ 蓄　電　池

(1)　蓄電池の種類

　化学反応などを利用して、化学エネルギーや光エネルギーなどを電気エネルギーに変換して取出すものを電池という。

　一次電池と二次電池に区別され、一次電池は一度使い切ると寿命となるのに対し、二次電池は使用後に充電することにより繰返し使用できるものである。

　表 3・3・2 に主な電池の種類と公称電圧（1 セル当たり）を示す。

表 3・3・2　電池の種類と公称電圧

分　類	種　類	公称電圧〔V〕
一 次 電 池	マンガン乾電池	1.5
	アルカリ乾電池	1.5
	酸化銀電池	1.55
	リチウム電池	3.0、3.6
	空気電池	1.4
二 次 電 池	鉛蓄電池	2.0
	アルカリ蓄電池	1.2
	ニッケルカドミウム蓄電池	1.2
	ニッケル水素蓄電池	1.2
	リチウムイオン蓄電池	3.6

(2)　鉛蓄電池

　鉛蓄電池は、自動車用をはじめ二次電池の代表であり、150 年近い歴史がある。充放電は原理的に可逆であり、化学反応による劣化も少ない。エネルギー密度はそれほど高くないが、幅広い温度領域で使用が可能であり、コストが比較的安くサイクル反応が良好である。

　極板の種類により、クラッド式、ペースト式などに区分されるほか、構造上の区分により、ベント形、制御弁式などに分類される。

(3)　アルカリ蓄電池

　一般にアルカリ蓄電池では、充放電時の電解液濃度変化が少ないため、鉛蓄電池のような電解液濃度の大きな変化を生じない。このことから、低温領域や高率放電時において優れた特性を有する。

　アルカリ蓄電池は、正極に水酸化ニッケル、負極に水酸化カドミウム、電解液として苛性カリ水溶液などを使用した蓄電池である。その代表的なものにニッケル・カドミウム蓄電池がある。

ポイント

一次電池と二次電池

補　足　R06　R05　H30　H27

鉛蓄電池は、陽極に二酸化鉛、陰極に海綿状鉛、電解液に希硫酸を用いた電池で、放電により硫酸が消耗してその濃度（比重）が下がるが、充電によって回復する。構造上の区分として、
「**ベント形蓄電池**：防まつ構造をもつ排気栓を用いて、酸霧が脱出しないようにした蓄電池。使用中補水を必要とする。」
「**触媒栓**：蓄電池を充電したときに発生する酸素ガス及び水素ガスを触媒反応によって水に戻す機能をもつ栓。通常、防爆構造及び防まつ構造をもつ。」
「**制御弁式鉛蓄電池**：二次電池であって通常の条件下では密閉状態にあるが、内圧が規定値を超えた場合、ガスの放出を行うもの。通常電解液を補液することができない。」と規定されている。(JIS C 8704)

(4) 鉛蓄電池とアルカリ蓄電池の特性比較

表3・3・3に鉛蓄電池とアルカリ蓄電池の特性の比較を示す。

表3・3・3　鉛蓄電池とアルカリ蓄電池の特性比較　　R06　H28

種別		鉛蓄電池			アルカリ蓄電池	
形式名		クラッド式 （CS形）	ペースト式 （PS形）	ペースト式 （HS形）	ポケット式 （AM・AMH・AHP形）	焼結式 （AHS・AHH形）
活物質	陽極	二酸化鉛（PbO$_2$）			鉛オキシ水酸化ニッケル（NiOOH）	
	陰極	鉛（Pb）			カドミウム（Cd）	
電解液		希硫酸（H$_2$SO$_4$）			苛性カリ溶液（KOH）	
電解液比重 （20〔℃〕）		1.215	1.215 1.240	1.240	1.2～1.3	
公称電圧		2V			1.2V	
極板構造	陽極板	ガラスの繊維などの微多孔チューブに鉛合金の心金を挿入し陽極活物質を充填	鉛合金の格子に陽極活物質を充填		穿孔した薄鋼板製ポケットの中に陽極活物質を充填	ニッケルを主体とする金属粉末を焼結して作った多孔性基板の細孔中に陽極活物質を充填
	陰極板	鉛合金の格子に陰極活物質を充填			上記ポケットに陰極活物質を充填	上記基板中に陰極活物質を充填
	電池構成	陽・陰極板を各々適当枚数組合せ、両極板間にセパレータを介して極板群とし、電解液とともに、電槽に収納				
フロート電力 V/セル		2.15	2.15 2.18	2.18	1.40～1.45	1.34～1.40
特徴		・寿命が長い ・経済的	・寿命は普通	・寿命やや短い ・高率放電特性がよい ・経済的	・寿命が長い ・機械的強度大 ・放置過放電に耐える ・高率放電特性がよい	・寿命が長い ・機械的強度大 ・放置過放電に耐える ・高率放電特性が良く短時間負荷時の容積小

(5) 蓄電池容量の算出

蓄電池の定格容量 C〔Ah〕は次式で求められる。

$$C = \frac{1}{L} \times K \times I \quad （実用式の場合）$$

C：25℃における定格放電換算容量〔Ah〕

L：保守率（一般に 0.8 が用いられる）

K：容量換算時間〔h〕

　$T_{1～3}$ の放電時間、電池の最低温度及び許容最低電圧により決められる容量換算時間〔h〕

I：放電電流〔A〕

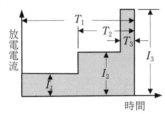

図 3・3・2　蓄電池の負荷特性

(6) 蓄電池の充電方式

① 浮動充電

　浮動充電とは、整流器（充電器）と二次電池を並列に接続するもので、常時は整流器が二次電池に定電圧をかけて充電状態に保ちながら負荷に直流電力を供給し、停電の場合には、無瞬断で二次電池から負荷に電力を供給する方式である。**フロート充電方式**とも呼ばれる。この方式は高い信頼性が要求される事業所の受配電設備や通信用設備の電源に使用される。自動車の始動用電池もこのような使われ方をする。

② 均等充電

　均等充電とは、多数個の蓄電池を一組にして長時間使用した場合に自己放電などで生じる充電状態のばらつきをなくし、充電状態を均一にするために行う充電方式である。浮動充電から均等充電への切替えは通常手動で行い、均等充電から浮動充電への切替えはタイマー又は電圧検出により自動的に行われる。

③ 回復充電

　回復充電とは、放電した蓄電池を、次回の放電に備えて容量が回復するまで充電電圧を高めて充電する方式である。均等充電電圧で充電し、容量が回復すると自動的に浮動充電に切替わる。

補　足

蓄電池容量算出法は「日本電池工業会規約」による。

補　足

蓄電池の定格容量
標準率放電特性→ 10 時間率
高率放電特性→ 5 時間率
超高率放電特性→ 1 時間率
で表される。

ポイント

蓄電池の充電方式

R02

④ トリクル充電

トリクル充電とは、常時は二次電池の自己放電に見合う分だけ充
電し、停電の場合には、電池が負荷に接続されて直流電力を供給す
る方式である。非常用照明装置、自家発電設備の始動用電源などに
使用される。

H29

(7) 負荷電圧補償装置

負荷と常時接続されている蓄電池を充電する場合、蓄電池電圧が高
くなり負荷側機器に焼損を与えるような過電圧から保護するために設
ける装置で、一般的にシリコンドロッパ式が用いられる。

シリコンドロッパ式はシリコンドロッパと電磁接触器などから構成
され、その制御方式はシリコンドロッパの個数を直列に接続し、電圧
に応じて電磁接触器を動作させる。

(8) 無停電電源装置（UPS）

JIS に定める用語の定義。

① **無停電電源装置（UPS）**：半導体電力変換装置、スイッチ及び
エネルギー蓄積装置（例えば、蓄電池）を組み合わせ、入力電源
異常のときに負荷電力の連続性を確保できるようにした電源装置。

注）入力電源異常は、電圧及び周波数が定常状態及び過渡変動範
囲を外れた場合、又はひずみ若しくは電力瞬断時間が UPS
の指定する限界値を超えた場合に発生する。

② **インバータ**：直流電力を交流電力に変換する半導体電力変換装
置。

③ **UPS スイッチ**：負荷電力の連続性の適用可能な要求事項に従
って用いる、UPS ユニット、バイパス又は負荷の電力ポートを
接続する、又は切り離すための制御可能なスイッチ。

④ **保守バイパス**：保守期間中、負荷電力の連続性を維持するため
に設ける電力経路。

⑤ **UPS ユニット**：UPS 機能ユニット、すなわち、インバータ、
整流器、及び蓄電池などのエネルギー蓄積装置をそれぞれ一つ以
上ずつもっている UPS の構成要素。

注）複数の UPS ユニットを連携して運転することによって、並
列システム又は冗長システムを構成できる。

⑥ **並列 UPS**：並列運転する二つ以上の UPS ユニットから成るシ
ステム。

⑦ **冗長 UPS**：システムの UPS ユニット又は UPS ユニットのグ

R06 R03

補 足

適用規格：JIS C 4411-3 無停電
電源装置（UPS）－第3部：性
能及び試験要求事項

R01

ループを追加することによって、負荷電力の連続性を向上させたシステム。

⑧　**待機冗長 UPS**：常用 UPS ユニットの故障に備えて、1 台以上の UPS ユニットを待機させておくシステム。　　　　H27

⑨　**並列冗長 UPS**：複数の UPS ユニットが負荷を分担しつつ並列運転を行い、1 台以上の UPS ユニットが故障したとき、残りの UPS ユニットで全負荷を負うことができるように構成したシステム。　　　　H29

⑩　**常用電源**：通常は電力会社が供給し、場合によっては需要家の自家発電によって供給する外部電源。

⑪　**予備電源**：常用電源の異常時に、常用電源の代わりに電力を供給することを目的とする電源。

⑫　**バイパスなし常時インバータ給電方式**：通常運転状態では直流リンク経由のエネルギーで、又は蓄積エネルギー運転状態では蓄積エネルギーでインバータによって負荷電力の連続性を維持している UPS。

⑬　**バイパスあり常時インバータ給電方式**：バイパスなし常時インバータ給電方式 UPS の動作に加え、バイパス運転状態で給電できる UPS。

⑭　**常時商用給電方式**：通常運転状態では常用電源から負荷へ電力を供給し、常用電源の電圧又は周波数が指定された許容範囲から外れる場合、インバータは蓄電池運転状態となりインバータで負荷電力の連続性を維持する UPS。　　　　H27

⑮　**同期切換**：周波数と位相とが同期状態にあり、電圧が許容範囲で一致している二つの電源の間での負荷電力の切換え。

⑯　**停電補償時間**：指定した使用条件において、入力電源が停電し、エネルギー蓄積装置が満充電状態から放電を開始したときに、UPS が負荷に対して、少なくともその期間連続給電ができる時間。

⑰　**定格出力容量**：製造業者が指定した、連続して使用できる出力容量。

⑱　**切換時間**：切換スイッチが切換動作を開始してから、出力量の切換えが完了するまでの時間。

3 ▶ コージェネレーションシステム

(1) コージェネレーションシステムの効率

コージェネレーションシステム（CGS：熱併給発電装置）とは、エネルギーの有効利用のため、電気エネルギーを取出す発電装置に加え、発電装置から発生する燃焼ガス及び冷却排温水の排出経路に排熱などを回収する装置を挿入設置したものである。

① 発電効率

発電電力と発生に要した入力エネルギーとの比率をいい、次式で表される。

$$発電効率 = \frac{年間発電電力量（一次エネルギー換算）}{年間燃料消費量（一次エネルギー換算）}$$

② 排熱回収率

排熱回収装置により回収した熱量を、排熱回収装置への入力排熱量で除したものをいい、次式で表される。

$$排熱回収効率 = \frac{年間回収熱量}{回収装置への年間入力熱量}$$

③ 省エネルギー率

従来システムで運用する場合のエネルギー量と、コージェネレーションシステム採用の場合のエネルギー量との削減率をいい、次式で表される。

$$省エネルギー率 = \frac{\left(\begin{array}{c}従来システム\\運用の年間\\一次エネルギ\\ー消費量\end{array}\right) - \left(\begin{array}{c}コージェネレー\\ションシステム\\採用の年間一次\\エネルギー消費量\end{array}\right)}{従来システム運用の年間一次エネルギー消費量}$$

④ 熱電比

発電出力と排熱熱量の比をいい、装置及び施設の熱電比は次のように表される。

$$コージェネレーションシステムの熱電比 = \frac{回収熱量}{発電電力}$$

$$施設の熱電比 = \frac{エネルギーとして使用される\\冷・暖房及び給湯の熱需要}{電力需要}$$

ポイント

コージェネレーションシステムの効率

R04

R02　H30　H28

(2)　コージェネレーションシステムの運転方式

　コージェネレーションシステムの運転方式には、電力負荷に合わせて発電する**電主熱従運転**と熱負荷に合わせて発電する**熱主電従運転**とがある。電主熱従運転は、電力の負荷に合わせて発電し、排熱は回収・再利用され、余剰排熱は放熱される方法であり、排熱が不足する場合がある。

　図3・3・3に、電力負荷×熱電比曲線と熱負荷曲線を示す。図の斜線部分の回収排熱は利用できない。また、格子状部分はエンジン回収排熱のみでは不足する。

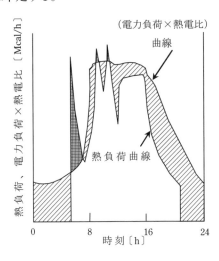

図3・3・3　電力負荷×熱電比曲線と熱負荷曲線

4 ▶ 分散型電源の系統連系設備

分散型電源（太陽光発電、風力発電、燃料電池等）を電力系統に連系する際に、遵守すべき事項が「電気設備の技術基準の解釈」に定められている。

(1) 【分散型電源の系統連系設備に係る用語の定義】　　　R05
　　（電技解釈 第220条）
① 発電設備等：発電設備又は電力貯蔵装置であって、常用電源の停電時又は電圧低下発生時にのみ使用する非常用予備電源以外のもの。

〔解説〕発電設備等とは、電力系統に連系する発電設備及び電力貯蔵装置（二次電池など）全般を指すものであり、それらに付帯する供給設備（電力変換装置、保護装置又は開閉器等の電気を供給する際に必要な設備を収めた筐体等をいう。）も含まれる。なお、電気自動車等から住宅等へ供給する場合の電気自動車等も発電設備等に該当する。

② 分散型電源：電気事業法第38条第4項第四号に掲げる事業を営む者以外の者が設置する発電設備等であって、一般送配電事業者が運用する電力系統に連系するもの。

③ 解列：電力系統から切り離すこと。

④ 逆潮流：分散型電源設置者の構内から、一般送配電事業者が運用する電力系統側へ向かう有効電力の流れ。

⑤ 単独運転：分散型電源を連系している電力系統が事故等によって系統電源と切り離された状態において、当該分散型電源が発電を継続し、線路負荷に有効電力を供給している状態。

⑥ 逆充電：分散型電源を連系している電力系統が事故等によって系統電源と切り離された状態において、分散型電源のみが、連系している電力系統を加圧し、かつ、当該電力系統へ有効電力を供給していない状態。

⑦ 自立運転：分散型電源が、連系している電力系統から解列された状態において、当該分散型電源設置者の構内負荷にのみ電力を供給している状態。

⑧　線路無電圧確認装置：電線路の電圧の有無を確認するための装置。

⑨　転送遮断装置：遮断器の遮断信号を通信回線で伝送し、別の構内に設置された遮断器を動作させる装置。

(2) 【直流流出防止変圧器の施設】（電技解釈 第221条）

逆変換装置を用いて分散型電源を電力系統に連系する場合は、逆変換装置から直流が電力系統へ流出することを防止するために、受電点と逆変換装置との間に変圧器（単巻変圧器を除く。）を施設すること。

〔解説〕　逆変換装置から直流が系統へ流出することを防止するために、変圧器を設置するよう定めている。逆変換装置から直流が系統へ流出するケースとしては、逆変換装置の内部故障等が考えられ、この場合、系統へ流出した直流が、柱上変圧器の偏磁現象等により系統や他の需要家設備に悪影響を及ぼすおそれがある。このため、逆変換装置の交流出力側に変圧器を設置する必要がある。

(3) 【限流リアクトル等の施設】（電技解釈 第222条）

分散型電源の連系により、一般送配電事業者が運用する電力系統の短絡容量が、当該分散型電源設置者以外の者が設置する遮断器の遮断容量又は電線の瞬時許容電流等を上回るおそれがあるときは、分散型電源設置者において、限流リアクトルその他の短絡電流を制限する装置を施設すること。ただし、低圧の電力系統に逆変換装置を用いて分散型電源を連系する場合は、この限りでない。

〔解説〕　分散型電源の連系により、系統の短絡容量が増加し、この値が他者の遮断器の遮断容量を上回り、当該他者構内における事故時に遮断不能となるおそれがあること及び他者の引込ケーブル等の瞬時許容電流を上回り、それらの損傷等を招くおそれがあることが考えられることから、その防止策について定めている。

(4) 【低圧連系時の施設要件】（電技解釈 第226条）

単相3線式の低圧の電力系統に分散型電源を連系する場合において、負荷の不平衡により中性線に最大電流が生じるおそれがあるときは、分散型電源を施設した構内の電路であって、負荷及び分散型電源の並列点よりも系統側に、3極に過電流引き外し素子を有する遮断器

を施設すること。低圧の電力系統に逆変換装置を用いずに分散型電源を連系する場合は、逆潮流を生じさせないこと。

〔解説〕 低圧の電力系統に分散型電源を連系する場合の要件を定めている。単相3線式の系統に分散型電源を連系する場合における過電流遮断器の要件についてさだめているが、このようなケースでは、負荷の不平衡と発電電力の逆電流によって中性線に負荷線以上の過電流が生じ、中性線に過電流検出素子がないと過電流の検出ができない場合があるため、負荷及び分散型電源の並列点よりも系統側に3極に過電流引き外し素子を有する遮断器を設置する必要がある。

(5) 【低圧連系時の系統連系用保護装置】 （電技解釈 第227条）

低圧の電力系統に分散型電源を連系する場合は、次の各号により、異常時に分散型電源を自動的に解列するための装置を施設すること。

一　次に掲げる異常を保護リレー等により検出し、分散型電源を自動的に解列すること

　イ　分散型電源の異常又は故障

　ロ　連系している電力系統の短絡事故、地絡事故又は高低圧混触事故

　ハ　分散型電源の単独運転又は逆充電

二　一般送配電事業者が運用する電力系統において再閉路が行われる場合は、当該再閉路時に、分散型電源が当該電力系統から解列されていること。

〔解説〕 分散型電源を低圧の電力系統に連系する場合に、電力系統との間でとるべき保護協調の基本的な考え方について定めている。電気事業者と分散型電源設置者との間で連系のための協議を行うに当たって、保護協調の目的を明確にしておくことは、協議を円滑に進める上で極めて重要なことである。

第一号ハのとおり、低圧の電力系統との連系においては、系統事故後の事故被害の拡大を防止するため単独運転を一律禁止することを原則としている。

系統側で事故が発生した場合は、通常、系統側配電用変電所の遮断器の開放後、一定の時限をおいて自動的に再び当該遮断器が投入（再閉路）されるが、非同時投入による機器損傷などを防ぐために、第二号に示すとおり高圧系統の再閉路時に分散型電源が確実に解列されていることが必

要である。

(6)【高圧連系時の施設要件】**（電技解釈 第 228 条）**

　高圧の電力系統に分散型電源を連系する場合は、分散型電源を連系する配電用変電所の配電用変圧器において、逆向きの潮流を生じさせないこと。ただし、当該配電用変電所に保護装置を施設する等の方法により分散型電源と電力系統との協調をとることができる場合は、この限りではない。

(7)【高圧連系時の系統連系用保護装置】**（電技解釈 第 229 条）**　R06　H30

　高圧の電力系統に分散型電源を連系する場合は、次の各号により、異常時に分散型電源を自動的に解列するための装置を施設すること。
- 一　次に掲げる異常を保護リレー等により検出し、分散型電源を自動的に解列すること。
　イ　分散型電源の異常又は故障
　ロ　連系している電力系統の短絡事故又は地絡事故
　ハ　分散型電源の単独運転
- 二　一般送配電事業者が運用する電力系統において再閉路が行われる場合は、当該再閉路時に、分散型電源が当該電力系統から解列されていること。

〔解説〕　分散型電源を高圧の電力系統に連系する際に、電力系統との間でとるべき保護協調の基本的な考え方について定めている。

　　第一号では、分散型電源を高圧の電力系統と連系する場合においては、第 227 条で定める低圧の電力系統との連系のケースと同様、系統事故等により配電用変電所にて当該系統を開放した場合に、人身及び他の需要家の機器等の安全確保並びに事故の被害拡大防止及び復旧の迅速化の観点から単独運転を一律禁止とすることを原則としている。

　　第二号では、再閉路時間までに分散型電源の解列ができていないと非同期並立となり系統に接続している機器等に損傷などを与えるおそれがあることから、これを防ぐために、少なくとも再閉路が行われる前に分散型電源を解列する必要があることを定めている。

3-4 ▶ 動 力 設 備

1 ▶ 電 動 機

(1) 電動機の分類

電動機の分類を、図3・4・1に示す。

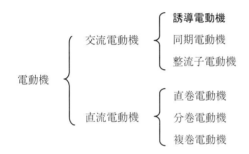

図3・4・1　電動機の分類

(2) 誘導電動機の分類

誘導電動機は価格が安く構造も簡単で保守点検が行いやすいという長所を持っているが、回転磁界を作るための励磁電流を電源から取るため、力率が低いという側面もある。建築設備では、一般的に誘導電動機が多く用いられている。

誘導電動機の分類を、図3・4・2に示す。

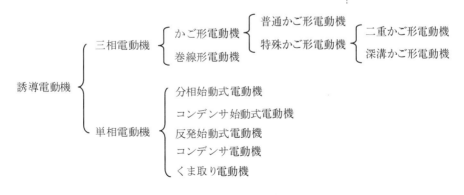

図3・4・2　誘導電動機の分類

(3) 誘導電動機の始動装置

① 単相電動機

　単相電動機は、固定子主巻線だけでは始動回転力がないので、始動の際に必要な回転磁界を作るため、分相始動式、コンデンサ始動式、反発始動式などの方法が用いられている。

② 三相電動機（かご形）

　一般に三相電動機は三相交流により回転磁界を生じ、特別な機構は必要ではないが、始動時に始動電流が全負荷電流の5〜8倍も流れ、その電圧降下により、他の機器に悪影響を与えることがある。このため、始動電流を減少させるために、必要に応じて次のような始動装置を使用する。

イ　スターデルタ始動

ロ　コンドルファ始動補償器始動

ハ　リアクトル始動

ニ　一次抵抗始動

　かご形誘導電動機の始動方式とその特徴をまとめると、表3・4・1のとおりとなる。

表 3・4・1　かご形誘導電動機の始動方式　　　　　R03　H29　H27

始動法	全電圧（直入れ）始動	減圧始動			
		スターデルタ始動	コンドルファ始動	リアクトル始動	一次抵抗始動
概　要	直入れ始動ともいい、電動機巻線に直接全電圧を加える。	始動時一次巻線をスター結線とし、始動後デルタ結線で運転。全電圧始動に比べ始動電流、トルクとも 1/3。	V結線の単巻変圧器を使用して、印加電圧を下げて始動する。	電源と電動機の間にリアクトルを挿入し、リアクトルの電圧降下分だけ下げて始動する。	電源と電動機の間に抵抗器を挿入したもの。
特　徴	・加速トルクが大きい。 ・始動時間が短い。 ・最も安価。 ・始動電流が大きい。	・始動電流による電圧降下を軽減できる。 ・減圧始動の中で最も安価。 ・始動・加速トルクが小さい。 ・電源が開放されショックがある。	・始動電流トルクを調整できる。 ・電源の開放がないのでショックが小さい。 ・価格が高い。 ・始動・加速トルクが小さい。	・始動電流トルクを調整できる。 ・加速トルクの増加が大きい。 ・始動トルクの減少が大きい。	・リアクトル始動に比べ加速トルクの増加が小さい。 ・始動トルクの減少が大きい。
始動電流	100%（基準）	33.3%	25-42-64%	50-60-70-80-90%	75-90%
始動トルク					

(4) 電動機の速度制御

　電動機の速度制御において、現在最も優れた制御方式としてインバータ制御方式がある。インバータにより電圧と周波数を変化させる方式である。

　インバータ制御の特徴としては、次のようなものがある。

① 最適の速度を選択でき、連続的に変速できる。

② 始動電流が小さくできる。

③ 電源周波数に左右されず最大能力が出せる。

④ 既設電動機にも採用できる。

⑤ 電動機が、高速化できる。

⑥ かご形電動機を使用できるので保守が簡単である。

⑦ 防爆構造も製作できる。

⑧ 入力電流が歪波となり、高調波障害を起こすことがある。

(5) 電動機の保護

1) 電動機の過負荷保護装置の施設（電技65条）（電技・解釈第153条）

　屋内に施設する電動機には、電動機が焼損するおそれがある過電流を生じた場合に自動的にこれを阻止し、又はこれを警報する装置を設けること。ただし、次の各号のいずれかに該当する場合はこの限りでない。

① 電動機を運転中、常時、取扱者が監視できる位置に施設する場合

② 電動機の構造上又は負荷の性質上、その電動機の巻線に当該電動機を焼損する過電流を生じるおそれがない場合

③ 電動機が単相のものであって、その電源側電路に施設する過電流遮断器の定格電流が15A（配線用遮断器にあっては20A）以下の場合

④ 電動機の出力が0.2kW以下の場合

2) 保護装置の種類

　電動機の保護装置は、電動機の特性や運転状況などを考慮して配置する。

① 電動機保護兼用配線用遮断器

② 電動機保護兼用配線用遮断器＋電磁接触器

③ 配線用遮断器＋電磁接触器（サーマルリレー付）

④ 限流ヒューズ＋電磁接触器（サーマルリレー付）

補　足

VVVF：
Variable Voltage Variable Frequency（可変電圧可変周波数制御）の略。

R06　R02　H30

R06　R03　H27

用　語

サーマルリレー
サーマルリレーは、熱を利用した保護継電器で、2素子と3素子がある。

補　足

保護リレー
1E（過負荷）、2E（過負荷＋欠相）、3E（過負荷＋欠相＋逆相）の保護動作を有する。

3) 電動機の保護協調

　回路に事故が発生した場合、ただちに事故回路を電源から切り離し、事故の拡大を防止するのが遮断器などの役目である。事故回路のみが動作し、他の回路の遮断器などが動作しないよう動作協調をとり、事故回路以外の健全回路には給電を継続し、また、負荷の機器や回路機器などが故障時に損傷しないように保護器具の動作特性曲線を調整することを広い意味で**保護協調**という。回路の保護協調において、過電流が生じた際に、電線・ケーブルを保護するには、電線・ケーブルの許容短絡電流よりも過電流保護機器の動作電流値が小さいことが必要である。

　一方、過電流保護装置が負荷の始動電流又は短時間過負荷に対して動作しないことが必要となる。また、電動機の過負荷保護については、焼損するおそれがある過電流が生じた場合にこれを阻止する必要がある。この条件を満たすとき、**保護協調**がとれているといえる。

図3・4・3に**電動機回路保護協調曲線**を示す。

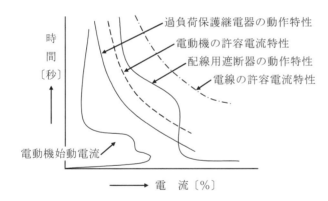

図3・4・3　電動機回路保護協調曲線

H28

2 ▶ 電動機の分岐回路他

(1)　分岐回路の施設（内線規程 3705-2）

電動機は、1台ごとに専用の分岐回路を設けて施設しなければならない。ただし、次のいずれかに該当する場合は、この限りでない。

①　15 Aの分岐回路又は 20 A配線用遮断器において使用する場合

②　2台以上の電動機で、そのおのおのに過負荷保護装置を設けてある場合

③　工作機械、クレーン、ホイストなどに 2台以上の電動機を 1組の装置として施設し、これを自動制御又は取扱者が制御して運転する場合又は 2台以上の電動機の出力軸が機械的に相互に接続され単独で運転できない場合

(2)　過電流遮断器の施設（電技・解釈第 149 条）

電動機又はこれに類する起動電流が大きい電動機等のみに至る低圧分岐回路は、次によること。

①　過電流遮断器の定格電流は、その過電流遮断器に直接接続する負荷側の電線の許容電流を 2.5 倍した値以下であること（当該電線の許容電流が 100 Aを超える場合であって、その値が過電流遮断器の標準定格に該当しないときは、その値の直近上位の標準定格）

(3)　電線の太さ（内線規程 3705-4）

電動機に供給する分岐回路の電線は、過電流遮断器の定格電流の 1/2.5（40%）以上の許容電流のあるもので、かつ、次の各号に適合するものであること。

①　連続運転する電動機に対する電線は、次のいずれかに示す太さのあるものを使用すること。

　　a.　単独の電動機

　　　（a）電動機などの定格電流が 50 A以下の場合は、その定格電流の 1.25 倍以上の許容電流のあるもの。

　　　（b）電動機などの定格電流が 50 Aを超える場合は、その定格電流の 1.1 倍以上の許容電流のあるもの。

3 ▶ 電気機器の防爆構造

　防爆構造とは、爆発のおそれのあるガスや蒸気あるいは粉じんが大気中含まれている、又は含まれるおそれがある場所において、安全に使用できるよう電気機械器具に適用するもので、防爆構造の主なものには次のようなものがある。

① **耐圧防爆構造**（JIS C 60079-1）
　　可燃性ガス又は引火性の蒸気が容器の内部に侵入して爆発を生じた場合、容器が爆発圧力に耐え、かつ、爆発による火炎が容器の外部のガス又は引火性蒸気に点火しない構造。

② **内圧防爆構造**（JIS C 60079-2）
　　電気機械器具の内部に空気、窒素、炭酸ガス等の保護ガスを送入又は封入し、その圧力を周囲の圧力より高く保持することによって、容器の内部にガス又は蒸気が侵入しない構造。

③ **安全増防爆構造**（JIS C 60079-7）
　　電気機械器具を構成する部分で、電気機械器具が正常に運転され、又は通電されている状態では、アーク又は火花の発生がなく、又は高温となって点火源となるおそれがない器具について、絶縁性能並びに温度上昇による危険及び外部からの損傷等に対して安全性を高めた構造。

④ **本質安全防爆構造**（JIS C 60079-11）
　　電気機械器具を構成する部分より発生するアーク、火花又は熱が、ガス又は蒸気に点火するおそれがないことが、規定された点火試験等で確認された構造。

3-5 電灯とコンセント

1 ▶ 照 明 設 備

(1) 各種照明方式

照明方式は、照明器具の意匠、照明器具の配光、照明器具の配置などにより以下のように分類される。

1) 器具の意匠による分類

① **単灯方式**

光源が単一で点のように見えるもの。

② **多灯方式**

単一な光源を、1台の照明器具にまとめたもの。

③ **連続列方式**

光源が線又は線状に見えるもの。

④ **面方式**

光源が平面に見えるもの。

2) 器具の配置による分類

① **全般照明方式**

天井全体に照明器具をほぼ均一に配置し、部屋全体の作業面をほぼ均一な照度レベルを与える照明方式で、一般的な明視照明である。事務所、学校、工場などで採用される。

② **局部的全般照明方式**

作業が行われる領域において、周囲よりも多くの照明器具を配し、周囲の照度レベルを抑えた効果的な照明方式をいう。

③ **局部照明方式**

作業に必要な比較的狭い範囲だけ個別の照明を行い、所要照度を得る方式。

> **用 語**
>
> **意匠：**
> 意匠法第2条（定義）では、物品の形状、模様もしくは色彩又はこれらの結合であって視覚を通じて美感を起こさせるものをいう。

④　全般局部併用照明方式（タスク・アンビエント照明）

　全般局部併用照明方式はタスク・アンビエント照明とも呼ばれ、全般照明と局部照明を組合せたもので、アンビエント（周囲環境）の全般照明で視環境を良くし、タスク（作業）の局部照明で必要場所に高照度を得る方式である。床面積に比較して在籍者の少ない場合や、精密工場、研究所、ショウウインドウなどに採用される。

　図3・5・1にタスク・アンビエント照明を示す。

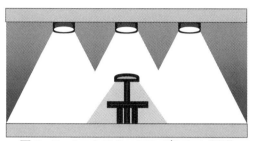

図3・5・1　タスク・アンビエント照明

ポイント
タスク・アンビエント照明

3）照明器具の配光による分類

　照明器具の配光による分類としては、直接照明、半直接照明、全般拡散照明、半間接照明、間接照明の5種類がある。

　照明器具の配光による分類を表3・5・1に示す。

ポイント
照明器具の配光による分類

表3・5・1　照明器具の配光による分類

形　式	配　光	配光曲線	光　束
直接照明			上　0 ～ 10% 下　100 ～ 90%
半直接照明			上　10 ～ 40% 下　90 ～ 60%
全般拡散照明			上　40 ～ 60% 下　60 ～ 40%
半間接照明			上　60 ～ 90% 下　40 ～ 10%
間接照明			上　90 ～ 100% 下　10 ～ 0%

■　不透明　　　□　濃い半透明

① 直接照明方式

　すべての光が直接の光となり、部屋全体を照らす方式で、照明効率が最も高いが、強い影ができるのが欠点である。

　スポットライト、ダウンライトなども含まれる。

② 半直接照明方式

　光の一部が半透明のシェイドを通し上へ抜けて天井を照らす方式で、直接照明でできる影をやわらげる効果がある。

③ 全般拡散照明方式

　球体を半透明のガラス、布、紙などで覆った形状で、上下同程度の光束が得られる。光がやわらかく、まぶしさを抑えた方式である。

④ 半間接照明方式

　光の大部分が上へ抜けて天井・壁を照らし、一部の光が直接被照面を照らす方式である。

⑤ 間接照明方式

　光のほとんどが上へ抜けて天井・壁を照らし、その反射した光によって被照面を照らす方式である。照明効率が最も低いが、光の反射・拡散効果によって影をほとんど作らない。

(2)　蛍光灯安定器の種類と動作原理

蛍光灯安定器の種類と動作原理を表3・5・2に示す。

表3・5・2　安定器の種類と動作原理

安定器の種類			動作原理
蛍光灯安定器	磁気回路式安定器	グロースタータ形	グロースタータに封入されているネオン又はアルゴンが放電するとバイメタル電極の温度が上がり、固定電極に接触して閉回路状態になり放電が止まる。1〜2秒経過すると管内が冷えてバイメタルが復帰する瞬間、チョークコイルにサージ電圧が発生し放電を開始する。ランプ点灯後、スタータはランプ電圧では放電しない。
		ラピッドスタート形	電源を投入すると、ランプ両極間に高い電圧が加わると同時に電極に加熱電流が流れ、熱電子が出やすくなったところで放電が始まる。
	電子回路式安定器	半導体スタータ形	グロースタータの代わりに半導体回路を用いて蛍光ランプを始動させる。
		高周波点灯形	蛍光ランプを数10kHzの高周波で点灯する。ランプの始動時及び点灯中、共に半導体素子による交流－交流（商用周波－高周波）変換を行ってランプを適正に点灯させる方式である。

(3) 点灯方式による区分

点灯方式による区分とその特徴を表3・5・3に示す。

表3・5・3　点灯方式による区分とその特徴

点灯方式	形状	記号	特徴
スタータ形	直管形	FL	点灯管を使って点灯するタイプで、点灯するまでに数秒かかる。電子点灯の場合は約1秒で点灯する。
	環形	FR	
ラピッドスタート形	直管形	FLR	点灯管が不要で、スイッチを入れると即点灯する。ラピッドスタート形器具のみ点灯できるランプである。
高周波点灯専用形	直管形	FHF	即時点灯し、高周波（約45～50kHz）点灯のため、ちらつきがなく高効率である。
	環形	FHC	

(4) グレア（まぶしさ）

グレアとは、視野内に高い輝度がある場合、その高い輝度により生じる障害（不快の程度）をいう。

照明器具のグレア分類には、従来G分類とV分類があったが、VDTの普及によりV分類の独立の必然性が薄らいだため、G分類に取込み一体化し、V、G0、G1a、G1b、G2、G3の6つに分類されている。

H27

VDT：
Visual Display Terminal
（画像表示端末）の略で、コンピュータのディスプレイ装置のこと。

(5)　照度基準

　照度は、主として視作業面における水平照度を示す。照度基準の一例を表3・5・4に示す。

視作業面
特に指定がない場合は床上85 cm、座業の場合は床上40 cm、廊下などは床面。

表3・5・4　照度基準の例（JIS Z9110）

室の種類、適用場所	照度〔lx〕 （　）は標準値
工場の細かい作業場所 精密品の検査場所	1,500 ～ 3,000 （2,000）
設計製図室、工場（選別検査室）	750 ～ 1,500 （1,000）
事務所 a（細かい視作業、奥行きの深い場所）、営業室	750 ～ 1,500 （1,000）
事務所 b、電算機室、会議室、教室、研究室、実験室、図書室、工場制御室、組立検査室、病院診察室、処置室	300 ～ 750 （500）
集会場、講堂、食堂、エレベータホール	200 ～ 500 （300）
廊下、階段	100 ～ 200 （150）

(6)　照明器具の形式選定

　照明器具の使用場所と水などに対する保護の種類の選定については、JIS C 8150「照明器具通則」に、防水、防湿の種類（形）について、その性能及び適用場所が参考として記載されている。

　保護等級（IP）に対する照明器具の防水、防湿の種類（形）及び適用場所を、表3・5・5に示す。

表3・5・5　防水、防湿の種類（形）及び適用場所〈参考〉

種　類	適　用　場　所
防滴（形） 〈IPX1、IPX2〉	屋内で地下室、冷房ダクト下、地下道など 屋側又は屋外では風の影響がほとんどない場所
防雨（形） 〈IPX3〉	屋側又は屋外で風雨にさらされる場所
防まつ（形） 〈IPX4〉	――
防噴流（形） 〈IPX5〉	周期的に洗浄する自動車道路のトンネル、車両などの洗浄場など
防浸（形） 〈IPX7〉	水中専用ではない。プールサイドなど、ときには水没する可能性のある場所
防湿（形）	浴室、厨房など

2 ▶ コ ン セ ン ト

(1) コンセントの形式

　コンセントには、使用目的、設置場所などにより種々のものがあるが、埋込型で連用あるいは複式のものが最も一般的である。特殊なものとして引掛形、抜止形、防水形、防爆形などがある。

　また、定格電圧としては 100 V 用、200 V 用があり、定格電流としては、15 A、20 A、30 A、50 A などがある。使用する機器と合致した定格電流・電圧のものを設けなければならない。

(2) コンセントの設置個数

　事務所ビル・住宅の一般的なコンセントの設置個数の例を、表 3・5・6 ～ 7 に示す。

表 3・5・6　コンセントの設置個数及び形式の例

区分	使用場所又は使用機器	設置区分	コンセントの形式		備　　考
			定格電流〔A〕	口数	
一般用	事務所（OA フロア）	8 m² に 1 箇所	—	—	二重床用配線器具
	守衛室、休憩室	2 個以上	15	2	
	会議室	25 m² に 1 個	15	2	
	食堂	30 m² に 1 個	15	2	
	廊下、玄関ホールエレベータホール	歩行距離 20 m に 1 個	15	2	
	給湯室	1 個（実負荷による）	15	2	
	倉庫、電気室、配線室、機械室、書庫	出入口近傍に 1 個	15	2	
専用	コピー等大型事務機	機器数・容量に応じ設ける	15	2	接地端子付
			20	1	
			30	1	
	厨房機器用	〃	15	2	接地極付防滴形
			20	1	
			30	1	

表3・5・6のつづき

区分	使用場所又は使用機器	設置区分	コンセントの形式		備　　考
			定格電流〔A〕	口数	
専用	理容機器用	理髪椅子近傍	15 20	2 1	接地端子付
	冷蔵庫用	機器の設置場所の近傍	15	1	接地端子付
	冷水器用、洗濯機用	〃	15	1	接地端子付
	ファンコイル用 （天井取付用を除く）	〃	15	1	接地極付引掛形
	拡声増幅器用、ボタン電話主装置、換気専用、防犯装置用	〃	15	1	抜け止め形、接地端子付
	公衆電話器用	電話用アウトレットの近く	15	1	抜け止め形、接地端子付
	自動販売器用	機器数・容量に応じ設ける	15 20 30	2 1 1	抜け止め形、接地端子付
	レントゲン車用	建物出入口付近	30	1	接地端子別置

表3・5・7　住宅におけるコンセント数

部屋の広さ（m²）	望ましい施設数（個）
5（3畳）	2以上
7（4.5畳）	3以上
10（6畳）	4以上
13（8畳）	5以上
17（10畳）以上	6以上
台　　所	6以上

3-6 ▶ 防 災 設 備

1 ▶ 消防法・建築基準法に基づく防災設備

(1) 消防法及び建築基準法による防災設備

消防法及び建築基準法による防災設備を表3・6・1に示す。

表3・6・1　消防法及び建築基準法に基づく防災設備

			消防用設備種類
消防法	消防の用に供する設備	消火設備	・消火器及び簡易消火用具 ・屋内消火栓設備 ・スプリンクラー設備 ・水噴霧消火設備 ・泡消火設備 ・不活性ガス消火設備 ・ハロゲン化物消火設備 ・粉末消火設備 ・屋外消火栓設備 ・動力消防ポンプ設備
		警報設備	・自動火災報知設備 ・漏電火災警報機 ・消防機関へ通報する火災報知設備 ・非常警報器具又は非常警報設備 ・ガス漏れ火災警報設備
		避難設備	・すべり台、避難はしご、救助袋、緩降機ほか ・誘導灯及び誘導方式
	消防用水		・防火水槽又はこれに代わる貯水池その他の用水
	消火活動上必要な施設		・排煙設備 ・連結散水設備 ・連結送水管 ・非常コンセント設備 ・無線通信補助設備
建築基準法		防火防煙設備	・防火戸及び防火シャッター ・防火ダンパ及び防煙たれ壁 ・排煙設備
		非常用照明	・非常用の照明設備
		避難設備	・非常用エレベーター
		警報設備	・ガス漏れ警報設備

(2) 防災設備の電源

消防法では**非常電源**、建築基準法では**予備電源**という名称で呼ばれる防災設備用の電源を総称して**防災電源**という。

防災電源は火災などの災害時に常時供給する常用電源が断たれたとき、直ちに防災設備に電力を自動的に供給し、所定の時間以上にその機能を確保するための電源である。

消防法による防災設備に使用できる防災電源と運転時間を表3・6・2に示す。

R06　R04　H30

表3・6・2　防災設備に使用できる防災電源と運転時間

防災設備 ＼ 防災電源	非常電源専用受電設備	自家発電設備 ①	蓄電池設備 ②	①と②併用	容量（以上）
屋 内 消 火 栓 設 備	△	○	○	―	30分間
スプリンクラー設備	△	○	○	―	30分間
水 噴 霧 消 火 設 備	△	○	○	―	30分間
泡 消 火 設 備	△	○	○	―	30分間
不活性ガス消火設備	―	○	○	―	60分間
ハロゲン化物消火設備	―	○	○	―	60分間
粉 末 消 火 設 備	―	○	○	―	60分間
屋 外 消 火 栓 設 備	△	○	○	―	30分間
自 動 火 災 報 知 設 備	△	―	○	―	10分間
ガス漏れ火災警報設備	―	―	○	○*1	10分間
非 常 警 報 設 備	△	―	○	―	10分間
誘 導 灯	―	―	○	○*2	20分間*2
排 煙 設 備	△	○	○	―	30分間
連 結 送 水 管	△	○	○	―	120分間
非常コンセント設備	△	○	○	―	30分間
無 線 通 信 補 助 設 備	△	―	○	―	30分間

<備考>　○：適応する。

　　　　△：特定防火対象物以外の防火対象物又は特定防火対象物で延べ面積1,000 m² 未満のものにのみ適応する。

　　　　―：適応できない。

注)＊1　1分間以上の容量の蓄電池設備と40秒以内に電力を供給する自家発電設備に限る。

注)＊2　大規模・高層等の防火対象物の主要経路に設けるものは、60分間容量以上とし、20分間を超える時間の容量にあっては、自家発電設備によることができる。

(3) 耐熱配線の種類と適用

　耐熱配線は、防災設備を火災時に異常なく動作させる耐熱性能が必要であり、その種別を耐熱 A 種配線、耐熱 B 種配線、耐熱 C 種配線に分類している。

①　耐熱 A 種配線（F_A）

　加熱曲線の約 1/8 の曲線に従って、30 分（この時、110℃）の加熱を行い、この間異常なく通電できる性能を有する配線。

②　耐熱 B 種配線（F_B）

　加熱曲線の約 1/3 の曲線に従って、30 分（この時、280℃）の加熱を行い、この間異常なく通電できる性能を有する配線。（加熱曲線の約 1/2 の曲線に従って、15 分（この時、380℃）も B 種とする）

③　耐熱 C 種配線（F_C）

　加熱曲線に従って、30 分（この時、840℃）の加熱を行い、この間異常なく通電できる性能を有する配線。

　図 3・6・1 に耐熱配線の加熱曲線を示す。

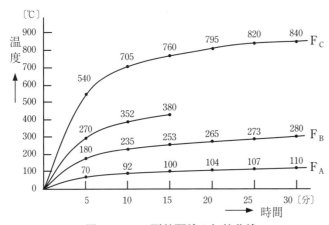

図 3・6・1　耐熱配線の加熱曲線

(4) 耐熱配線の選定

　消防法及び建築基準法による防災設備及び施設場所に応じた、耐熱配線の選定を表 3・6・3 及び表 3・6・4 に示す。

表3・6・3　耐熱配線の選定（消防法）

設備名称 ＼ 回路　種別	適用場所	右欄以外の場所	不燃材料で区画された機械室等	防火区画室
屋 内 消 火 栓 設 備	電源	F_C		
	操作	F_B		
スプリンクラー設備 水 噴 霧 消 火 設 備 泡 消 火 設 備	電源	F_C		
	操作	F_B		
不 活 性 ガ ス 消 火 設 備 ハロゲン化物消火設備 粉 末 消 火 設 備	電源	F_C		
	操作	F_B		
屋 外 消 火 栓 設 備	電源	F_C		
	操作	F_A		
自 動 火 災 報 知 設 備	電源	F_C		
	操作	F_B		
ガ ス 漏 れ 火 災 警 報 設 備	電源	F_C	F_A*1	
	操作	F_B		
非 常 警 報 設 備	電源	F_C		
	操作	F_B		
誘 導 灯	電源	F_C		
	操作	F_B		
排 煙 設 備	電源	F_C		
	操作	F_B		
非 常 コ ン セ ン ト 設 備	電源	F_C		
	操作	F_B		
無 線 通 信 補 助 設 備	電源	F_C		
	操作	*6		

表3・6・4　耐熱配線の選定（建築基準法）

設備名称 / 回路 種別		適用場所 右欄以外の場所	不燃材料で区画された機械室等	防火区画室
防 火 戸 及 び ダ ン パ	電源	F_C*2	F_A*1	
	操作	F_B*3		
非 常 用 の 照 明 装 置	電源　幹線	F_C		
	電源　分岐	F_C*4		
	操作	F_B*3		
排 　 煙 　 設 　 備	電源	F_C		
	操作	F_B		
非 常 用 の 進 入 口	電源	F_C		
非 常 用 の 排 水 設 備	電源	F_C*2		
	操作	F_B*3		
非 常 用 の エ レ ベ ー タ	電源	F_C*5		
	操作	F_C*5		
	信号	F_B*5		
ガ ス 漏 れ 警 報 設 備	電源	F_A		

注）＊1　耐熱性能を有する電気シャフトに布設する消防用設備等の配線はF_B又はF_Cとし、他の配線とは15cm以上の離隔又は隔壁を設ける。

注）＊2　天井下地、天井仕上材等が不燃材料で造られた天井裏（天井裏をエアチャンバーとして使用し、天井面に開口又はスリット等がある場合を除く。）に布設する場合はF_Bとしてもよい。

注）＊3　天井下地、天井仕上材等が不燃材料で造られた天井裏（天井裏をエアチャンバーとして使用し、天井面に開口又はスリット等がある場合を除く。）に布設する場合はF_Aとしてもよい。

注）＊4　天井下地、天井仕上材等が不燃材料で造られた天井裏（天井裏をエアチャンバーとして使用し、天井面に開口又はスリット等がある場合を除く。）に布設する場合はF_Aとしてもよい。ただし、避難経路となる廊下、階段はF_Bとする。

注）＊5　非常用エレベーター機械室内及び昇降路内の配線は通用しない。

注）＊6　JIS A 1304に規定する加熱曲線の1/2に従って30分間加熱を行い、この間異常なく通電できる性能を有する配線。上記の性能を有するものとしては、耐熱形漏洩同軸ケーブル及び耐熱形同軸ケーブルがある。

2 ▶ 自動火災報知設備

自動火災報知設備の構成は、図3・6・2に示すとおりである。

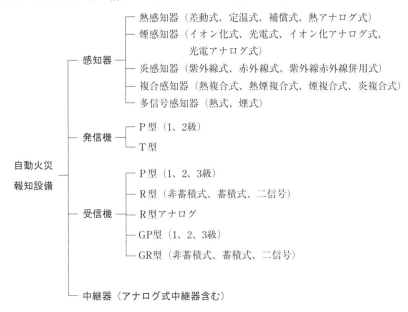

```
                    ┌ 熱感知器（差動式、定温式、補償式、熱アナログ式）
                    ├ 煙感知器（イオン化式、光電式、イオン化アナログ式、
                    │          光電アナログ式）
            感知器 ─┼ 炎感知器（紫外線式、赤外線式、紫外線赤外線併用式）
                    ├ 複合感知器（熱複合式、熱煙複合式、煙複合式、炎複合式）
                    └ 多信号感知器（熱式、煙式）

            発信機 ─┬ P型（1、2級）
                    └ T型
自動火災
報知設備
            受信機 ─┬ P型（1、2、3級）
                    ├ R型（非蓄積式、蓄積式、二信号）
                    ├ R型アナログ
                    ├ GP型（1、2、3級）
                    └ GR型（非蓄積式、蓄積式、二信号）

            中継器（アナログ式中継器含む）
```

図3・6・2　自動火災報知設備の構成

(1) 自動火災報知設備の警戒区域

① 自動火災報知設備の警戒区域は、防火対象物の**二以上の階**にわたらないものとすること。

ただし、自動火災報知設備の1の警戒区域の面積が**500 ㎡以下**で、かつ、当該警戒区域が防火対象物の2の階にわたる場合又は階段、傾斜路やパイプダクトなどに煙感知器を設ける場合は、二フロアにすることができる。

なお、天井裏や小屋裏については階に算定されない。

② 一の警戒区域の面積は、**600m^{2}以下**とし、その一辺の長さは、**50m以下**（光電式分離型感知器を設置する場合は**100m以下**）とすること。ただし、当該防火対象物の主要な出入口からその内部を見通すことができる場合には**1000m^{2}以下**。 | R05

(2) 感知器の種類と概要 | R02

① **差動式スポット型（熱式）**

感知器周辺の温度上昇率が一定率以上になったときに、火災信号

を発信するもの。

② **差動式分布型（熱式）**
広範囲で温度上昇率が一定率以上になったときに、火災信号を発信するもの。

③ **定温式感知線型（熱式）**
感知器周囲の温度が一定の温度以上になったときに、火災信号を発信するもので、外観が線状のもの。

④ **定温式スポット型（熱式）**
感知器周囲の温度が一定の温度以上になったときに、火災信号を発信するもの。

⑤ **補償式スポット型（熱式）**
差動式スポット型と定温式スポット型の両者の性能を併せ持つものをいう。

⑥ **イオン化式スポット型（煙式）**
感知器周囲の空気の煙濃度が一定以上になったときに、火災信号を発信するもので、煙によるイオン電流の変化により反応するものをいう。

⑦ **光電式スポット型（煙式）**
感知器周囲の空気の煙濃度が一定以上になったときに、火災信号を発信するもので、煙による光電素子の受光量の変化により動作するものをいう。

⑧ **光電式分離型（煙式）**
感知器周囲の空気の煙濃度が一定以上になったときに、火災信号を発信するもので、広範囲の煙の累積により光電素子の受光量の変化により動作するものをいう。

⑨ **複合式スポット型（煙式）**
イオン化式スポット型と光電式スポット型の両者の性能を併せ持つものをいう。

⑩　**紫外線式スポット型（炎式）**

　炎から放射される紫外線の変化が一定率以上になったときに、火災信号を発信するもので、スポット箇所の紫外線の変化により動作するものをいう。

⑪　**赤外線式スポット型（炎式）**

　炎から放射される赤外線の変化が一定率以上になったときに火災信号を発信するもので、スポット箇所の赤外線の変化により動作するものをいう。

⑫　**紫外線赤外線併用式スポット型（炎式）**

　炎から放射される紫外線及び赤外線の変化が一定率以上になったときに火災信号を発信するもので、スポット箇所の紫外線及び赤外線の変化により動作するものをいう。

(3) 発信機の種類と概要

①　**P型発信機**

　各発信機の火災信号を手動の押しボタンスイッチにより受信機に発信するもの、発信と同時に**通話ができないもの**をいう。

②　**T型発信機**

　各発信機の火災信号を手動の押しボタンスイッチにより受信機に発信するもの、発信と同時に**通話ができるもの**をいう。

(4) 受信機の種類と概要

①　**P型受信機**

　火災信号や火災表示信号を共通の信号とし、又は設備作動信号を共通もしくは固有の信号として受信し、火災の発生を防火対象物の関係者に報知するものをいう。

②　**R型受信機**

　火災信号、火災表示信号もしくは火災情報信号を固有の信号とし、又は設備作動信号を共通もしくは固有の信号として受信し、火災の発生を防火対象物の関係者に報知するものをいう。

③　**R型アナログ受信機**

　火災情報信号を受信し、火災の発生を防火対象物の関係者に報知

補　足

受信機が火災報知を発報しないとき

消防法施行規則により、火災でない次の事態には、受信機が火災を発報することを禁止している。

・配線の1線に地絡が生じたとき
・開閉器の開閉等により、回路の電圧又は電流に変化が生じたとき
・振動又は衝撃を受けたとき

するものをいう。

④　G 型受信機

ガス漏れ信号を受信し、ガス漏れの発生を防火対象物の関係者に報知するものをいう。

⑤　GP 型受信機

G 型受信機と P 型受信機の両者の機能を併せ持つものをいう。

⑥　GR 型受信機

G 型受信機と R 型受信機の両者の機能を併せ持つものをいう。

(5)　中継器の概要

火災信号、火災表示信号、火災情報信号、ガス漏れ信号又は設備作動信号を受信し、これらの信号を種別に応じて、他の中継器、受信機又は消火設備等に発信するものをいう。

(6)　感知器の取付　　　　　　　　　　　　　R04

①　差動式スポット型・定温式スポット型感知器（図 3・6・3）

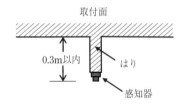

(1) 感知器の下端は取付面の下方0.3m以内の位置に設けること。

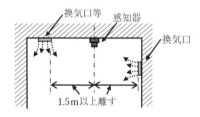

(2) 感知器は、換気口等の空気吹出口から1.5m以上離れた位置に設けること。

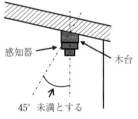

（45° 以上となる場合は木台等を使用する）

(3) 感知器の取付面を基準に45° 以上傾斜させないように設けること。

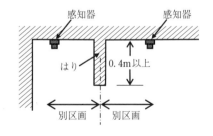

(4) 感知区域は0.4m以上のはり等で区画された部分ごとに設けること。

図 3・6・3　差動式スポット型・定温式スポット型感知器

② 煙感知器（図3・6・4）

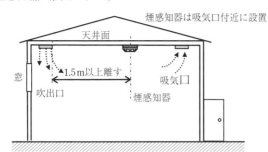

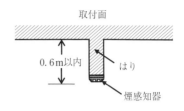

(1) 天井付近に吸気口のある居室にあっては当該吸気口付近に設けること。また、空気吹出口から1.5m以上離れた位置に設けること。

(2) 感知器の下端は取付面の下方0.6m以内の位置に設けること。

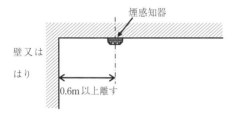

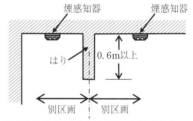

(3) 煙感知器は壁又ははりから0.6m以上離れた位置に設けること。なお、廊下の幅が1.2m未満のため壁から0.6m以上離れた位置に煙感知器を設けることができない場合は、廊下の幅の中心天井面に設置する。

(4) 感知区域は0.6m以上のはり等で区画された部分ごとに設けること。

図3・6・4 煙感知器

③ 炎感知器（図3・6・5）

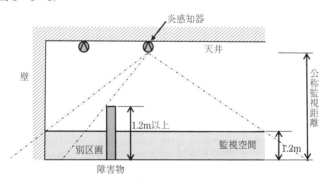

(1) 炎感知器は天井等又は壁に取付け、床面から高さ1.2mまでの空間の各部分から、炎感知器までの距離が公称監視距離の範囲内となるように設けること。

(2) 炎感知器は床面から1.2mまでの空間を監視できるよう設置する。監視区域内に1.2mを超える障害物がある場合は、別に感知器を設置する。

図3・6・5 炎感知器

3 ▶ 非常用照明装置

(1) 非常用照明装置の設置基準

　非常用の照明装置は、不特定多数の人々が利用する特殊建築物及び一定規模以上の建築物の居室などとその避難経路に設けるもので、表3・6・5に示す場所に設置することが建築基準法で義務付けられている。

H29　H27

表3・6・5　非常用の照明装置の主な設置基準

対象建築物	対象建築物のうち設置義務のある部分	対象建築物のうち設置義務免除の建築物又は部分
1. 特殊建築物 （1）劇場、映画館、演芸場、観覧場、公会堂、集会場 （2）病院、診療所、ホテル、旅館、下宿、共同住宅、寄宿舎、その他これらに類するもの （3）学校等、博物館、美術館、図書館 （4）百貨店、マーケット、展示場、キャバレー、バー、ナイトクラブ、舞踏場、遊技場、公衆浴場、待合、料理店、飲食店、物品販売を営む店舗	①居室 ②無窓の居室 ③①及び②の居室から地上へ通ずる避難路となる廊下階段その他の通路 ④①②又は③に類する部分。例えば廊下に接するロビー、通り抜け避難に用いられる場所、その他通常照明設備が必要とされる部分	①自力行動の期待できないもの又は特定の少人数が継続使用するもの 　イ．病院の病室 　ロ．下宿の宿泊室 　ハ．寄宿舎の寝室 　ニ．これらの類似室 ②採光上有効に直接外気に開放された通路や廊下など ③共同住宅、長屋の住戸 ④浴室、洗面所、便所、シャワー室、脱衣室、更衣室、金庫室、物置、倉庫、電気室、機械室など ———以下省略———
2.〔階数≧3〕で〔延べ面積＞500 ㎡〕の建築物 〔除外〕一戸建住宅、学校等	〔同上〕	〔同上〕
3.〔延べ面積＞1,000 ㎡〕の建築物 〔除外〕一戸建住宅、学校等	〔同上〕	〔同上〕
4. 無窓の居室を有する建築物 〔除外〕学校等	〔同上〕上記の②③及び④、ただし③及び④において①にかかるものを除く	〔同上〕

(2) 非常用照明装置の性能

- ・ 非常用照明器具は、直接照明で床面における水平照度が 1lx（蛍光灯や LED ランプの場合は 2lx）以上の照度を確保する。

  なお、地下道の床面においては、10lx 以上を確保する。

R05　R02　H28

- ・ 照明器具は周囲温度 140℃の雰囲気の中で 30 分間点灯を維持できる耐熱性能を有する。

  なお、照明器具（照明カバーその他照明器具に付属するものを含む）のうち、主要な部分は難燃材料で造る、又は覆わなければならない。

- ・ 常用電源が断たれた場合に、防災電源に自動的に切替り即時点灯し 30 分間点灯を継続する。

(3) 非常用照明装置の電源

H29

　非常用照明装置の電源には、常用電源と予備電源があり、予備電源には、充電器を持つ蓄電池、自家発電装置及び充電器を持つ蓄電池と自家発電装置の併用がある。

- ・ 充電器を持つ蓄電池は、停電後充電を行うことなく 30 分以上の放電に耐えるもの（30 分容量）。

- ・ 蓄電池は停電後充電を行うことなく 10 分以上の放電に耐えるもの（10 分容量）で、自家発電装置は停電後 40 秒以内に始動し、30 分以上の安定供給できるもの（40 秒起動）。

(4) 非常用照明装置の配線

　非常用照明装置の電気配線は、次の措置が必要である。

- ・ 予備電源別置型器具における予備電源回路の配線は、原則として 840℃、30 分間の耐熱試験に耐えうる耐火措置をしなければならない。

- ・ 専用回路とし、他の電気回路と接続しない。

- ・ 配線途中に容易に電源を遮断することができる開閉器を設けない。

- ・ 照明器具と配線は直接接続し、その途中にスイッチ、コンセントを設けない。

4 ▶ 誘　導　灯

(1) 誘導灯設置基準

避難口誘導灯は、次の①から④までに掲げる場所に設置する。

① 屋内から直接地上に通じる出入口及びその附室の出入口

② 直通階段、直通階段の階段室及びその附室の出入口

③ ①又は②に掲げる出入口に通じる廊下又は通路に通じる出入口

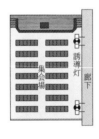

④ ①又は②に掲げる出入口に通じる廊下又は通路に設ける防火戸で直接手で開くことができるもの

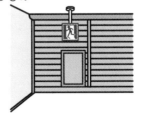

補　足

誘導灯の大きさ
誘導灯にはA級（表示面の縦寸法が400mm以上）、B級（同200mm以上400mm未満）、C級（同100mm以上200mm未満）の等級がある。また、B級にはBH形とBL形がある。
設置基準については、
「7-4　消防法」参照。

R03

(2) 誘導灯の区分

表３・６・６に誘導灯の区分を示す。

表３・６・６　誘導灯の区分

区　分	設置場所	特　徴
避難口誘導灯	避難口	直線距離で **30 m** 離れたところから識別できるもの
通路誘導灯	廊下、階段、通路、その他の避難上の設備	通路誘導灯の直下から **0.5 m** 離れた床面で測定し **1 lx** 以上であること
客席誘導灯	客席	客席内の通路の床面照度が **0.2 lx** 以上となるように設けること

H28

5 ▶ その他の防災設備

(1) 非常コンセント
① 非常コンセント設備の設置基準
イ　非常コンセント設備は、消防法施行令別表第一に掲げる建築物
で地階を除く 11 階以上の階の階段室、防火対象物で延べ面積が
1,000m² 以上のものに設置する。階ごとにその階の各部分から 1
の非常コンセントまでの水平距離が 50m 以下となるように、か
つ、階段室・非常用エレベーターの乗降ロビーなどの消防隊が有
効に消火活動を行える場所に設ける。

R06　R03　R01　H28

ロ　取付高さの基準は床面又は階段の踏面から高さが 1m 以上
1.5m 以下の位置に設ける。

② 非常コンセントの設置基準
・　非常コンセントは、単相交流 100V で 15A 以上の電気を供給
できること。
・　非常コンセントには非常電源を附置すること。
・　専用幹線から各階で非常コンセントに分岐し、分岐用過電流遮
断器は保護箱内に設けること（2P20A の容量）。
・　専用の幹線に設ける非常コンセントの数は 10 以下とすること。

(2) ガス漏れ火災警報設備
　ガス漏れ警報設備は、地下街の延べ面積が 1000m² 以上などのも
のに設置する。
イ　検知対象ガスの空気に対する比重が 1 未満の場合
・　検知器は燃焼機器又は貫通部から水平距離で 8m 以内の位置に
設ける。
・　天井面などが 0.6m 以上突き出したはりなどによって区画されて
いる場合は、当該はりなどより燃焼機器側又は貫通部側に設ける。
・　燃焼機器を使用する室の天井付近に吸気口がある場合、吸気口
の付近の場所に設ける。
・　検知器の下端は、天井面などの下方 0.3m 以内の位置に設ける。
ロ　検知対象ガスの空気に対する比重が 1 を超える場合
・　検知器は、燃焼機器又は貫通部から水平距離で 4m 以内の位置
に設ける。
・　検知器の上端は、床面上方 0.3m 以内の位置に設ける。

(3) 無線通信補助設備

無線通信補助設備は、地下街で延べ面積が 1,000m² 以上のものに設置する。

・　無線通信補助設備は、漏洩同軸ケーブル、漏洩同軸ケーブルとこれに接続する空中線、又は同軸ケーブルとこれに接続する空中線によるものとする。

・　無線を接続する端子は、地上で消防隊が有効に活動できる場所及び守衛室など、常時人がいる場所に設ける。

・　端子は床面又は地盤面から 0.8 m 以上 1.5 m 以下の位置に設ける。

(4) 非常警報設備

非常警報設備は非常ベル、自動式サイレン及び放送設備に大別できる。

非常ベル又は自動式サイレンの音響装置及び起動装置は次の基準により設置しなければならない。

・　音圧は取付けられた音響装置の中心から 1m 離れた位置で 90dB 以上であること。

・　地階を除く階数が５以上で延べ床面積が 3,000m² を超える防火対象物にあっては出火階が、２階以上の階の場合にあっては出火階及びその直上階、１階の場合にあっては出火階、その直上階及び地階、地階の場合にあっては出火階、その直上階及びその他の地階に限って警報を発することができるものであること。

・　各階ごとに、その階の各部分から１の音響装置までの水平距離が 25 m 以下となるように設けること。

・　非常警報設備の起動装置は、次のａからｄに定めるところにより設けること。

ａ．各階ごとに、その階の各部分から１の起動装置までの歩行距離が 50 m 以下となるように設ける。

ｂ．床面からの高さが 0.8 m 以上 1.5 m 以下の箇所に設ける。

ｃ．起動装置の上方に表示灯を設ける。

ｄ．表示灯は、赤色の灯火で、取付面と 15 度以上の角度となる方向に沿って 10 m 離れたところから点灯していることが容易に識別できるもの。

補　足

放送設備（スピーカー）の音圧
スピーカーから１ m 離れた位置で、
・　100m² を超える放送区域：Ｌ級（92 dB 以上）
・　50m² を超え 100m² 以下の放送区域：Ｌ級又はＭ級（87 dB 以上 92 dB 未満）
・　50m² 以下の放送区域：Ｌ級、Ｍ級又はＳ級（84 dB 以上 87 dB 未満）

3-7 構内通信設備

1 ▶ 電 話 設 備

(1) 電話設備の主要機器

電話交換機には、アナログ式電子交換機（EPBX）、デジタル式電子交換機（DPBX）、ステップバイステップ交換機、クロスバ交換機などがある。

① アナログ式電子交換機（EPBX）

中央処理装置（CP系）、通話路系装置（SP系）、入出力系装置（I/O系）により構成される。

・ 中央処理装置（CP系）は、システムに入ってくる情報を分析し、各装置（SP系やI/O系）に動作指令を出す装置である。主記憶装置と中央制御装置より構成される。

・ 通話路系装置（SP系）は通話路と通話路制御装置から構成される通話に直接関係する装置である。

・ 入出力系装置（I/O系）は、中央処理装置に対する情報の入出力を行う外部メモリ装置と入出力制御装置で構成される。

② デジタル式電子交換機（DPBX）

通話路スイッチをアナログからデジタルにしたもので、音声交換のみでなく、パソコン、ファクシミリなどのOA機器を接続して、データ交換、イメージ交換を統合できる。

補 足

PBX：
Private Branch eXchange

(2)　電話交換機の基本サービス機能及び付加サービス機能例

交換機の基本サービス機能及び付加サービス機能例を表3・7・1－①に、構内交換設備における局線応答方式を表3・7・1－②に示す。

表3・7・1-①　基本サービス機能及び付加サービス機能

名　　　称	機　　　能
内線相互キャンプオン	内線が通話中の場合、発信者の操作により（オンフックして待つ）相手の通話が終りしだい自動的に自分と相手を接続する機能
可変不在転送	離席する場合、あらかじめ内線操作により転送先の内線番号を登録しておき、その内線への着信を自動的に転送させる機能
ページング	内線からの操作により、スピーカ回路と接続し、スピーカ装置を通じて音声による呼び出しができる機能
ページングトランスファ	通話中の内線がページングを行い、応答者の応答を受けた後オンフックすると、あらかじめ通話していた相手がページング応答者へ転送される機能
アッドオン（三者通話）	通話中の内線の操作により他内線を呼び出し、三者間で通話できる機能
リコールセット	通話したい相手が通話中の場合、発信者が内線番号の最終桁を再ダイヤルすると、その内線番号へ接続替できる機能
テナント	局線自動発信、局線着信接続などにおいて、テナントに対して独立に接続を行える機能
コールバックトランスファ	着信局線と応答通話中、内線加入者がその局線を保留し、他の加入者と打合せ通話を行った後、再び局線通話に戻ることができ、他の内線に転送できる機能
警報表示	ヒューズ断、装置障害などの各種障害を表示する機能
局線着信表示	分散中継台方式で、局線着信を局線表示盤の局線ランプの点滅及びリンガなどの鳴動により表示する機能
番号通知機能	発信番号を通信先に通知する機能
コールウェイティング	通話中に他の内線・外線から着信があった場合、音などによりその旨を通知し、受信者の操作により切替ができる機能

表 3・7・1-②　構内交換設備における局線応答方式　R04　H30　H28

名　称	機　能
局線中継台方式	専任の交換手が中継台で応答し、内線電話に転送する方式である。
分散中継台方式	局線からの着信は局線表示盤に表示され、局線受付に指定された電話機からの特番ダイヤルによって応答する方式である。
ダイヤルイン方式	局線からの着信により直接電話機を呼び出す方式である。
ダイレクトインダイヤル方式	代表番号をダイヤルしたのち 1 次応答を受け、引き続き内線番号をダイヤルし、直接電話機を呼び出す方式である。
ダイレクトライン方式	局線から交換装置に着信すると、あらかじめ指定された内線を直接呼び出す方式

(3) 局線数の算出

局線数は発着基礎呼量をもとにし、次式で求められる。

$$A = a \times S \times \frac{1}{36} \text{〔アーラン〕}$$

A：発着基礎呼量〔アーラン〕
a：内線あたりの局線通話呼量〔HCS〕、
S：内線数
1 アーラン = 36HCS（1 時間に 1 回線が常に使用されている呼量）

(4) 内線数の算出

内線数は交換機容量を決定するため必要である。次の方式によって算出する。

① 電話機の台数から算出
② 延べ面積当たりの業種ごとの実績から算出
③ 1 回線当たりの従業員人数の、業種ごとの実績から算出

補　足

アーラン
通信回線におけるトラフィック量の国際単位で ERL と表記する。
1 回線を 1 時間占有した場合の通信量が 1 アーラン。

2 ▶ 放 送 設 備

　放送設備は、拡声設備とも呼ばれ、増幅器、マイクロホン、スピーカ及びこれら配線をいう。

(1) 拡声設備の増幅器
　増幅器の定格出力は、スピーカの定格出力の合計に将来の増設分の余裕を見込んで決める。消防法に定める基準を満たせば、一般放送用の増幅器を非常放送用と兼用することができる。

(2) マイクロホン
　① マイクロホンの種類と特性　　　　　　　　　　　　　R05　R02　H27
　マイクロホンの種類と特性を表3・7・2に示す。

表3・7・2　マイクロホンの種類と特性

種　類	指向性	利点・欠点	用　途
コンデンサ型	全 指 向 単一指向 両 指 向	・周波数特性は最高級 ・固有雑音が少ない（ただし、高温・多湿の場所で使うと雑音を発生することがある） ・出力感度が低い ・高価である	高性能を必要とするとき ・測定用 ・放送用 ・録音吹込用
リボン型 （ベロシティ）	単一指向 両 指 向	・周波数特性が非常に良い ・出力感度が低い ・ショック、振動に弱い ・屋外や風の吹く場所では使用できない	ステージ用マイクの主力 ・放送用
ムービングコイル型 （ダイナミック）	全 指 向 単一指向	・特性や価格において、普及品から高級品まである ・動作が安定している ・温度や湿度の影響が小さい ・屋外での使用が可能 ・取扱いが簡単で、堅ろう	一般に広く使用されている ・放送用 ・一般拡声用 ・テープレコーダ用
圧電型 （セラミック） （クリスタル）	全 指 向	・出力感度が高い ・小形軽量 ・価格が安い ・取扱いが簡単 ・周波数特性が悪い ・湿度に弱い	普及型で音声のみを目的にしたとき ・簡単なアナウンス ・一般のテープレコーダ

② マイクロホンの指向性

マイクロホンの指向性を表3・7・3に示す。

表3・7・3　マイクロホンの指向性

種　類	特性曲線	特　徴
全指向性		・残響の多い室では、ハウリングが起きやすく不適当 ・騒音レベルの大きい所は、目的外の音を吸音するので不適当 ・周囲の音を吸音するときに採用
単一指向性		・残響の多い室でも、ハウリングが起きにくい ・目的外の音を吸音したくないときに採用（一般には用途が広い）
両指向性		・残響の多い室では、ハウリングが起きやすく不適当 ・前後の音のみ吸音するときに採用

(3) スピーカ

スピーカには、**コーン型スピーカ**と**ホーン型スピーカ**などがある。

コーン型スピーカは、木製、金属製、合成樹脂製などの箱に収め、丸形、角形や壁掛け形、天井吊り形、天井埋込形など、さまざまな形式があり、主として屋内に使用される。ホーン型スピーカは、屋外、体育館など大出力を必要とする場合に使用される。

① コーン型スピーカ

コーン型スピーカは、円錐状の振動板（コーン）が振動して音を放射するもので、一般に周波数特性が良く、音質も良いために音楽・音声用として広く使われている。

② ホーン型スピーカ

トランペットスピーカとも呼ばれ、音響管（ホーン）とドライバユニットで構成され、能率が非常に良く、大出力が得られる。

また、コーン型スピーカと比較して指向性が高く、耐水性がよいので中高音用や屋外での一般拡声用に用いるが、音質はあまりよくない。

③　ダイナホーンスピーカ

　コーン型スピーカの音質の良さと、ホーン型スピーカの能率の良さを持ち合わせたもので、コーン型スピーカをレフレックスホーンに組込み、屋外での使用に耐えるようにしたもの。

(4)　アッテネータ（音量調節器又は減衰器）

　アッテネータは内部にある抵抗によって、信号レベルを減衰させるもので、スピーカに接続し音量を調節したり、切り替えスイッチにより「切」にしたりすることができる。

(5)　インピーダンス整合

　増幅器とスピーカの接続点において、増幅器の出力とスピーカの入力のインピーダンスを等しくする必要がある。不整合であると信号が効率よく伝達されず、増幅器の設置効果が低減する。

(6)　ハイインピーダンス回路

　スピーカにマッチングトランスを内蔵し、入力インピーダンスを大きくして接続する方式で、1台の増幅器で多数のスピーカを駆動できる。出力電圧は 70 ～ 118V（通常 100V）である。

(7)　ローインピーダンス回路

　スピーカを直接増幅器に接続する方式である。音質は良いが線路損失が大きいため、線路を長くできない。主にオーディオ放送に使用され線路電圧は小さい。

(8)　ハウリング

　スピーカから出た音をマイクロホンが拾うと、共鳴・発振し、発振音を出す。防止策としては、単一指向性マイクロホンの使用と、内装の吸音処理が有効である。

補　足

アッテネータ
信号レベルを増幅するものはアンプ又はブースターであるが、アッテネータ（減衰器）は、信号を適切な信号レベルに減衰させる電子部品。

3 ▶ テレビ共同受信設備

(1) テレビ共同受信設備の概要

R02

建物に共同アンテナなどを設け、同軸ケーブルによって各部屋に分配し、テレビ放送などを受信可能にするものである。

電波の区分と放送電波を図3・7・1に示す。

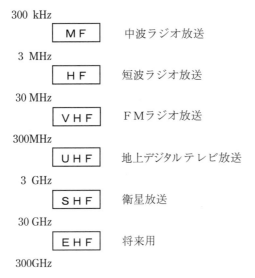

300 kHz

| MF | 中波ラジオ放送 |

3 MHz

| HF | 短波ラジオ放送 |

30 MHz

| VHF | FMラジオ放送 |

300MHz

| UHF | 地上デジタルテレビ放送 |

3 GHz

| SHF | 衛星放送 |

30 GHz

| EHF | 将来用 |

300GHz

図3・7・1　電波の区分と放送電波

(2) テレビ共同受信システム

① ビル共同受信システム

一般建築物、共同住宅、マンションなどで、屋上に設けた受信アンテナから、各室や各住戸にテレビ信号を分配するシステム。

② 辺地共同受信システム

山間地など、地形的な制約により受信困難なテレビ電波を受信するため、山頂などの良好な受信点に受信アンテナを建て、集落内に電波を分配し難視聴を解消するシステム。

③ 電波障害用共同受信システム

高層建築物などによってテレビ電波が遮へいされて生ずる障害や、反射によって生ずる障害を改善するため施設されるシステム。

④ CATVシステム

大都市、ニュータウンなどで、テレビ放送の同時再送信以外に独自の番組を自主放送するシステム。電波障害の改善にも用いられる。

⑤　衛星放送受信システム

　当初はテレビ電波の届きにくい難視聴地域を解消するものであったが、現在は専門性の高い番組の放送やチャンネル数の増大を目的とした放送システムである。

　静止軌道上を回る静止衛星を利用している。

(3) アンテナ

　通常、地上デジタル放送には UHF アンテナ（八木式アンテナ）が用いられる。このアンテナは素子数が多いほど利得が大きくなるが、同じ素子数では、受信する帯域が広くなるほど利得が小さくなる。すなわち、電界強度の弱い場所での受信は、アンテナの素子数を増やしたり、多段式を採用したりして受信電圧を上げる必要がある。

　なお、衛星放送を受信するためにはパラボラ式アンテナが用いられる。

用　語

利得：増幅器の入出力間における電圧又は電流比。増幅器の増幅機能を表す値で、単位はデシベル（dB）。

(4) 増幅器

①　ブースタ（増幅器）

　伝送機器や分岐機器の損失を補完し、信号の強さを共同受信システムに必要なレベルまで増幅するもの。

R03

②　帯域増幅器

　専用帯域を設けた帯域専用増幅器である。

(5) 混合（分波）器

　UHF、BS などの信号を干渉することなく混合するもの。

　混合器を逆に接続すると、混合した信号を UHF、BS などの信号に分波することができる。

(6) 分配器

　幹線から各出力端子に信号を均等に分配するものである。

・分配損失：入力と出力（分配）の間を通過する際の損失であり、数値が低いほど信号レベルの減衰が少ない。

・端子間結合損失：出力（分配）と出力（別の分配）の間を通過する際の損失であり、値が高いほど性能はよい。

R05

(7) 分岐器

伝送線路の途中に挿入し、幹線から信号の一部を取り出す方向性結合器である。分岐された支線の信号レベルは、結合損失によって減衰する。

- ・挿入損失：入力と出力との間を通過する際の損失であり、信号レベルの減衰は比較的小さい。
- ・結合損失：入力から分岐側へ枝分かれする際の減衰量であり、値は大きい。
- ・逆結合損失：分岐（出力）と出力との間を通過する際の損失であり、値が大きい方ほど性能は高い。

(8) 直列ユニット

テレビに接続するための信号を取り出す端子で、アウトレットボックスに収納でき、同軸ケーブルに直列に接続される。送り端子のある中間型と終端抵抗を備えた終端型とがある。

補　足　　　R01

テレビ共同受信設備の総合損失

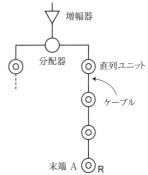

総合損失を構成するものとして、分配器の分配損失、分岐器の挿入損失および結合損失、直列ユニットの挿入損失および結合損失、テレビ端子の挿入損失などがある。また、各機器の個数、同軸ケーブルの長さなどを考慮する。

4 ▶ LAN（ローカルエリアネットワーク）

（1）LANの方式

LANは、ローカルエリアネットワークの略で、構内通信網と訳される。形状により表3・7・4のように分類される。

R06 H29

表3・7・4　LANの形状の比較

	バス形	リング形	ループ形	スター形
形状			制御装置	
アクセス方式	・CSMA/CD ・トークンパッシング ・TDMA	・トークンパッシング ・TDMA	・トークンパッシング ・TDMA	・CSMA/CD
媒体 伝送	・同軸ケーブル	・同軸ケーブル ・撚対線 ・光ファイバケーブル	・同軸ケーブル ・撚対線 ・光ファイバケーブル	・同軸ケーブル ・撚対線
特徴	・通信コストの大半が、端末装置側に分散配置される ・小規模からシステムが経済的に構成される ・信号はバス上を両方向に伝送される ・中継の問題がない ・パッシブな障害である限り、部分障害に閉じ込められる ・網全体を制御する装置がなく送信機のぶつかり問題が生じる。 ・通信プロトコルに制限がでる	・チャンネル割り当てなどの通信制御は、ループ内の各装置に分散してゆだねられる ・比較的小規模なシステムでも経済的に実現できる ・総線路長を短く構成できる ・各端末に許される通信プロトコルに制限が行われることがある ・ループ内の装置障害により、システムダウンとなる	・すべての情報はループ制御装置に送られる ・チャンネル割り当てなどの通信制御はループ制御装置が行う ・総線路長を短く構成できる ・各端末に許される通信プロトコルに制限が行われることがある ・ループ内の他の装置障害により、システムダウンとなる	・中央の装置がすべての通信を集中制御する ・実現が容易である ・端末当たりのコストを安くすることができる ・中央の装置が障害を起こした場合、すべての通信が途絶してしまう弊害がある ・中央の装置の共通部のウェイトが大きい ・周辺ノードの追加・変更は、LAN全体を停止させなくても可能である

(2) LAN のアクセス方式

　LAN に情報を流したり、情報を取り出したりするアクセスの方式
は、3方式ある。その比較を、表3・7・5に示す。

表3・7・5　アクセス方式の比較

項目		CSMA／CD	トークンパッシング	TDMA
方式概要		（送信） ・回線上にデータが流れていないことを確認したうえで送信する ・送信中に他のノードから送信されたデータとの衝突を検出した場合は再送信する （受信） ・自分宛のデータが流れてきたら取り込む	（送信） ・回線上をトークンが流れてきた場合のみ、その上にオーバライドする形でデータを送信する ・送信データの最後にトークンを付加する （受信） ・自分宛のデータが流れてきたら取り込む	（送信） ・時分割されたタイムスロットを端末のどれにも1つ以上割り当て、各端末は割り当てられたスロットを用いて送信を行う ・スロットの割り当て方式として、「静的割り当て」「呼割り当て」「動的割り当て」がある （受信） ・自分宛のデータが流れてきたら取り込む
特徴	長所	・低負荷時は非常に効率よく働く ・トークンのようなキーになる制御情報が存在しないので、障害処理が極めて簡単になる	・衝突が起きないので、高負荷時であっても網内遅延時間は一定値以内に収まる ・任意の長さのデータが安全に伝達できる	・一定時間内に必ず送信機会がくるので伝達遅延時間の予測が明確になる ・伝送手順が比較的簡易である
	短所	・回線使用率が10%になると、衝突が多く発生し、網内遅延時間が急速に増大する ・一定長以下のデータは衝突の検出ができない場合がある	・障害の検出及び回復処理が非常に複雑になる ・リングを一巡したメッセージを取除くためのリレー回路などが必要	・スロット幅によりデータエリア長が固定されているため、ランダムなデータ長の伝送時は伝送効率が落ちる
備考		・バス形に用いられることが多い	・バス形、リング形に用いられることが多い	・バス形、リング形に用いられることが多い

(3) 伝送媒体

　伝送媒体には、光ファイバケーブル、同軸ケーブル、撚り対線（ツイストペアケーブル）がある。その比較を、表3・7・6に示す。

表3・7・6　伝送媒体の比較（参考）

伝送媒体	長　　所	短　　所	伝送速度	伝送距離	主に使われるネットワーク形状
光ファイバケーブル	・高速データ通信ができる ・電磁的影響を受けない ・損失が少ないため伝送距離が延ばせる ・軽量である	・コストが高い ・分岐、結合が難しい ・素材がガラスのため破損しやすい	数百Mbps以上	数百km	リング形
同軸ケーブル	・撚対線に比較して雑音に強く、伝送帯域も広い ・ベースバンド伝送、ブロードバンド伝送が可能である	・撚対線に比較して高価である	数十Mbps	数km	スター形、リング形、バス形
撚り対線（ツイストペアケーブル）	・伝送路媒体としては歴史が古く、施工技術が確立されている ・低価格である	・伝送帯域が制限される ・雑音の影響を受けやすい	数百Mbps	200m未満	スター形、リング形

(4)　光ファイバケーブル

①　光ファイバケーブルの特徴　R06

　光ファイバケーブルは、デジタル化した電気信号を光信号に変換して伝送するものである。広帯域の信号伝送が可能、細径で軽量、可とう性に優れている、低損失、誘導にも影響されないなど多くの特徴がある。

②　光ファイバケーブルの種類と構造

　光ファイバケーブルの種類と構造を、表3・7・7に示す。

表3・7・7　光ファイバケーブルの種類と構造（参考）　R06　R03　H30　H27

種　類	記　号	材　質		特　徴	
		コア	クラッド	伝送帯域 MHz・km	伝送損失 dB/km
マルチモード ステップインデックス形	SI	石英ガラス		20～60	2～6
		多成分ガラス		5～20	15～25
		石英ガラス	プラスチック	5～20	5～20
		プラスチック	プラスチック	10以下	100～3,000
マルチモード グレーデッドインデックス形	GI	石英ガラス		200～2,000	1～6
		多成分ガラス		200～1,000	5～25
シングルモード形	SM	石英ガラス		10,000以上	0.2～1.5

③　光ファイバケーブルの接続

　光ファイバケーブルの接続方法には、固定接続（融着接続）とコネクタ接続がある。

・融着接続は、ファイバを突き合せ、アーク放電により接続部の両端を加熱して溶かし融着する。石英ガラスファイバのみに用いられる。接続1箇所当たりの接続損失は0.1dB以下となるように接続する。

・コネクタ接続は、着脱が可能なコネクタを用いる接続方法で、ファイバの切断面を研磨し突き合せる。接続箇所当たりの接続損失は0.5dB以下となるように接続する。

補　足　H28

メカニカル接続
固定接続には、融着接続のほかメカニカル接続がある。メカニカルスプライス接続は、電源を必要とせず、融着接続よりも短時間に接続可能であるが、光ファイバのコアに偏心があると接続損失が大きくなる。

(5) **無線 LAN**

① OFDM とは、Orthogonal Frequency Division Multiplexing（直交周波数分割多重）の略語で、周波数利用効率を高めた変調方式の一つである。

② MIMO とは、Multiple Input Multiple Output（多重入力多重出力）の略語で、複数のアンテナを使用してデータを同時伝送することにより、無線 LAN の通信を高速化させる技術である。

③ CSMA/CA とは、Carrier Sense Multiple Access with Collision Avoidance（搬送波感知多重アクセス／衝突回避）の略語で、無線 LAN を用いた通信の衝突を回避する技術である。

④ WPA とは、Wi-Fi Protected Access（接続保護 Wi-Fi）の略語で、Wi-Fi の通信内容を傍受されないように暗号化するセキュリティ規格の一つである。

3-8 中央監視設備

　ビルの中央監視設備はビル監視システムやビル管理システムとも呼ばれ。ビル内の受変電、空調、照明、動力などの諸設備を集中して監視・計測・制御する装置である。中規模以上ではコンピュータを組み込み、建物の維持管理やエネルギー管理等に威力を発揮する。

(1)　ネットワーク規格について

　中央監視制御システムの代表的なネットワーク規格（通信プロトコル規格）には、BACnet（Building Automation and Control Networking protocol）やLonWorks（Local Operating Network Works）などがある。両者ともに電力・空調・照明・防犯・防災・エレベータなど異なるベンダーの信号を接続できるオープンネットワークであり、分散制御にも対応できる。

　前者のBACnetはインテリジェントビル向けに開発され、ASHRAE（米国暖房冷凍空調学会）などが標準規格とした。後者のLonWorksは米国のエシェロン社がビル監視制御、産業機械や各種設備の自動化と監視・制御向けに開発したものであり、日本ではローカル系にも採用される。

(2)　監視制御機能について

・電力デマンド監視：使用電力量から、時限（通常30分）終了時の電力を予測し、最大需要電力（デマンド）があらかじめ設定した目標値を超える恐れがある場合に、警報を発するもの。
・機器稼動履歴監視：機器の運転時間や運転回数等のデータまたは位置情報から、設定した値や状況を超えた場合に警報を発するもの。
・トレンド表示：計測や計量の対象をグループ化して設定した周期でデータ収集を行い、結果をトレンドグラフで表示するもの。
・グラフィック表示：ディスプレイなどを使用して、設備の系統図や設置平面図の上に、機器の状態や警報を色変化や点滅で表示するもの。
・停電・復電制御：停電時にあらかじめ指定した負荷を自動的に切離し、復電時にはスケジュール状態に合わせて、切り離した負荷

を投入するもの。

・発電装置負荷制御：停電発生時に自家用発電機の起動後、あらか
じめ設定された優先順位に沿って負荷の投入遮断の制御を行うも
の。

・無効電力制御：遅れ力率を改善するため、投入する進相コンデン
サの台数を制御するもの。

・スケジュール制御：あらかじめ設定された日時、曜日等の条件に
より、空調機や照明などを自動的に発停するもの。

・火災連動制御：火災発生の信号を受信し、関連する空調機を一斉
または個別に停止させたり、自動閉鎖装置を動作させるもの。

(3)　**入出力条件**について　　　　　　　　　　　　　　　　R06

中央監視設備における伝送端末装置と現場機器との間の入出力条
件は、一般に次の通りである。

・発停制御信号：空調機やポンプなどの起動・停止を行う入出力条
件は、瞬時接点信号である。

・状態・故障監視信号：現場機器の運転・停止の状態や故障発生を
監視する入出力条件は、無電圧連続接点信号である。

・計測信号：電流、電圧や電力などの値を計測する入出力条件は、
DC 4～20mA のアナログ信号である。

・電力量信号：電力量を計量する信号は、一定の電力量ごとに発信
する無電圧パルス信号である、パルス数をカウントすれば積算電
力量が得られる。

(4)　**信号線の誘導対策**について

・静電誘導対策：銅やアルミテープなどの金属テープや銅線網組で
構成されたシールドケーブルを使用し、1点（片端）接地する。

・電磁誘導対策：ツイストペア（対より）ケーブルを使用し、磁性
体の金属管で保護する。なお、保護管の両端は接地する。

(5)　**その他**

BEMS（Building and Energy Management System）とは、エ
ネルギー管理システムであり、建物の電気や空調などの設備の様々
な計測データから、建物のエネルギー消費量や運用管理費用の最適
化や削減を図るものである。

3-9 ▶ 避 雷 設 備

1 ▶ 避 雷 設 備

(1) 避雷設備の設置基準

建築物等の避雷設備の規定は、平成 15 年 7 月に旧 JIS A 4201「建築物等の避雷設備（避雷針）」より、新 JIS A 4201「建築物等の雷保護」に改正された。

① **建築基準法（第 33 条）**

高さ 20 m を超える建築物には、有効に避雷設備を設けなければならない。ただし、周囲の状況によって安全上支障がない場合においては、この限りでない。

② **危険物の規制に関する政令（第 9 条、第 10 条、第 11 条）**

・第 9 条に、指定数量の倍数が 10 以上の製造所には、総務省令で定める避雷設備を設けること。

・第 10 条に、指定数量の 10 倍以上の危険物の貯蔵倉庫には、総務省令で定める避雷設備を設けること。

・第 11 条に、指定数量の倍数が 10 以上の屋外タンク貯蔵所には、総務省令で定める避雷設備を設けること。

③ **火薬類取締法施行規則（第 24 条、第 26 条）**

・第 24 条に、一級火薬庫には、避雷装置を設けること。

・第 26 条に、二級火薬庫には、できるだけ避雷装置を設けること。

(2) 外部雷保護システム

外部雷保護システムは、避雷針を含めた受雷部システム、引下げ導線システムおよび接地システムから構成され、建物の重要度に応じて、表 3・9・1 に示す保護レベルが規定されている。

R01

表 3・9・1　保護レベルと保護効率など

保護レベル	保護効率	最小雷撃電流（kA）	雷撃距離（m）	最大雷撃電流（kA）
I	0.98	2.9	20	200
II	0.95	5.4	30	150
III	0.90	10.1	45	100
IV	0.80	15.7	60	100

1) 受雷部システム

a) 一般事項

受雷システムは、次の各要素又はその組み合わせによって構成する。

① 突針

② 水平導体

③ メッシュ導体

b) 配置

受雷部システムの配置は JIS A 4201:2003 に示す「保護レベルに応じた受雷部の配置」表3・9・2に適合しなければならない。

受雷部システムの設計にあたっては、次の方法を個別に又は組み合わせて使用することができる。

① 保護角法

② 回転球体法

③ メッシュ法

表3・9・2　保護レベルに応じた受雷部の配置

保護レベル	回転球体法の半径 R（m）	保護角法の適用高さ h(m)					メッシュ法のメッシュ幅 L（m）
		$h \leqq 20$	$h \leqq 30$	$h \leqq 45$	$h \leqq 60$	$h > 60$	
		保護角 α（度）					
I	20	25	＊	＊	＊	＊	5 × 5
II	30	35	25	＊	＊	＊	10 × 10
III	45	45	35	25	＊	＊	15 × 15
IV	60	55	45	35	25	＊	20 × 20

＊印は回転球体法及びメッシュ法だけを適用しなければならない。

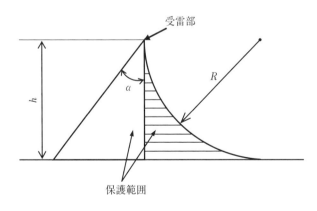

注1：R は、回転球体法の球体半径

注2：h は、地表面から受雷部上端までの高さ

注3：α は、保護角法の角度

①　保護角法

保護角法は受雷部の上端から、その上端を通る鉛直線に対して保護角を見込む稜線の内側を保護範囲とする方法で、受雷部の上端の高さに応じた保護角は表3・9・2の値によって決まる。

②　回転球体法

2つ以上の受雷部に同時に接するように又は1つの受雷部と大地とに同時に接する球体を回転させたときに、球体表面の包絡面から被保護物側を保護範囲とする方法で、球体の半径は、表3・9・2の R（m）により決まる。

③　メッシュ法

メッシュ導体で覆われた内側を保護範囲とする方法で、そのメッシュ幅は表3・8・2の L（m）以下にしなくてはならない。

2）引下げ導線システム

a）一般事項

危険な火花放電が発生する可能性を低減するため、雷撃点から大地までの雷電流の経路として引下げ導線を次のように施設しなければならない。受雷システムは、次の各要素又はその組み合わせによって構成する。

①　複数の電流経路を並列に形成する。

②　電流経路の長さを最小に保つ。

b）独立した雷保護システムにおける配置

受雷部が独立した複数の柱（又は1本の柱）上に取り付けた突針からなる場合には、新たに引下げ導線を施設する必要はない。

受雷部が独立した複数の水平導体（又は1条の導体）である場合には、導体の各端末に1条以上の引下げ導線が必要となる。

受雷部がメッシュ導体からなっている場合には、各支持構造物に1条以上の引下げ導線が必要である。

c）独立しない雷保護システムにおける配置

引下げ導線は、被保護物の外周に沿って、相互間の平均間隔が表3・8・3に示す値以下となるよう引き下げる。いずれも2条以上の引下げ導線が必要となる。ただし、一般建築物等の被保護物の水平投影面積が 25 m² 以下のものは、1条でよい。

表3・9・3　保護レベルに応じた引下げ導線の平均間隔

保護レベル	平均間隔 （m）
Ⅰ	10
Ⅱ	15
Ⅲ	20
Ⅳ	25

3）接地システム

a）一般事項

　危険な過電圧を生じることなく雷電流を大地に放流させるために
は、接地極の抵抗値より接地システムの形状及び寸法が重要な要素と
なる。ただし、一般的には低い接地抵抗値が推奨される。

　構造体を使用した統合単一の接地システムとするのが雷保護の観点
から望ましく、又、各種の接地目的（雷保護、電力系統及び通信系統）
にとっても適切である。

b）接地極

　接地極には、次の種類のものを使用しなければならない。一つ又は
複数の環状接地極、垂直（又は傾斜）接地極、放射状接地極又は基礎
接地極。単独の長い接地導体を施設するよりも、数条の導体を適切に
配置するほうが望ましい。保護レベルに応じた接地極（板状のものを
除く）の最小長さと大地の抵抗率との関係を図3・9・1に示す。

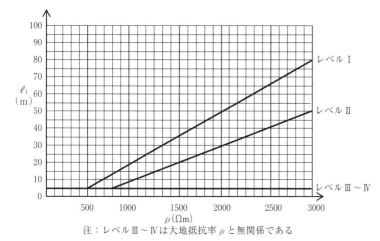

注：レベルⅢ～Ⅳは大地抵抗率 ρ と無関係である

図3・9・1　保護レベルに応じた接地極の最小長さ ℓ_1

c）接地施設

接地システムにおいて、接地極を基本的に2つの形態に分ける。

① A型接地極

A型接地極は、放射状接地極、垂直接地極又は板状接地極から構成し、各引下げ導線に接続しなければならない。

接地極の数は2つ以上とし、接地極の最小長さは次による。

図3・8・1に示す放射状接地極の最小長さを ℓ_1 とすると、放射状水平接地極は ℓ_1 以上、垂直（又は傾斜）接地極は $0.5 \ell_1$ 以上とする。板状接地極は表面積を片面 **0.35 m²以上**とする。

② B型接地極

B型接地極は、環状接地極、基礎接地極又は網状接地極から構成し、各引下げ導線に接続しなければならない。

環状接地極（又は基礎接地極）の場合には、環状接地極（又は基礎接地極）によって囲われる面積の等価（平均）半径 r は、ℓ_1 の値以上でなければならない。

$$r \geqq \ell_1$$

d）接地極の施工

外周環状接地極は、**0.5 m以上**の深さで壁から **1 m以上**離して埋設するのが望ましい。

接地極は、被保護物の外側に **0.5 m以上**の深さに施設し、地中において相互の電気的結合の影響が最小となるように、できるだけ均等に配置する。

4）**材料及び寸法**

a）材料

使用材料は、雷電流による電気的及び電磁的影響ならびに予想される機械的ストレスに対し、損傷を受けないものでなければならない。

b）寸法

最小寸法を表3・9・4に示す。

表3・9・4　最小寸法

保護レベル	材料	受雷部 (mm²)	引下げ導線 (mm²)	接地極 (mm²)
I～IV	銅	35	16	50
	アルミニウム	70	25	–
	鉄	50	50	80

3-10　電線・ケーブル・接地・保護協調

1 ▶ 電線・ケーブル

(1) 電線・ケーブルの名称と記号
各種絶縁電線・ケーブルの名称と略号を、表3・10・1に示す。

表3・10・1　各種絶縁電線・ケーブルの略号

名　称	電線略号	名　称	電線略号
600V ビニル絶縁電線	IV	600V ビニル絶縁ビニルシースケーブル	VV
600V 二種ビニル絶縁電線	HIV		
600V 架橋ポリエチレン絶縁電線	IC	丸形	VVR
屋外用ビニル絶縁電線	OW	平形	VVF
引込用ビニル絶縁電線	DV	600V 架橋ポリエチレン絶縁ビニルシースケーブル	600V CV
屋外用ポリエチレン絶縁電線	OE		
屋外用架橋ポリエチレン絶縁電線	OC	6,600V 架橋ポリエチレン絶縁ビニルシースケーブル	6,600V CV
600V 耐熱性ポリエチレン絶縁電線	EM-IE/F		
600V 耐熱性架橋ポリエチレン絶縁電線	EM-IC/F	トリプレックス形	CVT
		6,600V 架橋ポリエチレン絶縁ポリエチレンシースケーブル	6,600V CE
600V 架橋ポリエチレン絶縁耐燃性ポリエチレンシースケーブル	EM-600V CE/F	トリプレックス形	CET
高圧引下用架橋ポリエチレン絶縁電線	PDC	制御用ビニル絶縁ビニルシースケーブル	CVV
ネオン管用ポリエチレン絶縁ビニルシース電線	N-EV	遮へい銅テープ付	CVVS
		遮へい銅編組付	CVVSB
600V ビニル絶縁ビニルキャブタイヤケーブル	VCT	高圧機器内配線用架橋ポリエチレン絶縁電線	KIC
ビニル平形コード	VFF	600V コンクリート直埋用ケーブル	CB-VV / CB-EV
ビニルキャブタイヤコード　丸形　平形	VCTF VCTFK	耐火電線（耐火ケーブル）	FP
		耐熱電線（耐熱ケーブル）	HP
		ＭＩケーブル	MI

2 ▶ 接 地 工 事

(1) 電気設備の接地 （電技第 10 条）

R04

電気設備の必要な箇所には、異常時の電位上昇、高電圧の侵入等による感電、火災その他人体に危害を及ぼし、又物件に損傷を与えるおそれがないように、接地その他の適切な措置を講じなければならない。

(2) 接地工事の種類と目的

① A種接地工事

R06　H30

高圧又は特別高圧の機器外箱やケーブルのシールド、避雷器に施す接地工事で、接地抵抗値 10 Ω以下と定められている。

② B種接地工事

高電圧側と低電圧側が混触した場合に低電圧側の電位が上昇し、低圧機器の絶縁破壊による火災や感電を防止するために、変圧器の低圧側電路の中性点又は一端子に施す接地工事。

③ C種、D種接地工事

C種、D種接地工事は、低圧電気機器や配線工事の金属製部分に施される接地工事で、C種接地工事は 300 V を超えるものに施され、接地抵抗値は 10 Ω以下、D種接地工事は 300 V 以下のものに施され、接地抵抗値は 100 Ω以下である。

低圧電路に地絡を生じた場合、0.5 秒以下に漏電遮断器で電路を遮断する場合は、接地抵抗値をそれぞれ 500 Ω以下とすることができる。

補　足　H29

低圧用で 300V を超えるものには C 種接地工事を、300V 以下のものには D 種接地工事を施す。

(3) 接地工事の種類と抵抗値　（電技・解釈第 17 条）

R06　R04　R02　H30
H27

接地工事の種類と抵抗値を表3・10・2に示す。

表3・10・2　接地工事の種類と抵抗値

接地工事の種類	接地抵抗値〔Ω〕
A種接地工事	10 Ω以下
B種接地工事	150 / I_g* Ω以下
	300 / I_g* Ω以下*1
	600 / I_g* Ω以下*2
C種接地工事	10 Ω以下（低圧電路において、地絡を生じた場合に 0.5 秒以内に当該電路を自動的に遮断する装置を施設するときは 500 Ω以下）
D種接地工事	100 Ω以下（低圧電路において、地絡を生じた場合に 0.5 秒以内に当該電路を自動的に遮断する装置を施設するときは 500 Ω以下）

*：Ig は、当該変圧器の高圧側又は特別高圧側の 1 線地絡電流（単位：A）

*1：対象変圧器の高圧側又は 35000V 以下の特別高圧側が低圧側と混触し、低圧側の対地電圧が 150V を超えたとき、高圧側又は特別高圧側の電路が自動遮断される時間が 1 秒を超え 2 秒以下の場合

*2：対象変圧器の高圧側又は 35000V 以下の特別高圧側が低圧側と混触し、低圧側の対地電圧が 150V を超えたとき、高圧側又は特別高圧側の電路が自動遮断される時間が 1 秒以下の場合

(4) 接地線の太さ　（電技・解釈第 17 条）

接地線は容易に腐食しにくい金属線又は軟銅線であって、故障の際に流れる電流を安全に通じることのできるものを使用する。

接地線の細目を表3・10・3に示す。

表3・10・3　接地線の細目

接地工事の種類	接地線の種類
A 種接地工事	引張強さ 1.04 kN 以上の金属線又は直径 2.6 mm 以上の軟銅線
B 種接地工事	B 種接地線の太さは、故障の際に流れる電流を安全に通じることができるものとし、変圧器 1 相分の容量などから算出する。 なお、15kV 以下の特別高圧変圧器や移動電線などに対しては、別途規定がある。
C 種及び D 種接地工事	引張強さ 0.39 kN 以上の金属線又は直径 1.6 mm 以上の軟銅線

(5) 接地工事の施工方法　（電技・解釈第 17 条）

1) 接地極又は接地線

① 　A種接地工事及びB種接地工事に使用する接地極及び接地線は人が触れるおそれがある場所に施設する場合は、次のように施設する。

R03

イ　接地極は、地下75cm以上の深さに埋設すること。

ロ　接地極を鉄柱その他の金属線に近接して施設する場合は、次のいずれかによること。

(イ)　接地極を鉄柱その他の金属体の底面から30cm以上の深さに埋設すること。

(ロ)　接地極を地中でその金属体から1m以上離して埋設すること。

ハ　接地線には、絶縁電線又は通信用ケーブル以外のケーブルを使用すること。ただし、接地線を鉄柱その他金属体に沿って施設する場合以外の場合には、接地線の地表上60cmを超える部分については、この限りではない。

ニ　接地線の地下75cmから地表上2mまでの部分は、電気用品安全法の適用を受ける合成樹脂管（厚さ2mm未満の合成樹脂電線管及びCD管を除く）又はこれと同等以上の絶縁効力のあるもので覆うこと。

② 　**A種接地工事**及び**B種接地工事**に使用する接地線は、避雷針用地線を施設してある支持物に施設しないこと。

③ 　**C種接地工事**を施す金属体と大地との間の電気抵抗値が10Ω以下である場合は、C種接地工事を施したものとみなす。

④ 　**D種接地工事**を施す金属体と大地との間の電気抵抗値が100Ω以下である場合は、D種接地工事を施したものとみなす。

(6)　工作物の金属体を利用した接地工事（電技・解釈第18条）

① 　建物の鉄骨又は鉄筋その他の金属体を、A種、B種、C種、D種その他接地工事の共用接地の接地極に使用する場合には、建物の鉄骨又は鉄筋コンクリートの一部を地中に埋設するとともに、**等電位ボンディング**を施すこと。ただし、当該の鉄骨等をA種又はB種の接地極として使用する場合は、50Vを超える接触電圧が発生しないように施設するなどの要件がある。

② 　大地との間の電気抵抗値が2Ω以下の値を保っている建物の鉄骨その他の金属体は、これを次の各号に掲げる接地工事の接地極に使用することができる。

イ　非接地式高圧電路に施設する機器器具等に施すA種接地工事

ロ　非接地式高圧電路と低圧電路を結合する変圧器に施すB種接地工事

R05　R01

用 語

等電位ボンディング：
人が触れるおそれがある範囲にあるすべての導電性部分を共用の接地極に接続して等電位を形成すること。

3▶ 保 護 協 調

　電気回路にはさまざまな異常現象が起きるが、主なものとして、過負荷、短絡、地絡、過電圧、不足電圧、異常電圧などがある。
　これらの異常現象の種類によって、保護協調は次のように分類することができる。
- ・ **過電流保護協調**：過負荷、短絡
- ・ **地絡保護協調**：地絡
- ・ **絶縁協調**：異常電圧

(1) 過電流保護協調

　過負荷、短絡に対して行う保護協調で、その役割は機器及び電線を保護するとともに、事故を電力会社に波及させないことである。受電側の過電流保護装置と、電力会社側の過電流保護装置との動作協調が十分保たれ、かつ受電用変圧器の二次側の過電流遮断器との動作協調が保たれていなければならない。
　受電点から負荷側までの保護装置としては、一般的に瞬時要素付過電流継電器、高圧限流ヒューズが用いられ、動作時限差による協調が図られる。図3・10・1に**時限協調特性曲線図**を示す。

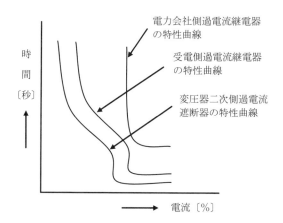

電力会社側過電流継電器
の特性曲線

受電側過電流継電器
の特性曲線

変圧器二次側過電流
遮断器の特性曲線

時間〔秒〕

電流〔%〕

図3・10・1　時限協調特性曲線図

(2) 地絡保護協調

　地絡事故が発生したとき、零相電流あるいは零相電圧を検出して動作させる地絡保護装置を設置して需要家側の地絡事故が電力会社側に

影響を与えないようにする。

　需要家側の地絡遮断装置は、電力会社の地絡保護装置と感度、時限などの協調を十分に保つ必要がある。また、受電用遮断器から負荷側の高圧電路における対地静電容量が大きい場合には、方向性地絡継電器を使用する。

　また、地絡継電器の零相電流検出用にケーブル貫通形零相変流器（ZCT）を使用する場合は、ケーブルシールド接地線を正しく接続しないと零相電流を検出できないので注意が必要である。

　図3・10・2にシールド接地工事の施工方法を示す。

R04　R02

<引込用ケーブル>（a図）

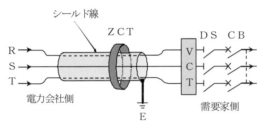 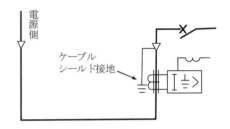

<引込用ケーブル>（b図）

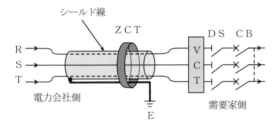 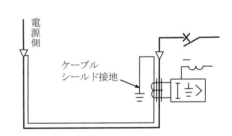

<引出用ケーブル>（c図）

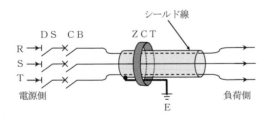 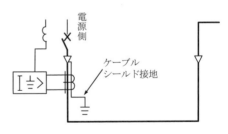

＜引出用ケーブル＞（d図）

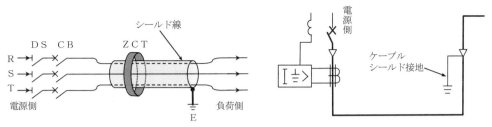

図3・10・2　シールド接地工事の施工方法

(3)　絶縁協調

　系統に故障が発生したときの異常電圧や機器操作時に発生する異常電圧によって絶縁破壊又は閃絡を生じないように絶縁強度を設定することを絶縁強調という。

　雷などの外部異常電圧に対しては避雷器を施設して、避雷器の保護レベルを電路の絶縁強度より低くすることによって保護する。

3-11 ▶ 構内電線路

1 ▶ 地 中 電 線 路

(1) 構内電線路

　電線路とは、発電所、変電所、開閉所及びこれらに類する場所並びに電気使用場所相互間の電線並びにこれを支持し、又は保蔵する工作物をいう。

(2) 地中電線路の施設 （電技・解釈第120条）

　地中電線路は、電線に**ケーブル**を使用し、かつ**管路式、暗きょ式**又は**直接埋設式**により施設すること。

　なお、管路式には電線共同溝（C.C.BOX）方式を、暗きょ式にはCAB（電力、通信等のケーブルを収納するために道路下に設けるふた掛け式のU字構造物）によるものを、それぞれ含む。

1) 管路式

　地中電線路を管路式により施設する場合は、次の各号によること。

① 電線を収める管は、これに加わる車両その他の重量物の圧力に耐えるものであること。

② 高圧又は特別高圧の地中電線路には、次により表示を施すこと。

　ただし、需要場所に施設する高圧地中電線路であって、その長さが15m以下のものにあってはこの限りでない。

イ　物件の名称、管理者名及び電圧（需要場所に施設する場合にあっては、物件の名称及び管理者名を除く。）を表示すること。

ロ　おおむね2mの間隔で表示すること。ただし、他人が立ち入らない場所又は当該電線路の位置が十分に認知できる場合は、この限りでない。

　管路式を図3・11・1に示す。

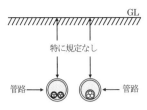

特に規定なし

管路 → ← 管路

車両等の重量物の圧力に耐える管

図3・11・1　管路式

2) 暗きょ式

　地中電線路を暗きょ式により施設する場合は、次の各号によること。

① 　暗きょは、車両その他の重量物の圧力に耐えるものであること。

② 　次のいずれかにより、防火措置を施すこと。

　イ　地中電線に耐燃措置を施すこと。

　ロ　暗きょ内に自動消火設備を施設すること。

　暗きょ式を図3・11・2に、CAB式を図3・11・3に示す。

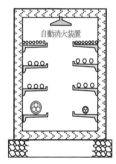

図3・11・2　暗きょ式　　**図3・11・3　CAB式**

3) 直接埋設式（直埋式）

① 　地中電線の埋設深さは、車両その他の重量物の圧力を受けるおそれがある場所においては 1.2m 以上、その他の場所においては 0.6m 以上であること。ただし、使用するケーブルの種類、施設条件等を考慮し、これに加わる圧力に耐えるよう施設する場合はこの限りでない。

② 　地中電線を衝撃から防護するため、次のいずれかにより施設すること。

イ　地中電線を、堅ろうなトラフその他の防護物に収めること。

ロ　低圧又は高圧の地中電線を、車両その他の重量物の圧力を受けるおそれがない場所に施設する場合は、地中電線の上部を堅ろうな板又はといで覆うこと。

ハ　地中電線に、別に規定するがい装を有するケーブルを使用すること。さらに、地中電線の使用電圧が特別高圧である場合は、堅ろうな板又はといで地中電線の上部及び側部を覆うこと。

ニ　地中電線に、パイプ型圧力ケーブルを使用し、かつ、地中電線の上部を堅ろうな板又はといで覆うこと。

直接埋設式（直埋式）を図3・11・4に示す。

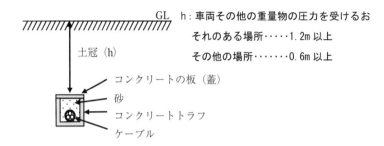

図3・11・4　直埋式

③　埋設表示

1）管路式　②の規定に準じて、表示を施すこと。

(3) 地中箱の施設 （電技・解釈第121条）

地中電線路に使用する地中箱は、次の各号によること。

①　地中箱は、車両その他の重量物の圧力に耐える構造であること。

②　爆発性又は燃焼性のガスが侵入し、爆発又は燃焼するおそれがある場所に設ける地中箱で、その大きさが $1m^3$ 以上のものには、通風装置その他ガスを放散させるための適当な装置を設けること。

③　地中箱のふたは、取扱者以外の者が容易に開けることができないように施設すること。

地中箱の構造を図3・11・5に示す。

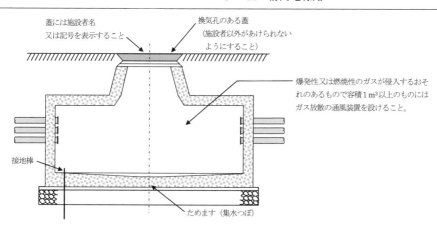

蓋には施設者名
又は記号を表示すること

換気孔のある蓋
（施設者以外があけられない
ようにすること）

爆発性又は燃焼性のガスが侵入するおそ
れのあるもので容積1m³以上のものには
ガス放散の通風装置を設けること。

接地棒

ためます（集水つぼ）

図3・11・5　地中箱（マンホール）の施設

(4) 地中電線と他の地中電線等との接近又は交差 （電技・解釈 第125条）

1) 低圧地中電線と高圧地中電線、低圧若しくは高圧地中電線と特 別高圧地中電線の接近又は交差

　低圧地中電線と高圧地中電線とが接近又は交差する場合、又は低 圧若しくは高圧の地中電線と特別高圧地中電線とが接近又は交差す る場合は、次の各号のいずれかによること。ただし、地中箱内につ いてはこの限りでない。

① 　地中電線相互の離隔距離が、次に規定する値以上であること

　イ　低圧地中電線と高圧地中電線との離隔距離は、0.15m

　ロ　低圧又は高圧の地中電線と特別高圧地中電線との離隔距離 は、0.3m（図3・11・6（1））

H27

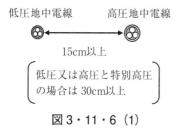

低圧地中電線　　　高圧地中電線

15cm以上

低圧又は高圧と特別高圧
の場合は30cm以上

図3・11・6（1）

② 　地中電線相互の間に堅ろうな耐火性の隔壁を設けること。

③ 　いずれかの地中電線が、次のいずれかに該当するものであること。

　イ　不燃性の被覆を有すること。

　ロ　堅ろうな不燃性の管に収められていること。

④ 　それぞれの地中電線が、次のいずれかに該当するものであること。

イ　自消性のある難燃性の被覆を有すること。

ロ　堅ろうな自消性のある難燃性の管に収められていること。

2)　地中電線と地中弱電流電線等の接近又は交差

地中電線が、地中弱電流電線等と接近又は交差して施設される場合は、次の各号のいずれかによること。

①　地中電線と地中弱電流電線等との離隔距離が、表3・11・1に規定する値以上であること。（図3・11・6（2））

②　地中電線と地中弱電流電線等との間に堅ろうな耐火性の隔壁を設けること。（図3・11・6（3））

表3・11・1　地中電線と地中弱電流電線等との離隔距離

地中電線の使用電圧の区分	離隔距離
低圧又は高圧	0.3 m
特別高圧	0.6 m

低圧又は高圧の
地中電線　　　　地中弱電流電線

離隔 30cm 以上

［特別高圧では 60cm 以上］

図3・11・6（2）

A＋B≧60cm
特別高圧
A＋B≧30cm
低圧又は高圧

耐火性の隔壁

図3・11・6（3）

③　地中電線を不燃性又は自消性のある難燃性の管に収める場合（図3・11・6（4））

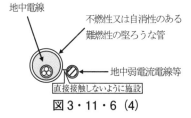

地中電線
不燃性又は自消性のある
難燃性の堅ろうな管
地中弱電流電線等
直接接触しないように施設

図3・11・6（4）

④　地中弱電流電線等の管理者の承諾を得た場合（図3・11・6（5））

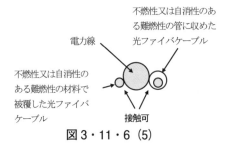

不燃性又は自消性のある難燃性の管に収めた
光ファイバケーブル
電力線
不燃性又は自消性のある難燃性の材料で被覆した光ファイバケーブル
接触可

図3・11・6（5）

3)　特別高圧地中電線とガス管、石油パイプその他の可燃性若しく
　　は有毒性の流体を内包する管との接近又は交差

　　特別高圧地中電線が、ガス管、石油パイプその他の可燃性若し
くは有毒性の流体を内包する管（以下この条において「ガス管等」
という。）と接近又は交差して施設される場合は、次の各号のいず
れかによること。

①　地中電線とガス管等との離隔距離が、1m 以上であること。（図
　　3・11・6（6））

②　地中電線とガス管等との間に堅ろうな耐火性の隔壁を設けるこ
　　と。（図3・11・6（7））

図3・11・6（6）　　　　　図3・11・6（7）

③　地中電線を堅ろうな不燃性の管又は自消性のある難燃性の管に
　　収め、当該管がガス管等と直接接触しないように施設すること。
　　（図3・11・6（8））

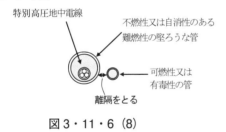

図3・11・6（8）

4)　特別高圧地中電線と水道管その他のガス管等以外の管との接近
　　又は交差

　　特別高圧地中電線が、水道管その他のガス管等以外の管（以下こ
の条において「水道管等」という。）と接近又は交差して施設され
る場合は、次の各号のいずれかによること。

①　地中電線と水道管等との離隔距離が、0.3m 以上であること。

②　地中電線と水道管等との間に堅ろうな耐火性の隔壁を設けること。

③　地中電線を堅ろうな不燃性の管又は自消性のある難燃性の管に
　　収めて施設すること。

④　水道管等が不燃性の管又は不燃性の被覆を有する管であること。

3-12 省エネルギー技術

　自家用電気工作物の受変電設備、動力設備、照明設備における代表的な省エネルギー技術を以下に紹介する。

(1) 受変電設備

① トップランナー変圧器

　変圧器は、一般に24時間、連続通電されることが多く、負荷損や無負荷損が発生する損失電力量は通電時間と共に累積されていくのが普通である。そこで、経済産業省は2003年に配電用変圧器を省エネ法の特定機器に指定して、適用するエネルギー消費効率（全損失）の基準（第一次トップランナー基準）を設けた。さらに2014年には、損失電力を第一次基準以上に削減する第二次トップランナー基準を設定した。この第二次基準は、エネルギー消費効率についてJIS C 4304の1981年版から約40%、1977年版から約60%、向上させるものである。

　なお、変圧器メーカーでは、トップランナー基準よりさらに効率の高い変圧器を独自に開発し、高効率型、スーパー高効率型、超高効率型などの名称で商品化している。トップランナー変圧器を含めて、これらの効率の高い変圧器は、同じ容量の従来型変圧器と比較して、重量が重くなり、また、寸法が大きくなる場合があるので、既設取替工事の際には注意が必要である。

表3・12・1　トップランナー変圧器の対象範囲

適用範囲		主な除外機種
機種	油入変圧器、モールド変圧器	・H種乾式変圧器
容量	単相 10 〜 500kVA	・ガス絶縁変圧器
	三相 20 〜 2000kVA	・スコット変圧器
電圧	高圧 6kV または 3kV	・モールド灯動変圧器
	低圧 100V 〜 600V	・水冷または風冷変圧器
		・3巻線以上の多巻線変圧器

② デマンド制御

　需要設備において、単位期間中の需要電力（Demand Power）

　の最大値を慣用的にデマンド（値）と呼んでいる。契約形態が実量制の場合は、1カ月の最大需要電力が、そのまま契約電力に移行することから、契約電力をデマンド（値）と言うこともある。

　デマンド（値）は本来、瞬時値であるが、電力会社との取引に使用する契約電力においては、30分間の使用電力量（kWh）から算出した平均使用電力値（kW）をデマンド（値）としている。ここで、電力会社に支払う電気代は、通常、基本料金と電力量料金の二本立てであり、前者の基本料金については契約電力から算定されるので、デマンド（値）を制御すれば料金の低減が図れることになる。デマンド制御には一般に手動式と自動式がある。手動式では、使用電力量を刻々累積計測して30分間の平均使用電力値を予測し、もし設定値を超える可能性がある場合は警報などを発する方式である。自動式では、30分間の平均使用電力値の予測値が設定値を超える可能性がある場合は、空調や照明などの負荷をあらかじめ設定した順番で自動停止して、当該30分間の平均使用電力量（＝デマンド（値））を削減する方式である。

　なお、デマンド制御における使用電力量の計測は30分間単位（30分間毎にリセット）であり、30分間の計測開始時間については電力会社の計測器と同期させることが制御の要件となる。

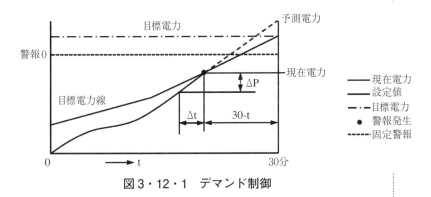

図3・12・1　デマンド制御

(2) 照明設備

① LED照明

　照明光源の発光原理には、長い間、白熱灯のような熱放射現象や蛍光灯や水銀灯のような放電現象が利用されていた。しかし、半導体技術の発展により1990年代後半からは、電流を流すと発光する半導体、いわゆる発光ダイオード（LED）が照明光源として利用されるようになり、多くの分野で急速に用いられるようになった。LEDの特徴としては、発光効率が高く（白色LED 例：

130 ルーメン以上 /W）蛍光灯の半分程度の消費電力で同程度の照度を得られること、長寿命（40,000 時間以上）であること、瞬時に点灯すること、調光や調色が容易であることなどが挙げられる。

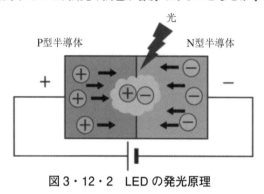

図3・12・2　LED の発光原理

② 照明制御

　　照明設備の省エネを実現する代表的な照明制御方式を、表3・12・2 に紹介する。

表3・12・2　照明制御方式の例

No.	制御方式の名称	制御の内容	削減電力量の試算例
1	初期照度補正	新品の蛍光灯の光束過剰分を調光・削減する。	12%
2	明るさ制御	昼間、自然光を取り入れて、特に窓側エリアの過剰分を調光・削減する。	34%
3	人感センサー制御	トイレ、洗面所や会議室などの照明をセンサによって点灯・消灯する。	40%
4	タイマー制御	就業時間や営業時間に基づき、タイマーに拠って照明を点灯・消灯する。	43%

(3) 動力設備

① トップランナー電動機

　　日本国内における産業用電動機の消費電力量は、産業用電力エネルギーの 60 〜 70% と見積もられている。そして、産業用電動機の 90% 以上は形式が三相かご型誘導電動機であり、その 90% 以上は効率が IEC 規格の IE1（標準効率）であると推定されている。

　　そこで、経済産業省は、この分野の効率向上を図るため、三相誘導電動機を省エネ法のトップランナー制度の対象機器として追加指定し、2015 年に IE3（プレミアム効率）レベルを目標基準値とした省エネ施策を開始した。この施策によるトップランナー

電動機の採用が進行すれば、産業用電動機のエネルギー消費効率は出荷台数で加重平均して7.4％程、改善されると推定されている。

　なお、トップランナー電動機は、同じ容量の従来型電動機と比較して、回転速度が速くなったり、消費電力が変化したり、始動電流が増大する場合があることに留意したい。

② 回転数制御（インバータ制御）

　電動機で流体を搬送する場合、流量や風量は電動機の回転数に比例するが、消費電力は回転数の3乗に比例する特性を持つ。したがって、ポンプの流量や空調機の風量の制御を電動機の回転数によって行えば消費電力の削減が図れることになり、この回転数制御は通常、半導体技術を応用したインバータ制御機器によって実現している。ただし、ポンプの流量制御などでは、流量は回転数の3乗に比例するが、他方で揚程が回転数の2乗に比例するので、回転数の減少に伴う揚程の減少には注意が必要である。また、インバータ制御機器は高調波電流を発生することにも留意する。

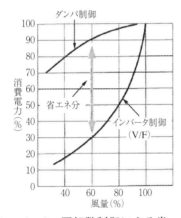

図3・12・3　回転数制御による省エネ例

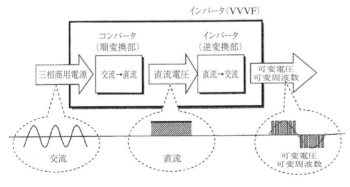

図3・12・4　汎用インバータのブロック図

3-13 耐 震 施 工

1 ▶ 地震と電気設備の揺れ

　地震の揺れに関する物理量には、変位、加速度、周期、継続時間などがあるが、電気設備の耐震対策を行う上で重要なものに加速度と周期がある。前者については、物を破壊する力は加速度に比例することから、後者については、地震の際、建物や電気設備の揺れ（変位、加速度）は固有周期に依存することから重要視される。

　通常、地震動の周期は 0.1 ～ 2 秒程度のものが一般的である。一方、建物の固有周期は建物の高さにほぼ比例（比例定数：0.02 ～ 0.03 秒／m）し、30m 高さの建物では 0.6 ～ 0.9 秒程度となることが多い。また、一般の電気設備の固有周期は、殆どが 0.5 秒以下である。

　このような中で建物内に設置された電気設備は、地震時に地盤～建物（床、壁、天井）～設備を通して揺らされ、もし建物の揺れの周期が設備の固有周期に近ければ設備の揺れは大きくなり、一致すれば最大となる。このことは、地盤の揺れの周期と建物の固有周期との関係も同様であり、もし地盤の揺れの周期が建物の固有周期に近ければ建物の揺れは大きくなり、一致すれば最大となる。

　ここで、地震の際、設備に発生する加速度の大きさについて、建物の加速度に対する比率を特に応答倍率と呼び、一般の電気設備では 1.0 ～ 1.5 程度と見積もられている。これは、建物の加速度に対して、電気設備の加速度が最大 1.5 倍程度まで増幅されることを意味している。しかし、変圧器や発電機などに防振装置が組み込まれた場合は、固有周期が建物の揺れ周期に近づくことがあるので、防振装置付きの電気設備の応答倍率は 1.5 ～ 2.0 程度と想定されている。

2 ▶ 地 震 力

　建築電気設備の耐震設計では、地震が対象物に及ぼす影響を静的な地震力に置き換えて算定する震度法を採用することが多い。震度法においては、地震力は対象物の重心位置で水平方向と上下方向に作用し、その大きさは対象物の重量に比例するとし、比例定数を設計用震度と呼んでいる。この設計用震度（比例定数）は、設備の固有周期から設定するのが最も理に沿っているが、公共建築協会発行の「電気設備工事監理指針」や日本建築センター発行の「建築設備耐震設計・施工指針」などにおいては、対象物の設置場所と対象物の重要度から決定する局部震度法と呼ばれる簡便な方法で設定している。

　参考までに、表3・13・1に「電気設備工事監理指針」の設計用標準震度を、表3・13・2に「建築設備耐震設計・施工指針」の設計用標準震度を示す。

表3・13・1　局部震度法による設計用標準震度＜水槽類を除く＞（「電気設備工事監理指針」抜粋）

設置場所	耐震安全性の分類			
	特定の施設		一般の施設	
	重要機器	一般機器	重要機器	一般機器
上層階、屋上及び塔屋	2.0（2.0）	1.5（2.0）	1.5（2.0）	1.0（1.5）
中間階	1.5（1.5）	1.0（1.5）	1.0（1.5）	0.6（1.0）
1階及び地下階	1.0（1.0）	0.6（1.0）	0.6（1.0）	0.4（0.6）

（　）内の数値は防振支持の機器の場合に適用する。

備考1. 本表は建築物の構造体か鉄筋コンクリート造、鉄骨鉄筋コンクリート造、鉄骨造のものに適用する。
備考2. 上層階の定義は、次のとおりとする。
　　2～6階建の場合は最上階、7～9階の場合は上層2階、10～12階の場合は上層3階、13階以上の場合は上層4階
備考3. 中間階の定義は、次のとおりとする。
　　地下階、1階を除く各階で上層階に該当しないものを中間階とする。
　　（平屋建は1階と屋上で構成され、中間階なし）
備考4. 設置場所の区分は機器を支持している床部分にしたがって適用する。床又は壁に支持される機器は当該階を適用し、天井面より支持（上階床より支持）される機器は支持部材取付床の階（当該床の上層）を適用する。

表3・13・2　設備機器の設計用標準震度（「建築設備耐震設計・施工指針」抜粋）

	設備機器の耐震クラス			適用階の区分
	耐震クラスS	耐震クラスA	耐震クラスB	
上層階、最上階および塔屋	2.0	1.5	1.0	
中間階	1.5	1.0	0.6	
地階および1階	1.0（1.5）	0.6（1.0）	0.4（0.6）	

（　）内の値は地階および1階（あるいは地表）に設置する水槽の場合に適用する。

上層階の定義
・2～6階建ての建築物では、最上階を上層階とする。
・7～9階建ての建築物では、上層の2層を上層階とする。
・10～12階建ての建築物では、上層の3層を上層階とする。
・13階建て以上の建築物では、上層の4層を上層階とする。
中間階の定義
・地階、1階を除く各階で上層階に該当しない階を中間階とする。
・「水槽」とは、受水槽、高置架水槽などをいう。

3 ▶ 床置き機器のアンカーボルト選定

床置き機器に対するアンカーボルトの引抜力は次のように算出される。

水平地震力　$F_H = K_H \cdot W$ 〔kN〕　　　・・・①式

ただし、

　　K_H：設計用水平震度

　　W：機器の質量〔kN〕

鉛直地震力　$F_V = K_V \cdot W$〔kN〕　　・・・②式

ただし、

　　K_V：設計用鉛直震度

引抜力　　　$R = \dfrac{F_H \cdot h_G - (W - F_V) \cdot \ell_G}{\ell \cdot n_t}$　　・・・③式

ただし、

　　h_G：支持面から設備機器重心までの高さ（cm）

　　ℓ_G：検討する方向から見たアンカーボルト中心から設備
　　　　機器重心までの距離（cm）
　　　　ただし、$\ell_G \leqq \ell / 2$

　　ℓ　：検討する方向から見たアンカーボルトスパン（cm）

　　n_t：設備機器の転倒を考えた場合の引張を受ける片側の
　　　　アンカーボルト本数

　ここで上記③式を見れば、機器重量が重いほど、また機器を建物の上層階に設置するほど、アンカーボルトの引抜力は大きくなり、強度の大きなものが必要になることが分かる。

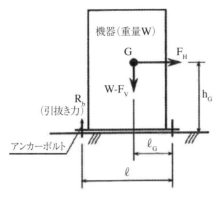

図 3・13・1　床置き機器のアンカーボルトの引抜力

4 ▶ 配管等の耐震措置

　耐震設計では、電線管、金属ダクト、ケーブルラック、バスダクトなどは配管等と呼ばれ、地震の際に過大な変位が発生しないような耐震支持を行うことが要求される。

　配管等の耐震支持には表3・13・3に示すS_A種、A種、B種の3種があり、適用については表3・13・4に従うようにする。

　なお、立て配管等については、標準支持間隔毎に自重支持をすれば、過大な変形は抑制されると考えられ、通常、特別な耐震支持を必要としないが、頂部一点吊りケーブルにあっては、9～12mの範囲内でスペーサ等により耐震支持（振止め）を行う必要がある。

表3・13・3　耐震支持の種別

種別	耐震支持			自重支持（通常の支持）
	S_A種耐震支持	A種耐震支持	B種耐震支持	
内容	地震時に支持材に作用する引張り力、圧縮力、曲げモーメントにそれぞれ対応した部材を選定して構成されているもの。		地震力により支持材に作用する圧縮力を配管等の重量による引張り力と相殺させることにより、吊り材、振止め斜材が引張り材（鉄筋、フラットバーなど）のみで構成されているもの。	自重のみを支えるための支持
備考	見掛け上の設計用水平標準震度：1.0	見掛け上の設計用水平標準震度：0.6	―	―

表3・13・4　耐震支持の適用（「建築設備耐震設計・施工指針」抜粋）

設置場所	電気配線（金属管、金属ダクト、バスダクトなど）	ケーブルラック
耐震クラスA、B対応		
上層階、屋上、塔屋	電気配線の支持間隔12 m以内に1箇所A種を設ける。	ケーブルラックの支持間隔8 m以内に1箇所A種またはB種を設ける。
中間階	電気配線の支持間隔12 m以内に1箇所A種またはB種を設ける。	
地階、1階		ケーブルラックの支持間隔12 m以内に1箇所A種またはB種を設ける。
耐震クラスS対応		
上層階、屋上、塔屋	電気配線の支持間隔12 m以内に1箇所S_A種を設ける。	ケーブルラックの支持間隔6 m以内に1箇所S_A種を設ける。
中間階	電気配線の支持間隔12 m以内に1箇所A種を設ける。	ケーブルラックの支持間隔8 m以内に1箇所A種を設ける。
地階、1階		

ただし、以下のいずれかに該当する場合は、上記の適用を除外する。

1)　φ82以下の単独金属管。
2)　周長80cm以下の電気配線。
3)　定格電流600A以下のバスダクト。
4)　幅400mm未満のケーブルラック。
5)　吊り長さが平均20cm以下の電気配線。
6)　吊り長さが平均20cm以下のケーブルラック。

　なお、ケーブルラックの支持間隔については、支持間隔を広げても支障ないことが製造者により確認された製品を使用する場合は、最大値を12 mとして支持間隔を定めることができる。

5 ▶ 耐震ストッパ

　変圧器や発電機などに設置した防振装置は、地震時に想定を超えた変位を生じて、防振装置の破断あるいは機器の脱落や導電部の破損を招くことがある。実際、阪神大震災においては、この過大変位が原因となって防振装置付き機器に損傷被害が多く発生した。この対策には、防振装置を組み込んだ機器には地震時の変位を抑制する耐震ストッパを取付けることが最も適切である。耐震ストッパは機能面から、移動防止形、移動・転倒防止形、通しボルト形等に分類される。

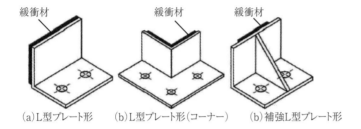

図 3・13・2　移動防止形耐震ストッパの例

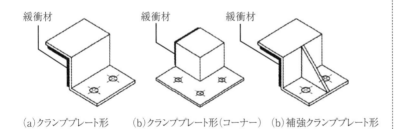

図 3・13・3　移動・転倒防止形耐震ストッパの例

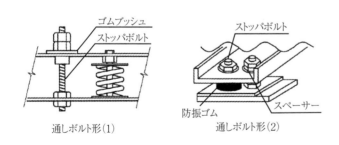

図 3・13・4　通しボルト形耐震ストッパの例

第章
4

電車線・その他の設備

4-1 電 気 鉄 道

1 ▶ 電 車 線 と 軌 道

(1) 電車線設備の構成

R04

電気車は集電装置を介して、常に安定した電力の供給を受けることが必要であり、そのために線路に沿って設けられた電気鉄道用電線路を電車線路という。

電車線路は、次の3つの要素に分類することができる。

① **変電所から電車線又は導電レールへ給電する電線**

この電線をき電線と呼び、き電線を支持する工作物を含めき電線路と呼ぶ。

② **電車線から変電所までの線路**

これを帰線と呼び、帰線を支持する工作物を含めて帰線路と呼ぶ。一般に車両走行用レールを電気的に接続して使用する。

③ **集電するための導体**

電車線路は一般に架空単線式が多く用いられるが、この導体を架空単線式では電車線（トロリ線）と呼び、走行レールと平行に導電用レールを布設した第三レール式では導電レールと呼ぶ。

(2) 架空単線式電車線のちょう架方式

架空単線式の電車線のちょう架方式は、カテナリちょう架式とする。カテナリちょう架式によりちょう架する場合は、次の方法で施設する。

① ちょう架方法は、列車の運転速度に応じたものとする。

② ハンガ間隔は、5mを標準とする。

③ 電車線及びちょう架線には、適当な間隔で張力調整装置（新幹線は自動張力調整装置）を設ける。

架空単線式のちょう架方式を、表4・1・1に示す。

R05　R04　R02　H30　H28

補　足

鉄道に関する技術基準
第41条2解釈基準19

表4・1・1　架空単線式の架線構造

種　　別	構　造　略　図	速度性能	集電容量
直接ちょう架式	逆Y線	低中速用	小容量用
剛体ちょう架式	アルミ架台	低速用	中容量用
シンプルカテナリ式	支持点　ちょう架線　支持点／トロリ線　ハンガー	中速用	中容量用
変形Y形シンプルカテナリ式	Y線	高速用	中容量用
合成シンプルカテナリ式	合成素子	高速用	中容量用
ヘビーシンプルカテナリ式		高速用	中容量用
ツインシンプルカテナリ式		中高速用	大容量用
コンパウンドカテナリ式	ちょう架線　補助ちょう架線　ドロッパ／トロリ線　ハンガー	高速用	大容量用
合成コンパウンドカテナリ式	合成素子	超高速用	大容量用
ヘビーコンパウンドカテナリ式		超高速用	大容量用

1) 直接ちょう架方式

　ちょう架線を用いず、スパン線などから直接トロリ線を吊るす構造のものである。この方式はトロリ線の高低変化が大きく、また、支持点下が硬点となりやすいため、高速運転には適さない。

2) 剛体ちょう架方式

　トンネルなどの天井にアルミ合金、鋼などの導体用成形材をがいしにより支持し、更にその下面にトロリ線を固定金具イヤーにより支持する方式である。

3) カテナリちょう架方式

H29

　トロリ線を吊り下げるためのちょう架線を架設し、これからハンガ、ドロッパなどの金具によりトロリ線を吊るした構造のものである。カテナリちょう架方式はシンプルカテナリ方式とコンパウンドカテナリ方式に分けられる。

① シンプルカテナリ方式

ポイント
シンプルカテナリ方式

　最も簡単で基本的な方式である。現在、幹線鉄道、郊外鉄道などに広く用いられており、設備数が最も多い。シンプルカテナリには次の3つの方式がある。

　イ　変形Y形シンプルカテナリ方式

　　　シンプルカテナリ方式の支持点付近にY線と呼ばれる補助線を入れて、トロリ線の押し上げ特性を高めたもので、これにより速度性能の向上を図る方式である。

　ロ　ツインシンプルカテナリ方式

　　　シンプルカテナリ方式をダブルに併設したもので、集電容量が大きく、大容量、高頻度の高速用運転区間に用いられる。

　ハ　ヘビーシンプルカテナリ方式

　　　シンプルカテナリ方式よりも線条の張力を大きくしたもので、トロリ線の押し上げ特性及び風によるトロリ線の偏いを少なくしたもので、これにより速度性能の向上を図る方式である。

補　足
張力調整装置
カテナリちょう架式の電車線路に使用される滑車式自動張力調整装置（バランサ）は、大滑車と小滑車とを同軸にして用い、小滑車に電線を引留め、大滑車に重りを吊り下げ、電線の張力を重りの上下動を利用して調整するものである。

偏い
トロリ線の軌道中心面からの偏りの寸法（250mm 以内）をいう。

② コンパウンドカテナリ方式

ポイント
コンパウンドカテナリ方式

　コンパウンドカテナリ方式の基本形で、ちょう架線とトロリ線の間に補助ちょう架線を入れた方式で、集電容量が大きく、速度性能にも優れている。高速、大容量の運転区間などに用いられる。この方式の他に次のような方式がある。

　イ　合成コンパウンドカテナリ方式

　　　コンパウンドカテナリ方式の支持点付近のドロッパに、**合成素子**を取付けた方式で、トロリ線の振動を抑制し、支持点付近の特性を高めた方式で超高速用に採用される。

　ロ　ヘビーコンパウンドカテナリ方式

　　　コンパウンドカテナリ方式の線条の張力を大きくしたもので、合成コンパウンド方式に比べ、さらに速度性能、保安度を総合的に向上させたもので、新幹線など超高速用に採用される。

補　足

合成素子
スプリングと空気ダンパを組合せたもの。

(3) 架空電車線の高さ

　普通鉄道（新幹線を除く）における架空単線式の電車線の高さを表4・1・2に、新幹線を表4・1・3に示す。

R06

補　足

鉄道に関する技術基準
第41条2解釈基準10及び解釈基準14

表4・1・2　架空単線式電車線の高さ（普通鉄道）

設　置　場　所	高　さ
普通鉄道（レール面上）	5 m以上5.4 m以下
踏切道（踏切道面上）	4.8 m以上
トンネル、こ線橋、橋梁及びプラットホーム上屋ひさし	集電装置を折りたたんだ高さ＋ 400 mm

表4・1・3　架空単線式電車線の高さ（新幹線）

設　置　場　所	高　さ
新幹線鉄道（レール面上）	5 mを標準 4.8 m以上5.3 m以下

(4) 架空電車線の規格

　架空単線式の本線における電車線（剛体ちょう架式を除く）はJIS規格「みぞ付硬銅トロリ」の規格に適合する公称断面積**85mm² 以上**（新幹線にあっては、公称断面積**110mm² 以上**）の**溝付硬銅線**又はこれに準ずるものとする。

- ・　電車線のちょう架をカテナリちょう架式による場合、ハンガ間隔は5m以内を標準とする。
- ・　剛体ちょう架式又は剛体複線式の電車線及びサードレールの支持点の間隔は、剛体ちょう架式では**7m以下**、剛体複線式及びサードレールにあっては、**5m以下**とする。

R06

補　足

鉄道に関する技術基準
第41条2解釈基準18

(5) 架空単線式電車線の偏い

架空単線式の電車線の偏いは、集電装置にパンタグラフを使用する区間においては、レール面に垂直の軌道中心面から 250mm 以内（新幹線にあっては、300mm 以内）とする。

R06

補　足

鉄道に関する技術基準
第 41 条 2 解釈基準 22

(6) 架空単線式電車線の勾配

架空単線式の電車線のレール面に対する勾配は、列車が 50km/h を超える速度で走行する区間にカテナリちょう架式又は剛体ちょう架式を用いた場合は 5/1,000 以下、その他の場合は、15/1,000 以下（新幹線は速度に関わらず 3/1,000 以下）とすること。ただし、側線における電車線は 20/1,000 以下（新幹線は 15/1,000 以下）とする。

R06

補　足

鉄道に関する技術基準
第 41 条 2 解釈基準 23

(7) 架空き電線の高さ

架空き電線の高さを表4・1・4に示す。

補　足

鉄道に関する技術基準
第 41 条 2 解釈基準 13

表4・1・4　架空き電線の高さ

	直　流	交　流
鉄道又は軌道横断（レール面上）	5.5 m 以上	
道路（道路面上）	6 m 以上	
踏切道（踏切道面上）	5 m 以上（電車線の高さ以上）	
横断歩道橋及びプラットホーム（歩道面上・プラットホーム面上）	4 m 以上*1 3.5 m 以上*2	5 m 以上*3 3.5 m 以上*4
トンネル、跨線橋	3.5 m 以上	
上記以外の場所（地上面上）	5 m 以上	

注）＊1　直流 1,500 V
注）＊2　直流 750 V 以下
注）＊3　交流き電線
注）＊4　交流 600 V を超え 7,000 V 以下

(8) 電車線（トロリ線）の摩耗

トロリ線の摩耗には、電気的摩耗と機械的摩耗がある。

① 電気的摩耗

パンタグラフとトロリ線の不完全接触又は離線などに起因して発生する火花、アークなどの電気的原因によって生ずる摩耗をいう。発生箇所には、次のようなものがある。

・　トロリ線の勾配変化点

R06

- ・　トロリ線の大きな硬点箇所
- ・　トロリ線の接触面が変形している箇所
- ・　ちょう架線及びトロリ線の張力不適正な箇所

② **機械的摩耗**

　パンタグラフすり板とトロリ線間の機械的摩擦や衝撃により生ずる摩擦をいう。

(9) 電車線（トロリ線）の摩耗軽減策

① **局部的な摩耗軽減**

- ・　トロリ線の勾配と勾配変化を少なくする。
- ・　金具を軽量化し、トロリ線の局部的な硬点を少なくする。
- ・　張力自動調整装置を設け、トロリ線の張力を常に一定にする。

② **全体的な摩耗軽減**

- ・　パンタグラフのすり板を改良し硬度が過大なものを使用しない。
- ・　トロリ線に耐摩耗性のものを使用する。

(10) 電車線（トロリ線）の許容温度

　トロリ線の温度は、流れる負荷電流、抵抗損、集電装置のすり板の接触抵抗などによって上昇するため、熱履歴によって機械的強度が一定以上低下しないように許容温度が定められている。一般的な温度上昇対策には、

- ①　耐熱性の優れた特性を持つトロリ線を使用する。
- ②　トロリ線の断面積を大きくする。
- ③　パンタグラフのすり板に接触抵抗の小さいものを使用する。
- ④　分岐を増やすなど、き電方法に配慮する。

などがある。

(11) レールの軌間

　軌間とは、軌道中心線が直線である区間におけるレール頭部内面（レール面からの距離が、14mm（又は16mm）以内の部分に限る）間の距離をいう。

- ・　標準軌　　　　　1,435mm（新幹線、一部の私鉄）
- ・　狭軌　　　　　　1,372mm（一部の私鉄）
- ・　偏軌、馬車軌　　1,067mm（JR 在来線、多くの私鉄）
- ・　軽便鉄道　　　　　762mm（一部の私鉄）

ポイント

トロリ線の摩耗軽減策

R05

2▶ き 電 シ ス テ ム

(1) 直流き電方式と交流き電方式の比較

　直流 1,500 V き電方式と商用周波単相交流 20kV き電方式の比較を、　 R05
表 4・1・5 に示す。

表 4・1・5　直流き電方式と交流き電方式の比較

項　目		直流 1,500 V き電方式	商用周波単相交流 20kV き電方式
地上設備	変 電 所	・変電所の建設費が高い。 ・変電所間隔が約 5〜10km と短く、変電所数が多い。 ・交流－直流の変成機器を必要とし、所内設備は複雑となる。	・変電所の建設費が安い。 ・変電所間隔が BT 方式で約 30〜50km と長く、変電所数が少ない。 ・変圧器だけでよいため、所内設備は単純となる。
	き 電 電 圧	・主電動機、直流変成機器の絶縁設計上制約を受けるため、高電圧が利用できない。	・電気車に変圧器を搭載することにより、高電圧が利用できる。
	電 車 線 路	・電流が大で所要銅量も大きく、重荷重に耐える構造が必要となる。	・電流が小で所要銅量も少なく、構造も軽量となる。
	絶 縁 離 隔	・電圧が低いので、絶縁離隔は小さくてよい。 ・トンネル断面を小さくできる。	・電圧が高いので、絶縁離隔は大きくなりトンネル断面を大きくする必要がある。
	電 圧 降 下	・き電線の増設やき電区分所、変電所の新設が必要となる。	・直列コンデンサや自動電圧調整装置で簡単に補償できる。
	保 護 設 備	・運転電流が大きく、事故電流の選択遮断に特殊な保護設備を要する。	・運転電流が小さく、事故電流の判別が容易で、保護設備も簡単である。
	通信誘導障　　害	・誘導障害の程度は少なく、変電所にフィルタを設けるなどのほか、特に設備を要しない。	・誘導障害が大きく、吸上変圧器、単巻変圧器、通信線のケーブル化などを必要とする。
	不 平 衡	・三相電源不平衡の問題を生じない。	・三相電源不平衡を生じ対策が必要である。

(2) 直流き電方式

　直流き電用変電所は、三相交流の送電網から受電し、変圧器により降圧し、シリコン整流器などで直流に変換して電車線路にき電する。

　直流電気鉄道の周辺で電食が発生する可能性がある。

　き電回路ごとに整流器の故障時及び短絡故障時の保護装置として高速遮断器が設けられている。

　回生インバータは直流回生電力を交流に変換するものであり、変換された交流電力は、信号設備や駅設備のエレベータ、エスカレータや空調設備などの電源として利用される。

　直流き電方式は低電圧、大電流であるため隣接する変電所間で並列にき電が行われ、トロリ線と並列き電線が架線されている。

　直流電気鉄道のき電回路における、電圧降下の軽減対策としては、次のようなものがある。

　① 電圧降下の大きい区間に新たな変電所を設置して、き電距離を短縮する。

　② き電線を太くしたり、条数を多くし線路抵抗を低減する。

　③ 上下線一括き電方式を採用する。

　④ 変電所に電圧補償装置（DCVR）を設置し、電圧を補償する。

(3) 交流き電方式

　交流き電用変電所は、三相交流の送電網から受電し、スコット結線変圧器などの変圧器により単相交流電力を電車線路にき電する。

　交流き電方式は高電圧が小電流であるため、直流き電方式のようにトロリ線と並列のき電線はATき電方式のような場合を除き、一般には設けない。

① BTき電方式（吸上変圧器き電方式）

　BTき電方式は吸上変圧器を用いたき電方式で、吸上変圧器はレールに流れる帰線電流及び大地に流れる電流を極力減少させ通信誘導障害対策として用いる変圧器である。

　一次側は電車線に、二次側は負き電線に接続され、負き電線は吸上変圧器の中間で、吸上線によりレールに接続される。

　BTき電方式は、電車線に電気的なブースターセクションが必要であり、列車通過時のアークによりちょう架線を損傷することがあるという欠点がある。

　図4・1・1に、BTき電方式を示す。

R06　R04　R03
H30　H27

【補　足】　R01

回生失効
車両を減速させる「回生ブレーキ」が、上手く動作しない現象をいう。対策としては、
・変圧器タップ値の変更
・上下一括き電方式の導入
・サイリスタインバータの設置
・サイリスタ整流器の導入

【補　足】

き電用変圧器には、次のものがある。
・スコット結線変圧器
・ルーフ・デルタ結線変圧器
・変形ウッドブリッジ結線変圧器

【用　語】

BT：
Booster-Transformer。

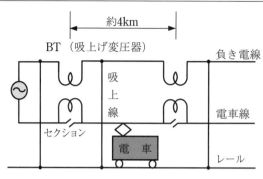

図4・1・1　BT き電方式

② AT き電方式（単巻変圧器き電方式）

　AT き電方式は、き電線と電車線の間に単巻変圧器を並列に挿入し、中性点はレール及び AT 保護線に接続される。

　誘導障害と対地電位を下げるため単巻変圧器は、その巻線の中央（又は適切な巻線比になる点）を中性線によってレールに結び、巻線の一端を電車線に接続し、他端はき電線に接続する。

　図4・1・2に、AT き電方式を示す。

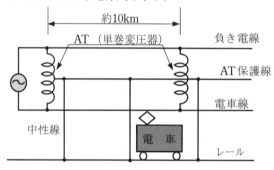

図4・1・2　AT き電方式

3 ▶ 信号保安装置と制御方法

　鉄道信号保安装置は、列車の運転又は車両の移動の安全を保つための手段で、信号装置、閉そく装置、転てつ装置、連動装置、踏切保安装置、軌道回路装置などの総称である。

(1) 鉄道信号保安一般用語

① 信号：係員に対して、列車又は車両を運転するときの条件を現示するもの。

② 閉そく：一定区間を1列車だけの運転に専用させること。

③ 安全側線：停車場において、列車又は車両が誤ってその停止すべき位置を行き過ぎた場合の衝突又は接触を防止する目的で設ける線路。

④ 確認距離：信号機の現示が間断なく確認できる位置からその信号機までの距離。

⑤ 建築限界：車両走行時に車両と建築物が接触しないようにするため、軌道内の建築物が存在してはいけない範囲。

⑥ 車両限界：走行時の揺れやカーブでの傾きなどを考慮した上での車両断面の限界範囲。

⑦ 車止め：列車や車両が過走や逸走するのを防止するために、軌道の終端に設ける設備。第一種車止めから第三種車止めと制走堤と呼ばれている第四種車止めがある。

⑧ 車両接触限界：線路が分岐又は交差する箇所で、各線路上にある車両が他の線路を支障しない限界。クリアランスともいう。

⑨ 定位・反位：一般的に、装置の常時の状態を"定位"といい、それ以外（反対）の状態を"反位"という。転てつ器では、常時開通させておく方向を"定位"といい、それ以外の開通方向を"反位"という。

⑩ 連動図表：連動装置の連鎖などの内容を、鉄道信号用文字記号、図記号などを用いて表した図表。

(2) 信号装置

① 鉄道信号：鉄道において、色、形、音などの一定の符号を用いて意思を伝えるための手段で、信号、合図及び標識の総称。

② 現示：信号の指示内容を表すこと。

③ 表示：合図、標識などで条件・状態を表すこと。

R06

ポイント

常置信号機

R06

④　常置信号機：一定の場所に常置してある信号機で、**主信号機、従属信号機**及び**信号附属機**の総称。

⑤　**主信号機**：一定の防護区域をもっている信号機で、**場内信号機、出発信号機、閉そく信号機、誘導信号機**及び**入換信号機**の総称。

・場内信号機：停車場に進入する列車に対する信号機。

・出発信号機：停車場から進出する列車に対する信号機。

・閉そく信号機：閉そく区間に進入する列車に対する信号機。

・誘導信号機：場内信号機又は入換信号機に進行を指示する信号を現示してはならないとき、誘導を受けて進入する列車又は車両に対する信号機。

・入換信号機：入換えをする車両に対する信号機。

⑥　**従属信号機**：主信号機に従属する信号機で、**遠方信号機、通過信号機**及び**中継信号機**の総称。

・遠方信号機：場内信号機に従属して、その外方で主体の信号機の信号現示を予告する信号機。

・通過信号機：出発信号機に従属して、その外方で主体の信号機の信号現示を予告し、停車場通過の可否を知らせる信号機。

・中継信号機：場内信号機、出発信号機又は閉そく信号機に従属して、その外方で主体の信号機の信号現示を中継する信号機。

⑦　**信号附属機**：主信号機又は従属信号機に附属して、その信号機の指示すべき条件を補うために設ける**進路表示機**及び**進路予告機**の総称。

・進路表示機：場内信号機、出発信号機、誘導信号機又は入換信号機を二つ以上の進路に共有するとき、その信号機に附属して、列車又は車両の進路を表すもの。

・進路予告機：場内信号機、出発信号機、閉そく信号機、遠方信号機又は中継信号機に附属して、隔だった場内信号機又は出発信号機の指示する列車の進路を手前で予告するもの。

⑧　**臨時信号機**：線路の故障その他で、列車又は車両が平常の運転ができない場合、臨時に設ける信号機で、徐行信号機、徐行予告信号機及び徐行解除信号機の総称。

⑨　**車内信号機**：車内において、列車の許容運転速度を示す信号を現示する信号機で、地上設備及び車上設備からなる。

R06　R05　R04　R02

(3) 閉そく装置

① **閉そく**：一定区間を1列車だけの運転に専用させること。

② **閉そく方式**：1閉そく区間に、1列車だけを運転させ、他の列車を同時に運転させないために施行する方式。

③ **閉そく装置**：各種閉そく方式を施行するために設けられた装置。

④ **閉そく区間**：閉そく方式を施行するために定めた区間。

(4) 転てつ装置

① 転てつ装置：転てつ器及び可動クロッシングの転換、鎖錠などに用いる装置の総称。

② 転てつ器：線路を分岐させる部分の軌道構造。（ポイント）

(5) 軌道回路装置

① 軌道回路：列車又は車両を検知するために、レールを用いる電気回路。

② 複軌条軌道回路：両側レールにレール絶縁を用いた軌道回路。

③ 単軌条軌道回路：片側レールにレール絶縁を用いた軌道回路。

④ 閉電路式軌道回路：軌道リレーは常時励磁され、列車又は車両が進入したとき、リレーが無励磁となる軌道回路。

⑤ 開電路式軌道回路：軌道リレーは常時励磁されないで、列車又は車両が進入したとき、リレーが励磁される軌道回路。

⑥ **インピーダンスボンド**：レールには電車の帰線電流と軌道回路の電流の2つが流れる。しかし、レールの両端は軌道回路の構成のため閉そく区間ごとに絶縁されて、電車電流は閉そく区間を超えて流れることはできない。そこで、絶縁箇所にこの機器を取り付け電気車帰線電流と軌道回路の電流とを分離する。

⑦ **クロスボンド**：帰線電流の平衡を保つため2以上の線路を接続する導体。

R06

補　足

連動装置：
転てつ器と信号機の動作を制御し、列車が進行中転てつ機が動作しないように鎖錠するなど、転てつ器と信号機の動作に一定の順序及び制限の連鎖関係を持たせる保安装置をいう。

R06

R06

H28

(6) 各種列車制御装置

① **自動列車停止装置（ATS）**：列車が停止信号に接近すると、列車を自動的に停止させる装置。

② **自動列車制御装置（ATC）**：列車の速度を自動的に制限速度以下に制御する装置。

③ **自動列車運転装置（ATO）**：列車の速度制御、停止などの運転操作を自動的に制御する装置。

④ **列車集中制御装置（CTC）**：1か所の制御所で制御区間内各駅の信号保安装置を制御するとともに、列車運転を指令する装置。

⑤ **自動進路制御装置（PRC）**：列車又は車両の進路設定をプログラム化して自動的に制御する装置。

⑥ **列車運行管理装置（TTC）**：列車運行に伴う業務を総合して管理する装置。

ポイント

各種列車制御装置

R03　H27

H30

R01

4-2 その他の設備

1 道路照明

(1) 道路照明の要素

道路照明は、次の４つの要素によって決定される。

① 平均路面輝度

平均路面輝度は、発光面からある方向の光度を、その方向への正射影面積で割った値の平均値をいう。

R06　R03

② 路面輝度の均斉度

路面輝度の分布の均一さの程度を均斉度という。路面上の輝度の分布が不均一になると、路面上には明暗が生ずる。

③ グレア

見え方の低下や、不快感や疲労を生ずる原因となる光のまぶしさをグレアという。グレアによる見え方の低下は不快を生じない程度に抑制する必要がある。

H29

④ 誘導性

道路の線形に沿って適切に配置された照明器具は、運転者に前方道路の方向、線形、勾配などに関する視覚情報を与える。これを照明の誘導性という。

(2) 道路照明用ランプ

　道路、トンネル、広場などの照明に使用するランプは、効率、光束、寿命、光色及び使用環境の諸条件などを総合的に判断して選択する。

① ランプの総合効率

　ランプの効率は、通常、ランプ全光束〔lm〕／ランプ電力〔W〕で表されるが、実用的にはランプ電力に安定器で消費される電力を加えた安定器入力電力を用い、次式に示す総合効率で評価する。

$$総合効率 = \frac{ランプ全光束〔lm〕}{安定器入力電力〔W〕}　〔lm/W〕$$

② 全光束

　ランプの全光束の大小は、直接照明器具の取付け間隔を左右し、道路照明の設備費や路面輝度分布、グレアに影響を与える。

　ランプ光束の決定は、所要の輝度（照度）レベルや照明器具の取付け間隔、取付け高さなどを考慮して行う。

③ 光色と演色性

　光色とは、ランプの見かけの色のことをいう。道路照明においては、光色の差を利用して特殊箇所を明示したり、路線の区分を明瞭にするなど、一種の標識や誘導の目的で用いられる場合がある。

　演色性とは、ランプによる物体色の見え方の効果をいう。一般の道路照明では、障害物は主として、その背景と輝度差によって知覚されており、演色性はそれほど重要ではない。

(3) 光源の選定

一般に光源の選定は、使用する道路の種類によってランプの特性を考慮して選択される。

表4・2・1に光源の種類と特徴を示す。

表4・2・1　光源の種類と特徴

項　目 ＼ ランプ	高圧ナトリウムランプ	低圧ナトリウムランプ	蛍光水銀ランプ	蛍光ランプ	LED ランプ
平 均 寿 命	長い	長い	長い	普通	長い
総 合 効 率	高い	高い	普通	普通	高い
光　　　色	橙白色	橙黄色	白色	白色	白色
演 色 性	普通	悪い	良い	良い	良い
特　　　徴	ほとんどの道路照明に用いられる	自動車専用道路に適している	低温で始動しにくくなる	低温で始動しにくくなる	灯具形状の自由度が大きい

(4) 照明器具の配光

一般に道路照明に用いる照明器具は、ハイウェイ形道路照明器具を用い、配光はカットオフ形又はセミカットオフ形を用いる。

① **カットオフ形配光**

自動車の運転者に対するグレアを厳しく制限した配光で、水平に近い光を極力カットしたもので均斉度が落ちる。

② **セミカットオフ形配光**

自動車の運転者に対するグレアをある程度制限した配光で、水平に近い光をある程度抑えたものであるが、均斉度は取れる。

③ **ノンカットオフ形配光**

自動車の運転者に対するグレアを制限していない配光で、水平に近い光を制限していないのでまぶしさを感じる。

(5) ランプ効率

ランプの効率は、発光原理・構造に由来するもので、各ランプに特有のものとなる。また、ランプの単位消費電力当たりに放射される光束で表され、単位はルーメン / ワット〔lm/W〕である。

道路照明に使用される主要なランプの効率は、次のとおりである。

高圧ナトリウムランプ ······ 約 130〔lm/W〕
低圧ナトリウムランプ ······ 約 175〔lm/W〕
メタルハライドランプ ······ 約　95〔lm/W〕
蛍光水銀ランプ ··········· 約 055〔lm/W〕
LED ランプ ·············· 160〔lm/W〕以上

(6) 照明の方式

H28

① ポール照明方式

高さ 15m 以下のポールの先端に照明器具を取付け、道路に沿ってポールを配置し、道路を照明する方法で、最も広く用いられている。

この方式の特徴は、必要な場所に任意にポールを設置でき、道路の線形の変化に追従した配置が可能である。

② ハイマスト照明方式

高さ 15〜40m のマストに高出力のランプを内蔵した照明器具を複数個取付け、少ないマストの基数で広範囲を照明する方法である。複雑なインタチェンジやジャンクション、パーキングエリアなどに適している。

③ カテナリ照明方式

道路の中央分離帯に高さ 15 〜 20m のポールを 50 〜 100m 間隔で建て、これにカテナリにワイヤーを張って照明器具を取付けて照明する方式である。中央分離帯のある道路幅の広い道路に適している。

④ 高欄照明方式

R01

車道両側に地上約 1m の高さに道路軸方向に照明器具を設置する方法である。この方法は、車道幅が狭い場合にだけ適するが、勾配部や曲線部ではグレア規制に十分注意を払う必要がある。

(7) 照明器具の取付位置

図4・2・1にポール照明方式の器具取付けの基本を示す。

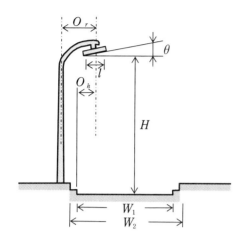

W_1：車道幅
W_2：道路幅
O_r：アウトリーチ
O_h：オーバハング
θ：取付角度
H：取付高さ
l：照明器具の発光部分
　　の長さ

図4・2・1　照明器具取付けの基本

①　オーバハング（O_h）

　車道の端と照明器具の光中心までの水平距離をいう。オーバハングはできるだけ短い方が望ましい。これを長くすると、路面乾燥時の路面輝度は高くなるが、路面が濡れている場合には、路肩付近の輝度が極端に低くなり視認性が低下する。

②　アウトリーチ（O_r）

　照明用ポールの中心から照明器具の中心までの水平距離。

③　取付角度

　取付角度を大きくすると、曲線部などで不快グレアが増大する。通常は5° 以内とするのが望ましい。

④　取付高さ

　取付高さを大きくするとグレアが減少し、照明施設全体の快適性が増大するが、同時に輝度分布の広がりが大きくなる。

2 ▶ トンネル照明

(1) トンネル照明

トンネル照明は、基本照明、入口部照明、出口部照明、特殊構造部の照明、停電時照明、接続道路の照明から構成され、照明方式は原則として対称照明方式である。

1) **基本照明**：昼夜間にトンネルを走行する運転者の視認性を確保する照明であり、原則として灯具はトンネル全長にわたって一定間隔に配置する。

2) **入口部照明**：昼間、トンネルの中に進入する際に発生する視覚的問題（ブラックホール現象や順応遅れ現象）を緩和する照明であり、基本照明に入口照明を付加したものである。境界部、移行部、緩和部の3区間から構成される。

3) **出口部照明**：昼間、トンネルの中から外に出る際に発生する視覚的問題（ホワイトホール現象）を緩和する照明であり、必要に応じて基本照明に出口照明を付加したものである。

4) **特殊構造部の照明**：特殊構造部の照明には、分合流部の照明、非常駐車帯の照明、歩道部の照明がある。

5) **停電時照明**：停電時における危険防止のために必要に応じて設ける照明であり、基本照明の一部を兼用することもある。

6) **接続道路の照明**：夜間、トンネルの出入口付近の道路幅の状況や道路線形の変化などを明示する為、必要に応じて設ける照明である。

(2) 平均路面輝度

基本照明の平均路面輝度の標準は、表4·2·2の通り、排気ガスの影響に対処するため一般の道路照明より高くし、また、設計速度が速いほど高くする。交通量が少ない場合やトンネル長に応じて低減できる。

表4·2·2　基本照明の平均路面輝度

設計速度 （km/h）	平均路面輝度 （cd/㎡）
100	9.0
80	4.5
70	3.2
60	2.3
50	1.9
40 以下	1.6

R05　R02　H30　H27

補　足

灯具の配置
片側配列、千鳥配列、向き合わせ配列がある。
路面の輝度均斉度や誘導性が良好であり、平均路面輝度が高いトンネルで用いることが多いのは、**向き合わせ配列**である。

　入口部照明各部の路面輝度および長さは、野外輝度が 3,300cd/㎡の場合、表 4·2·3 が標準であり、境界部、移行部、緩和部の順に低減される。また、交通量、照明方式あるいは連続するトンネルの坑口間距離に応じて低くできる。

表 4·2·3　入口部照明の路面輝度（野外輝度が 3,300cd/㎡の場合）

設計速度〔km／h〕	路面輝度〔cd/㎡〕			長さ〔m〕			
	L_1	L_2	L_3	ℓ_1	ℓ_2	ℓ_3	ℓ_4
100	95	47	9.0	55	150	135	340
80	83	46	4.5	40	100	150	290
70	70	40	3.2	30	80	140	250
60	58	35	2.3	25	65	130	220
50	41	26	1.9	20	50	105	175
40	29	20	1.5	15	30	85	130

（注）

・L_1 は境界部、L_2 は移行部終点、L_3 は緩和部終点（基本照明）の路面輝度

・ℓ_1 は境界部、ℓ_2 は移行部、ℓ_3 は緩和部、ℓ_4 は入口部照明の長さ（$\ell_1 + \ell_2 + \ell_3$）

3 ▶ 交 通 信 号

(1) 交通信号機の制御の要素

信号表示の設定には、次の事項が基本要素として用いられる。

1) 現示

交差点で通行権を与えられている交通流、又は同時に通行権が与えられている交通流の一群をいう。

2) サイクル

一つの信号の表示が青、黄、赤と一巡するのに要する時間をいい、その長さを秒で表す（周期ともいう）。

3) スプリット

各方向の交通流に対し、1サイクルで、ある交通流に与えられている青信号の時間の配分をいい、通常、％で表す。

4) オフセット

信号機が連続して設置されている道路では、各交差点をスムースに通過できるよう隣接する信号機の青信号開始時間に時差を持たせる。この時間のずれをオフセットといい、1サイクルの時間に対する％又は秒で表す。 **R04　R01**

① **交互式オフセット**：系統路線に沿って1つおきに青を表示する方式である。

② **優先オフセット**：上下交通量の比が極端に大きい場合、あるいは一方通行又は優先して流したい場合に適用する方式である。

③ **平等オフセット**：両方向の円滑の度合いが平等になるようにする方式で、上下交通量に差がない場合に適用する。

④ **同時オフセット**：系統路線に沿って、全交差点の表示が同時に青になるようにする方式で、一般に信号機間隔が短い所では、連続的に車が交差点で停止させられることを避ける場合などに適用する。

(2) 交通信号機の制御の種類

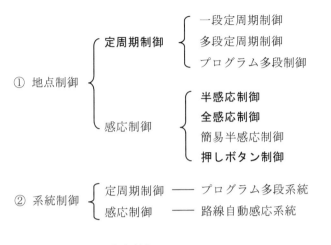

① 地点制御
- 定周期制御
  - 一段定周期制御
  - 多段定周期制御
  - プログラム多段制御
- 感応制御
  - **半感応制御**
  - **全感応制御**
  - 簡易半感応制御
  - **押しボタン制御**

② 系統制御
- 定周期制御 —— プログラム多段系統
- 感応制御 —— 路線自動感応系統

③ 地域制御 —— 感応制御

① 定周期式制御

あらかじめ設定されたサイクル長、スプリットのプログラムどおりに信号表示が繰返される方式である。

② 半感応制御

従道路側の交通に必要最小限の青時間を与えて、その他の時間は主道路側を青とする方式で、従道路側に車両感知器を設置する。

③ 全感応制御

従道路のみならず主道路にも車両感知器を設置して、半感応制御の場合の従道路青時間の制御と同様のことを主道路でも適用する方式である。

④ 押しボタン制御

交差点又は交差点以外の横断歩道に設ける信号機の制御方法で、押しボタンを押すことにより主道路側の車両を止め、横断歩行者又は従道路の車両に通行権を与える方式である。

(3) 道路交通に関する情報システム

道路利用者に対し、道路、気象、交通の状況や各種規制、工事の情報などを提供するシステムで、次のようなものがある。

①　道路気象観測システム

ドライバーに対して気象情報の提供及び道路・交通障害になりうる事象に対し、必要な措置を講ずるもので、雨、風、気温、路面温度、降雪、積雪及び凍結等の気象データを検知・観測するシステムである。関連機材としては、視程計がある。

②　交通監視システム

交通監視システムのなかで、交通監視テレビは道路交通管制の情報収集装置として広く使用されている。これらの監視カメラからモニタテレビまでの設備をCCTV又はITV設備という。

③　路側通信システム

路側通信（ハイウェイラジオ）システムは、道路に沿ってアンテナを設け、交通事象の変化等に即応した情報をタイムリーに提供するシステムである。一般的に、誘導線式アンテナ又は漏洩同軸ケーブルなどが用いられる。使用周波数は、中波帯域の専用周波数（1620Hz）を使用している。

④　自動料金支払いシステム（ETC）

無線通信によって有料道路の料金所で停車することなく、自動的に料金の支払いを行うシステムである。ETCシステムは車両検知機、ゲート、路側無線装置、車載の無線装置などで構成されている。

⑤　道路交通情報通信システム（VICS）

刻々と変化する道路交通情報を、個々の車両に装備されたVICS対応カーナビ装置を通じてリアルタイムで提供し、交通量の分散を促し、交通の円滑化を図るシステムである。

4 ▶ 情報通信ネットワーク（OSI 参照モデル）

(1) OSI 参照モデル

R02　H27

　OSI 参照モデルとは、国際標準化機構（ISO）によって制定された、異機種間のデータ通信を実現するためのネットワーク構造の設計方針で、コンピュータなどの通信機器の持つべき機能を階層構造に分割したモデル。通信機能を 7 階層（レイヤー）に分け、各層ごとに標準的な機能モジュールを定義している。

OSI：Open Systems Interconnection

　第 1 層（物理層）は、ネットワークの物理的な接続・伝送方式を定めたもので、ケーブル種別やコネクタ形状、およびデータの電気信号の符号化方式などをこの層で規定している。

　第 2 層（データリンク層）は、ネットワーク上で直結されている機器同士での通信方式を定めたもので、データの送受信の制御などがこの層で行われ、スイッチングハブはこの層の制御機能を持っている。

　第 3 層（ネットワーク層）は、データリンク層以下のプロトコルを使用して接続されているネットワーク同士の通信を行うための方式を定めたもので、ネットワーク上の全コンピュータに個別のアドレスを割り当て、データの伝送経路選択、パケットサイズの変換などが行われる。IP（インターネットプロトコル）などがネットワーク層に属し、ルータなどの製品がネットワーク層をカバーしている。

　第 4 層（トランスポート層）は、データ転送の信頼性を確保するための方式を定めたもので、ネットワーク層を通して送られてきたデータの整序や誤り訂正、及び再送要求などを行う。TCP、UDP などがトランスポート層に属する。

　第 5 層（セッション層）は、通信の開始時や終了時などに送受信するデータの形式などを定めたもので、この層で論理的な通信路が確立される。セッション層からアプリケーション層までの通信方式は単一のプロトコル（例えば HTTP）で定められていることが多い。

　第 6 層（プレゼンテーション層）は、圧縮方式や文字コードなど、データの表現形式を定めたもので、個別のバイナリファイルをネットワークで通信できる形式に変換したり、逆にネットワーク経由で受信したデータをアプリケーションソフトが認識できる形式に復元したりする部分にあたる。

　第 7 層（アプリケーション層）は、ネットワークアプリケーションのうちユーザが直接接する部分で、ネットワーク経由での送受信を行う

プログラムとユーザとの入出力を行うプログラムの間の通信にあたる。

(2) IT 関連用語

① プロトコル

プロトコルとは、複数の主体が滞りなく信号やデータ、情報を相互に伝送できるよう、あらかじめ決められた約束事や手順の集合のこと。コンピュータ内部で回路や装置の間で信号を送受信する際や、通信回線やネットワークを介してコンピュータや通信機器がデータを送受信する際に、それぞれの分野で定められたプロトコルを用いて通信を行う。

② HTTP（Hyper Text Transfer Protocol）

HTTP とは、Web サーバとクライアント（Web ブラウザなど）がデータを送受信するのに使われるプロトコル。HTML[※注]文書や、文書に関連付けられている画像、音声、動画などのファイルを、表現形式などの情報を含めてやり取りできる。

※注）HTML：Hyper Text Markup Language

③ IP（Internet Protocol）

OSI 参照モデルの第3層（ネットワーク層）に位置し、ネットワークに参加している機器の住所付け（アドレッシング）や、相互に接続された複数のネットワーク内での通信経路の選定（ルーティング）をするための方法を定義している。コネクションレス型のプロトコルであるため、確実にデータが届くことを保証するためには、上位層の TCP を併用する必要がある。

④ TCP（Transmission Control Protocol）

OSI 参照モデルの第4層（トランスポート層）にあたり、第3層（ネットワーク層）の IP と、第5層（セッション層）以上のプロトコル（HTTP など）の橋渡しをする役目を担う。パケット通信の基本機能であり、大きなデータをネットワークで送信しやすいサイズに分割して送信先で確実に再構成できるようにするための機能をもっている。

⑤ UDP（User Datagram Protocol）

UDP とは、TCP と同じく OSI 参照モデルの第4層（トランスポート層）にあたり、TCP が再送信の仕組みを提供し、通信の信頼性を高めているのに対し、UDP はデータの到着を保障しないため、受信確認応答や再送信、データ誤りなどの対応手順は、アプリケーションで行う必要がある。UDP は、通信速度が速く、複数の相手に同時に送信できるメリットがあることから、音声や画像のストリーミング配信など、マルチメディアの分野で活用されている。

第**5**章

関連分野

5-1 ▶ 機 械 設 備

1 ▶ 空 気 調 和 設 備

(1) 空気調和方式

① 定風量単一ダクト方式

R04

　この方式は空調方式の基本となるもので、機械室に設置した空調機とそこで調節した空気を各室に導く一本のダクトから構成され、温度調節弁及び加湿器の制御によって、送風空気の温・湿度を調節して、常に一定風量を各室に導き空調を行うものである。

　中央機械室に空調機を設置して行う中央式の**単一ダクト方式**と、各階・各ゾーンに空調機を設置して行う**分散方式**とがある。

　図5・1・1に基本的なシステムを示す。

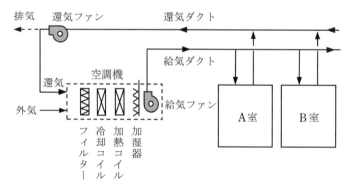

図5・1・1　定風量単一ダクト方式

定風量単一ダクト方式の特徴

・ ファンコイルユニット・ダクト併用方式と比べて、送風量が多いので中間期などの外気冷房が行いやすい。

・ ダクトからの送風のみで空調を行うので、熱負荷特性のほぼ等しいゾーンにおいては、安定した温湿度制御ができる。

・ ファンコイルユニット・ダクト併用方式と比べて、ペリメーターゾーンの熱負荷処理は難しい。

・ 方位ゾーンごとに空気調和機を設けることが望ましい。

・ 部屋の用途変更、負荷の増加などへの対応は難しい。

補　足

空気の搬送用動力
ダクトの抵抗は、風速の2乗に比例して増大する。したがって、ダクト内の風速をできるだけ小さくすると動力の節減になる。ただし、ダクトサイズは大きくなる。

用　語

中間期：
冷暖房をほとんど必要としない春や秋の時期。

用　語

ペリメーターゾーン：
地階を除く各階の外壁中心線より約5mの範囲で、外界の影響を受けやすい屋内周囲空間。

- 各室で時刻別負荷変動パターンの異なる建物では、各室間の温・湿度のアンバランスが生じやすい。
- 室ごとの個別空調の運転・停止ができない。

② 変風量単一ダクト方式（VAV方式）

　この方式は、通称VAV方式とも呼ばれ、室内負荷の変動に応じて吹出し風量を変化させるものである。

　図5・1・2に基本的なシステムを示す。

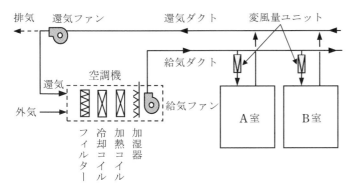

図5・1・2　変風量単一ダクト方式

変風量単一ダクト方式の特徴

- 冷房の低風量時（低負荷時）には吹出した冷風が拡散されにくくなるので、コールドドラフトを生じるおそれがある。
- 一般に、送風空気の湿度調節は行わないので、室内湿度の調整が困難である。
- 負荷の変動に伴って送風量が少なくなるので、負荷変動の大きい空間やペリメーターゾーンなどでは必要外気量の確保が困難となる場合がある。
- 負荷変動に対する応答が早いため、居住性がよい。
- 送風機から送られた空気の一部を天井裏にバイパスして、室内への送風量を制御するバイパス形変風量ユニットを使用する場合、送風機が送る風量自体は変わらないので、送風機動力の節減ができない。
- 空調機の吐出しダンパー、インレットベーン、スクロールダンパーなどを調節して風量制御するよりも、インバーター制御のように動力の回転数を調整して風量制御した方が、動力の節減効果が大きい。

H29

用　語

VAV方式：
Variable Air Volume Systemの略。

用　語

コールドドラフト：
暖房時の室内において、部屋の中で温度差が生ずる現象。

H30

補　足　H28

空調設備の省エネ対策
①VAV方式を採用する。
②二酸化炭素濃度を計測し、外気取入れ量を制御する。
③ダクト内の風速をできるだけ小さくする。
④ダクト長さをできるだけ短くする。
⑤室内温度と吹出し口温度との差を大きくする（大温度差空調方式）。

③　二重ダクト方式

　冷風、温風の2系統のダクトを設けて、末端の混合ユニットで負荷に応じて冷風、温風を混合して送風し、室温を制御する方式である。図5・1・3に基本的なシステムを示す。

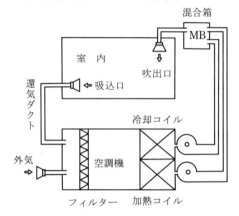

図5・1・3　二重ダクト方式

　二重ダクト方式の特徴

・　各室の温度制御が容易である。
・　各室ごとに冷房又は暖房ができるので、シーズンごとの切替えが不要である。ただし、冷房温度と暖房温度の切換えは必要。
・　冷風と温風を同時に送風するので、熱的に不経済となり、運転費が割高となる。

④　ファンコイルユニット方式

　室内にファンコイルユニットを設置し、これに冷温水を供給するもので、換気のための外気を空調機からダクトで各室へ送風するダクト方式を併用するものが一般的に用いられる。
　図5・1・4に基本的なシステムを示す。

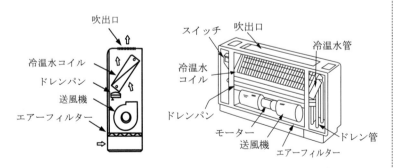

図5・1・4　ファンコイルユニット方式

ファンコイルユニット方式の特徴
・　各ユニットごとに個別制御ができる。
・　温度調節した外気が必要のない場合、中央式空調装置やダクト
　　がないので設備費が割安となる。
・　フィルターが簡単なものなので、高度の空気処理が困難となる。
・　四管式は、冷房と暖房を同時に必要とする場合に適している。

⑤　マルチゾーン方式
　　ダクトを多数に分岐させ、各ダクト系統ごとに温度制御ができる
ようにしたユニット型空気調和機により空調する方式である。
　　図5・1・5に基本的なシステムを示す。

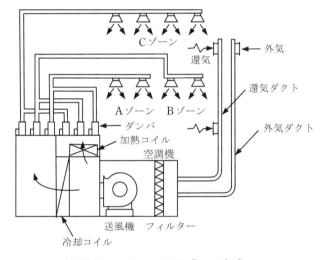

図5・1・5　マルチゾーン方式

マルチゾーン方式の特徴
・　1台の空調機で冷風と温風を同時に作り、各ゾーンの負荷に応
　　じた割合で混合するので、1台で数ゾーンを受持つことができ
　　る。
・　空気機から多数のダクトが出るため、ダクトスペースが大きく
　　なり、二重ダクト方式と同様に混合損失が生じる。

⑥　マルチパッケージ形空気調和機　　　　　　　　　　　　R06
　　1台の室外機に複数の室内機を接続して、それぞれの室内機が単
独で自由に冷房や暖房を行うことができる空調機である。

(2) 熱源方式

　空気調和設備の熱源には、圧縮式冷凍機＋ボイラー、吸収式冷凍機＋ボイラー、ヒートポンプ、直焚き吸収冷温水機などがあり、熱源方式は、これらの使用エネルギーにより、電気・燃料方式、全電気方式、全燃料方式、その他などに分類することができる。

1) 冷凍機

① 冷凍機の原理

　冷房を行うには熱を奪う必要があり、そのための装置が冷凍機である。冷凍機は、熱を奪う原理として蒸発潜熱（気化熱）を利用する。熱を運ぶ物質を冷媒といい、蒸発（液体→気体）により周囲から熱を奪い、凝縮（気体→液体）により周囲に熱を排出する。

　蒸発した冷媒を液体に戻して循環させることで冷却を持続することができ、このような冷媒の状態変化の過程を冷凍サイクルという。

② 冷凍サイクル

　圧縮機に吸入された冷媒ガスは、ここで圧縮されて高温高圧となり、冷房時は凝縮器（室外コイル）、暖房時は蒸発器（室内コイル）に入る。次にファンによる空気の強制対流によって冷却されたガスは、周囲へ熱を放出することによって液化する。液化した冷媒は、膨張弁を通過することにより減圧され、冷房時は室内コイル、暖房時は屋外コイルに流入して、周囲から熱を奪って（冷房作用）蒸発する。

　完全に蒸発したガスは、再び圧縮機にかえる。

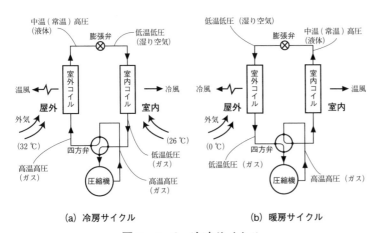

(a) 冷房サイクル　　　(b) 暖房サイクル

図 5・1・6　冷凍サイクル

③　冷凍機の種類

冷凍機は、圧縮式冷凍機と吸収式冷凍機に大別される。

イ）圧縮式冷凍機

　圧縮式冷凍サイクルでは先ず、低圧ガス状態の冷媒が圧縮機において高圧高温状態のガスとなる。このガスは凝縮器において周囲に熱を放出し高圧低温の冷媒液となる。冷媒液は膨張弁において圧力を下げ、蒸発器に入って周囲から熱を奪って低圧高温状態で圧縮器に戻る。冷媒には、蒸発しやすく凝縮しやすいフロン系冷媒が用いられることが多い。

　遠心式圧縮機を利用した遠心冷凍機はターボ冷凍機とも呼ばれ、冷凍能力の範囲が広く、オフィスビル、地域冷暖房、病院、工場などで広く採用されている。

　圧縮式冷凍機は、モーターを駆動源とするため、騒音・振動が大きい、という特徴がある。

ロ）吸収式冷凍機

　吸収式冷凍機では先ず、吸湿性が非常に高い吸収液（臭化リチウム）の吸収作用を用いて蒸発器の冷媒（水）を蒸発させる。蒸気は吸収液に吸収され、吸収器から再生器に移動する。そこで加熱され、吸収液から気体として分離した蒸気は熱を放出して液体に戻り、冷凍サイクルが構成される。

　吸収式冷凍機の特徴は

　　・駆動源となる熱（蒸気、燃料）が必要である。
　　・冷凍サイクルは真空中で行われるので、高圧ガス保安法の適用を受けない（有資格者が不要）。

2）ヒートポンプ

　冷凍機は、水や空気から熱を奪うことで冷水や冷風を得ている。すなわち、熱を低温側から高温側へ移動させたことになり、これがポンプの働きに似ているので、冷凍機を加熱の手段として用いる装置をヒートポンプという。

　ガスヒートポンプ冷暖房機は、ガスエンジンで圧縮機を駆動してヒートポンプサイクルを形成し、冷暖房を行う熱源機器である。

　ヒートポンプは採熱源が空気か水かによって、空気熱源方式と水熱源方式に分けられる。

H27

R06

用　語

成績係数（COP）:
冷凍機やヒートポンプが、投入されたエネルギーの何倍の冷凍能力を出せるかを示したもので、COP が大きいほど冷凍効率が良い。
圧縮式冷凍機＞吸収式冷凍機
水熱源方式＞空気熱源方式
水蓄熱方式＞氷蓄熱方式
R02

ポイント　R06

ヒートポンプの能力低下
空気熱源ヒートポンプなどのヒートポンプ機器は、外気温度や室内温度などの条件によって能力が低下することがある。

3) 蓄熱方式

一般に、冷房負荷は夏期の昼過ぎ、暖房負荷は冬期の朝の運転開始前が最大となるが、この負荷に合せて熱源機器を選ぶと容量が大きくなり、最大負荷時以外の時間帯は低負荷運転となり、効率の悪い運転となる。

蓄熱方式は、熱負荷が小さいときに熱エネルギーを蓄えておき、熱負荷が大きいときに蓄えた熱を使用することにより、小さな熱源機器容量で、高効率運転をするシステムである。

蓄熱方式には、水の温度差である**顕熱**を利用した**水蓄熱方式**と、氷から水へ相変化する際の潜熱を利用した**氷蓄熱方式**とがある。

4) コージェネレーションシステム

発電により生じる熱を回収して冷暖房や給湯に利用するシステムをコージェネレーションシステム又はコジェネレーションシステムという。

コージェネレーションシステムについては、第3章　構内電気設備
3-5自家発電設備の項を参照。

(3) 換気方式

換気方式には、**自然換気方式**（自然力利用の換気）と、**機械換気方式**（機械力利用の換気）がある。

1) 機械換気方式

機械換気方式の種類と適応を表5・1・1に示す。

用　語

顕熱：
物質の状態を変化させずに、温度を変化させるために費やされる熱量

用　語

潜熱：
物質の状態変化のとき、温度変化を伴わないで吸収又は放出される熱量

表5・1・1　機械換気方式の種類と適応

換気方式		自然方式	機械方式	設置場所
第1種換気	給　気		○	劇場、デパート、多くの人の出入する場所
	排　気		○	
第2種換気	給　気		○	汚染空気侵入を嫌う室、手術室、ボイラ室
	排　気	○		
第3種換気	給　気	○		便所、浴室、厨房
	排　気		○	

① 第1種機械換気（図5・1・7）

給気側と排気側にそれぞれ送風機を設ける方法で、最も確実な換気が期待できる。

また、給気量と排気量を調節することによって、室内を正圧又は負圧に保つことができ、劇場、映画館、地下街、倉庫、ボイラー室、厨房のほか、厳密な気圧や気流分布を必要とする実験室などに適用される。

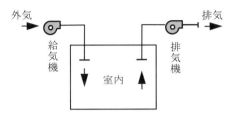

図5・1・7　第1種機械換気

② **第2種機械換気**（図5・1・8）

給気側のみに送風機を設けて室内を正圧に保ち、室内の適当な排気口から排気する方法である。

この方式は、給気量が確実に期待できるので燃焼室の換気に適し、また室内への予期しないすき間風が入らないので、特に清浄を要する手術室などに適用される。

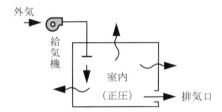

図5・1・8　第2種機械換気

③ **第3種機械換気**（図5・1・9）

排気側に送風機を設け室内を負圧にし、給気は室内の適当な給気口から自然に流入する方式である。

この方式は、便所や浴室、あるいは、有害ガスを発生する部屋のように、その臭気や水蒸気、有害ガスが部屋の開口部から室外に拡散するのを嫌う場合に適用される。

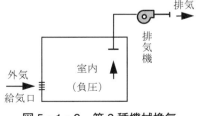

図5・1・9　第3種機械換気

(4) 換気設備の基準

①　換気に有効な開口部

居室に設ける換気のための開口部の有効面積は、政令で定める技術的基準に従って換気設備を設けた場合を除き、その室の床面積の 1/20 以上としなければならない。

火気を使用しない事務所の居室で、換気に有効な開口部の面積が当該居室の床面積に対して **1/20 以上**あれば、特に機械換気設備としなくてよい。

②　劇場などの居室

劇場、映画館、公会堂などの居室では、換気に有効な開口部がある場合でも、機械換気設備、中央管理方式の空気調和設備又は国土交通大臣の認定を受けたものでなければならない。

③　自然換気設備

自然換気設備の給気口は、居室の**天井高さの 1/2 以下**の高さに設け、常時外気に開放された構造とする。

自然換気設備の排気口は、給気口より高い位置に設け、常時開放された構造とし、かつ、排気筒の立上り部分に直結する。

(5) 必要換気量

①　換気量の計算

建築基準法では、居室の必要換気量として在室者数を基準に、1 人当たり $20 \, \mathrm{m^3/h}$ 以上と規定している。

2 以上の居室を 1 つの機械換気設備で換気する場合の換気量は、それぞれの居室の有効換気量の合計以上とする。

以上より、換気上有効な開口部を有しない事務所建築物などの一般建築物の居室を機械換気する場合、有効換気量 $V \, (\mathrm{m^3/h})$ は次式で表される。

$$V = \frac{20 \mathrm{A}f}{N}$$

$\mathrm{A}f$：居室の床面積〔$\mathrm{m^2}$〕

N：実況に応じた一人あたりの占有面積〔$\mathrm{m^2}$〕

ただし、最小在室者人数は、一般建築物の居室では床面積 $10 \, \mathrm{m^2}$ に 1 人、劇場・映画館・演芸場・観覧場・公会堂・集会場などの特殊建築物の居室では、床面積 $3 \, \mathrm{m^2}$ に 1 人を下限値とする。

R05

(6) 熱負荷計算

室内をある一定の温湿度に保っている時、その部屋をその温湿度に保つために空気から取り除くべき熱量を「冷房負荷」、空気に供給すべき熱量を「暖房負荷」という。

また、熱負荷計算は、通過熱・日射・照明・人体・機器・外気・すきま風等の総和で算出する。

① 室内負荷

室内負荷は、室内で発生する、人体、照明及び機器発熱による熱負荷のことをいう。

② すきま風負荷

すきま風負荷は、外気に隣接する窓やドア等から入る熱量のことをいうが、室内圧力が正圧の場合や、部屋の機密化により、暖房負荷に含めないことが多い。

③ ガラス窓透過日射熱負荷

ガラス窓透過日射熱負荷は、冬期の場合日射がない日もあり、暖房負荷に含めないことが多い。

④ 通過熱負荷

通過熱負荷は、外壁・屋根等からの「構造体負荷」や、室内壁・床等からの「内壁負荷」、窓等からの「ガラス面負荷」のことをいい、地下階の土壌に接している壁の場合は、部屋の温度を下げる通過熱負荷となり、暖房負荷に含める。

2 ▶ 給 水 設 備

(1) 給水方式

① 水道直結直圧方式

　水道本管から分岐した水道管を直接建物内の水栓などに直結して給水する方式である。水道本管の水量・水圧等に応じて給水圧力が変化する。一般家庭など、3 階建てぐらいの小規模の建物に採用される。

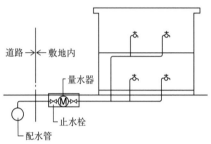

道路→ ←敷地内
量水器
止水栓
配水管

図 5・1・10　水道直結直圧方式

　水道直結直圧方式の特徴

長所

・　ポンプ等を用いないので、イニシャルコストが安い。

・　動力源を必要としないので、ランニングコストがかからない。

・　受水槽、高置水槽等に貯留しないので、新鮮な水道水が連続的に供給される。

短所

・　配水管が断水したら、供給は受けられない。

・　水圧の変動が起きやすい。

・　逆流事故が起こると水道本管に汚染が広がるおそれがある。

② 水道直結増圧方式

　給水管の途中に直結加圧形ポンプユニットを設け、圧力を増して中高層階に直結給水する方式。

　水道直結増圧方式の特徴

長所

・　受水槽に貯留しないので、水質衛生上良い。

・　受水槽が必要ないので、設置スペースが少ない。

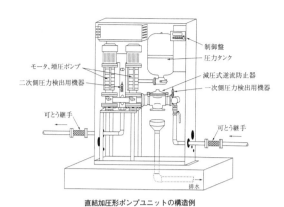

直結加圧形ポンプユニットの構造例

図5・1・11　水道直結増圧方式の加圧型ポンプユニット

短所
・　中高層階（10階程度）に限られる。
・　停電時や水道本管断水時には、給水ができない。
・　常時水を多量に使用する施設や毒物、劇物、薬品等を取り扱う
　　業種には設置できない。

③　**高置タンク方式（高置水槽方式）**
　高置タンク方式は、受水タンクの水をポンプを用いて高置タンク
に揚水し、高置タンクより重力で給水箇所に給水する方式である。

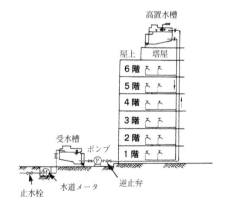

図5・1・12　高置タンク方式

高置タンク方式の特徴
・　受水タンクと高置タンクが必要なので、水質汚染の可能性が高
　　い。
・　圧力タンクがないので、圧力タンク方式に比べて給水圧力の変
　　動が小さく下階の機械室スペースが小さい。

④　**圧力タンク方式**

　圧力タンク方式は、ポンプにより密閉タンク内に水を送り、タンク内の空気を圧縮して圧力を上昇させ、その圧力により給水する方式である。

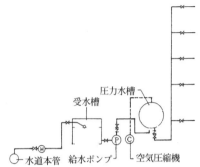

図5・1・13　圧力タンク方式

　圧力タンク方式の特徴
・　ポンプ揚水量は、瞬時最大予想給水量以上とする。
・　給水ポンプによって圧力タンク内の空気を圧縮し、その圧力で給水しているので、停電時に給水をするためには、一般に発電機を設置する。
・　圧力タンク内での給水圧力変動があるので、高置タンク方式に比べて給水圧力の変動が大きく下階の機械室スペースが大きくなる。

⑤　**ポンプ直送方式（タンクなし加圧方式、タンクなしブースター方式）**

　ポンプ直送方式は、受水タンクに貯水後、給水ポンプで送水量を制御して必要箇所に給水する方式である。

　この方式は、制御装置に比較的費用がかさむことから小規模な建物の給水方式としては採用しにくい。

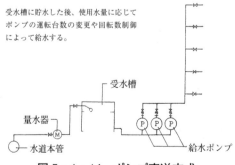

受水槽に貯水した後、使用水量に応じてポンプの運転台数の変更や回転数制御によって給水する。

図5・1・14　ポンプ直送方式

H28

補　足　R04　H29

遠心ポンプの特性曲線
特性曲線は通常、図のように、揚程曲線と軸動力曲線および効率曲線の3つの曲線で表される。NPSH曲線はポンプの所要有効吸込みヘッドを表す。

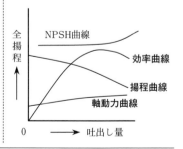

ポンプ直送方式の特徴
- 夜間などの要求水量が少ない場合、小容量の可変速ポンプを設けることがある。
- ポンプ揚程は、圧力タンク方式のポンプ揚程からポンプ発停時の圧力差を引いた値となる。
- ポンプ容量制御において、容量を制御しているポンプと一般のポンプを組合せる場合は、容量を制御しているポンプのほうの揚水量を大きくする。

（2）飲料用給水タンク

R02

建築物の内部、屋上又は最下階の床下に設ける飲料用給水タンクは、以下の規定により設置する。

① 兼用の禁止

給水タンクの天井、底又は周壁は、建物の他の部分と兼用してはならない。

② 保守点検

給水タンクの形状が直方体である場合は、6面全ての面の表面と建築物の他の部分との間に必要な空間が確保されていなければならない。

③ 飲料水以外の配管の貫通禁止

給水タンクの内部を飲料水以外の配管が貫通してはならない。

④ マンホール

内部の保守点検を容易にかつ安全に行うことができる位置に、直径 60 cm以上の円が内接するマンホールを設ける。

⑤ 間接排水・防虫網

オーバーフロー管、水抜管の管端は間接排水とし、通気管、オーバーフロー管、水抜管の管端には防虫網を取り付ける。

（3）給水設備の水質汚染防止

① クロスコネクションの禁止

飲料水等に用いる給水配管設備とその他の用途の配管設備を、直接接続させてはならない。

用　語
クロスコネクション：
飲料水の系統の配管と他の用途の配管を直接接続すること。

② 吐水口空間の確保

　水槽、流し、洗面器などの水を受ける設備に給水する飲料水の配管設備の開口部（吐水口端）は、あふれ面と水栓の開口部との垂直距離（吐水口空間）を適当に保たねばならない。

　図 5・1・15 に、あふれ縁と吐水口空間を示す。

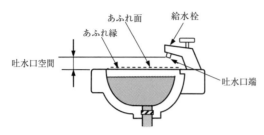

図 5・1・15　あふれ縁と吐水口空間

(4) ウォータハンマーとその防止

　給水設備の配管内の流体を水栓、弁等で瞬間的に止めると、流体の運動エネルギーが圧力に変わって、管内圧力が急激に上昇し、配管をハンマーで叩いたような衝撃音や振動が発生する現象をウォータハンマー現象という。

　ウォータハンマー現象の防止策としては、次のようなものがある。

・ エアーチャンバーやウォータハンマー防止器をウォータハンマー発生の原因となる弁の近くに設ける。

・ 配管の横引きはできるだけ低い位置で行い、ポンプ揚水管には緩閉形逆止弁などを用いる。

3 ▶ 排 水 設 備

(1) 排水の種類と排水方式

　排水の種類は、汚水（水洗便器からの排水）、雑排水、雨水（湧水を含む）、特殊廃水（放射線汚染水など）の 4 種類に分けられる。

　雨水立て管は、屋根に降った雨水を雨水横主管や屋外排水管に導く立て管である。雨水立て管は、衛生器具の器具排水管や各種の通気管には接続してはならない。

　排水方式には合流式と分流式があるが、敷地内下水道と敷地外下水道とでは、その定義が異なる。

　表 5・1・2 に合流式・分流式の敷地内敷地外の定義を示す。

R06

表5・1・2 合流式・分流式の定義

方　式	敷地内排水設備	敷地外下水道
合流式	汚水＋雑排水	汚水＋雑排水＋雨水
	雨　水	
分流式	汚　水	汚水＋雑排水
	雑排水	
	雨　水	雨　水

(2) 排水タンク

排水タンクは、便所の汚水を貯留する汚水タンク、洗面器や厨房などからの排水を貯留する雑排水タンク及び外部から浸透した湧水、雨水を貯留する湧水タンクに分けることができる。

① 勾配

排水タンクの底部は、清掃しやすいように、かつ、沈殿した汚泥がタンク内に残らないように、1/15 以上 1/10 以下の勾配をつける。

② マンホール

内部の保守点検を容易に、かつ、安全に行うことができる位置に、直径 60 cm 以上の円が内接するマンホールを設け、マンホールは臭気が漏れないように防臭ふたとする。

③ 通気管

R06

通気管は、排水管と外気を連結する際、排水管内の圧力を調整するために設ける配管である。通気管の末端には、通気口金物（ベントキャップ）を装着し、排水が円滑に流れ、臭気防止のトラップ封水を保護する。

・伸頂通気方式：排水立管の頂上を延長し、屋上部などから直接外気に開放するか、または大気への開放部で通気横主管に接続する方式。

・ループ通気方式：排水横枝管の最上流部から通気管を立ち上げ、通気立管または伸頂通気管に接続する方式。

・特殊継手排水方式：排水立管と排水横枝管の合流部に特殊な継手を使用する方式。特殊接手によって排水立管内の流速が減速されるため、集合住宅やホテルなどで使用される。

排水タンクに設ける通気管は管径 50 mm 以上とし、単独に立ち上げ大気に開放する。

(3) 間接排水

飲料水、食物、食器などを取扱う機器からの排水を排水管に直結して排出すると排水管が詰まるなどの異常が生じた場合、排水管を経て汚水が逆流し、飲料水、食物、食器などが汚染される。

これを防止するために、これらの機器から排水管に直結して排水せず、所要の排水口空間を設けて、ホッパー、漏斗などの水受け容器に排水する方法を間接排水という。

(4) トラップ

① トラップの目的

排水管内に排出される汚物等は、管の内側に付着し、下水ガスや悪臭を発生する。この下水ガスが排水管を通って室内に逆上昇するのを防止するため、衛生器具に内蔵させるか、排水系統中の装置として、その内部に水封部を持たせた器具又は装置をトラップという。

② トラップの構造

排水管路の一部に水を溜め、室内側の空気と下水側の空気を遮断する構造になっており、これを封水という。

トラップの封水深（ウェアとディプの垂直距離）は、50 mm 以上 100 mm 以下とする。

図 5・1・16 にトラップの種類を示す。

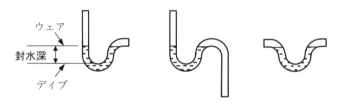

(1) Pトラップ　　(2) Sトラップ　　(3) Uトラップ

図 5・1・16　トラップの各種

ポイント
伸頂通気管
R06

ポイント
トラップと封水深

用　語
封水：
トラップ内に溜められている水。

補　足　R06　R03　H30　H27
二重トラップの禁止
二重トラップは、排水時にトラップ間の空気が閉じ込められ、大きな圧力変動を起こしたり、排水の流れに支障をきたす。従って一つの排水管系統に複数の排水トラップを取り付けてはいけない。

5-2 土 木 工 事

1 ▶ 土 質 試 験

(1) 土の原位置試験

原位置試験とは、採取した試料に対し室内で行う試験ではなく、土が現場（原位置）にある状態で行う試験である。

表5・2・1に原位置試験の代表的なものを示す。

R05　H29

表5・2・1　各種原位置試験

試験の名称	試験結果から 求められるもの		試験結果の利用
標準貫入試験	N 値		土の硬軟、締まり具合の判定
ベーン試験	粘着力（せん断強さ）	c	基礎地盤の安定計算、のり面安定検討
平板載荷試験	K 値（地盤反力係数）		締固めの施工管理
孔内水平載荷試験	K_H 値（水平方向地盤反力係数）		締固めの設計計画
現場 CBR 試験	CBR		締固めの施工管理
現場透水試験	透水係数	k	透水関係の設計、地盤改良工法の設計
単位体積質量試験	湿潤密度	ρ_t	締固めの施工管理
	乾燥密度	ρ_d	

① 標準貫入試験

サウンディングの一種で、規定重力のハンマーを自由落下させ、標準貫入試験用サンプラーを 30cm 貫入させるのに要する打撃回数（N 値）を測定する試験である。

② ベーン試験

ベーンと呼ばれる十字の羽根をロッドの先端に取付けて地盤中に打ち込み、ベーンを回転させることによって土の粘着力 c を求める。粘着力は一般に、軟らかい粘性土地盤などの軟弱地盤の調査に用いられる。

③ 平板載荷試験

地表面に置かれた鋼製円板に段階的に載荷重を加えていき、各荷重に対応する沈下量を測定して、これから地盤反力係数 K 値を求め

用 語

サウンディング：
ロッドの先端に各種の抵抗体を取付け、これを地中に貫入して土の抵抗を測定し、土の強度や密度を知る方法。

用 語

N 値：
標準ハンマ（63.5 ± 0.5kg）を 76 ± 1 cm 落下させサンプラーが 30 cm 貫入する打撃回数で表される。

る試験である。

④　孔内水平載荷試験

ボーリング孔内において孔壁を加圧（載荷）することによって、地盤の変形係数、降伏圧力、極限圧力を測定し、水平方向地盤反力係数 K_H 値を求める試験である。

⑤　現場 CBR 試験

CBR とは、直径 5 cm の貫入ピストンを規定の深さに貫入させるときの所要荷重の、その貫入量における標準荷重に対する比をいい、これを百分率で表した値である。

⑥　現場透水試験

地盤に掘った井戸や孔などを用いて、透水係数 k を測定する試験である。現場では広範囲の地盤の透水性を測定するので、径が小さく、しかも乱れのある試料で測定する室内の透水試験に比べて、信頼度の高い測定値が得られる。

⑦　単位体積質量試験

地山または盛土の単位体積質量を求めるための試験で、地山や盛土の現場密度の測定を行うものである。

(2)　土質試験

土質試験には、大別して土の判別分類のための試験と、土の力学的性質を求める試験がある。採取した試料を室内で行う試験である。

1)　土の判別分類のための試験

表 5・2・2 に土の判別分類のための試験の代表例を示す。

表 5・2・2　土の判別分類のための試験

試験名	試験により得る値		試験結果の利用
含水比の測定	含水比	w	
湿潤密度の測定	湿潤密度、乾燥密度	$\rho_t、\rho_d$	土の締固め度の算定
土粒子の密度の測定	土粒子の密度	ρ_s	粒度試験、間げき比、飽和度、空気間げき率の計算
相対密度の測定	相対密度	D_r	自然状態の粗粒土の安定性の判定
粒度試験	均等係数	U_c	粒度による土の分類、材料としての土の判定

① 含水比試験

　土の含水比試験は、土の性質の基本となっている**含水量**を求めるために行う試験である。土の含水量とは、温度110 ± 5℃の炉乾燥によって湿潤土中から除去される水分をいい、一般には**含水比**で表す。

② 土粒子の密度試験

　土粒子の密度試験は、土魂の骨組みを作っている土粒子群の平均的な密度を求めるものである。土の基本的性質である**間げき比、飽和度**あるいは**乾燥密度**などを知るのに必要である。

③ 土の粒度試験

　土の粒度試験は土の粒度を求めるために行う。粒度とは土中に含まれている種々の大きさの土粒子が土全体の中で占める割合の質量百分率をいう。粒度は粗粒度の判別分類、及び土の工学的な性質の基礎的判断として、**透水係数の判定、液状化の判定**などに利用される。

2) 土の力学的性質を求める試験

H27

　表5・2・3に土の力学的性質を求める試験を示す。

表5・2・3　土の力学的性質を求める試験

試験名	試験により得る値		試験結果の利用
せん断試験 直接せん断試験	せん断抵抗角	ϕ	基礎、斜面、擁壁などの安定の計算
	粘着力	c	
一軸圧縮試験	一軸圧縮強さ	q_u	細粒土の地盤の安定計算
	粘着力	c	
圧密試験	e - $\log p$ 曲線		粘土層の沈下量の計算
	圧縮係数	a_V	
	体積圧縮係数	m_V	
	圧縮指数	C_c	
	透水係数	k	粘土の透水係数の実測
	圧密係数	c_V	粘土層の沈下速度の計算
透水係数	透水係数	k	透水関係の設計計算
締固め試験	含水比—乾燥密度曲線		路盤及び盛土の施工方法の決定・施工の管理・相対密度の算定
	最大乾燥密度	ρ_{dmax}	
	最適含水比	W_{opt}	

① せん断試験（直接せん断試験）

土の供試体をある決まった面でせん断し、その面上のせん断応力とせん断強さを直接調べる試験。

② 圧密試験

粘性土地盤の載荷重による継続的な沈下について解析を行う場合に必要な圧密特性（沈下量と沈下速度）を測定する試験。

③ 締固め試験

土を一定の方法によりモールドの中で突き固め、土の含水比と乾燥密度の関係を求め、最大乾燥密度、最適含水比を求める試験。

(3) 土量の変化

土は地山にあるとき、それを掘削してほぐしたとき、またそれを締固めたときのそれぞれの状態によって体積が異なってくる。

この3つの土の状態と土木作業の関係を表5・2・4に示す。

表5・2・4　土の状態と土木作業の関係

求める土量(Q) 基準の土量(q)	地山の土量	ほぐした土量	締固後の土量
地山の土量	1	L	C
ほぐした土量	$1/L$	1	C/L
締固後の土量	$1/C$	L/C	1

注：変化率Lは土の運搬計画に用いられ、変化率Cは土の配分計画をたてるときに用いる。

$$L = \frac{\text{ほぐした土量}}{\text{地山の土量}} \qquad C = \frac{\text{締固め土量}}{\text{地山の土量}}$$

R04　R01

(4) 掘削工事の土留め（土止め）・支保工

1) 土留め（土止め）工法

土留め工法には、矢板工法、親くい（杭）横矢板工法、鋼管矢板工法、鋼矢板（シートパイル）工法、連続地中壁工法、既製杭工法などがある。

R05　R01

① 矢板工法

矢板工法には、木矢板工法、軽量鋼矢板工法、鋼矢板工法、親くい横矢板工法及び鋼管矢板工法などがある。

地中電線路の管路工事では、掘削深さにより軽量鋼矢板工法又は鋼矢板工法が用いられる。

図5・2・1に鋼矢板工法を示す。

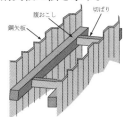

図5・2・1　鋼矢板工法

② 親杭（くい）横矢板工法

　H又はI型鋼を1.5〜2.0mの間隔に打込み、掘削と同時に横矢板をはめ込むもので、施工が比較的容易で、小規模な地中埋設物があっても対処しやすい。水密性が得られないため地下水の少ない地盤に適するが、地下水位が高い地盤や軟弱地盤には適さない。 R05　H28

　図5・2・2に親くい横矢板工法を示す。

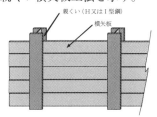

図5・2・2　親くい横矢板工法

③ 鋼矢板（シートパイル）工法 R05

　鋼製の矢板（シートパイル）を地中に打ち込んで壁を構築する。材料が均一で信頼性は高く、遮水性に優れており、地下水位の高い地盤にも適する。

　一方で、砂礫層への打ち込みが困難であること、矢板が長くなれば傾斜や継手の離脱が生じやすいこと、また矢板を引き抜く際、付着した土が一緒に取り出されるため地盤沈下の原因となることなどの難点がある。

④ 鋼管矢板工法

　一般に遮水性が良く、剛性も大きいので、地下水位の高い地盤、軟弱な地盤における大規模な土止め工に用いる。継手管のかみ合わせなど高い施工精度を必要とし、費用もかなり高くなる。

⑤ 連続地中壁工法

　コンクリート地中連続壁は、矢板打込み機械のような騒音・振動

を与えない方式がとられるため、近隣構造物及び周辺地盤への沈下その他の影響が少ない。

　連続地中壁工法の一つのソイルセメント工法では、地盤を切削・掘削し、セメント、水、添加剤などからなる固化液と原位置土とを混合攪拌して、連続壁を構築する。

　遮水性が高い、工期が短い、傾斜地での施工が可能などの特徴がある。

⑥　既製杭工法　　　　　　　　　　　　　　　　　　　R05

　既製杭工法では、あらかじめ工場で製作された既製品の杭を現場に持ち込んで壁を構築し、打撃工法、プレボーリング工法、セメントミルク工法、中掘り工法などがある。

2)　支保工工法

　土止め壁を支えるための切ばり、支柱、腹起しなどの部材を「支保工」といい、以下の工法がある。　　　　　　　　　　　H27

①　水平切ばり工法

　側圧を、水平に配置した支保工に支持させて掘削を行う工法で、一般に広く用いられる。

②　地盤アンカー工法　　　　　　　　　　　　　　　　R02

　切ばりの代りに、背面の硬い地盤にアンカーして、土止め壁にかかる側圧を支えながら掘削する工法。

③　アイランド工法

　根切り面積が広く浅い場所に適する。外周に土止め壁を設け、内側にのり面を残して土圧を支え、内部を掘削する工法。

④　トレンチカット工法

　広く浅い軟弱地盤、ヒービング防止策として適する。建物周囲部を溝（トレンチ）掘りし、その部分の地下構造物を先に造り、次に、この構造物を土止め壁として中央部を掘削する工法。

⑤　逆打ち工法

　掘削と並行して地下構造物を構築し、これを支保工として、下部の掘削と躯体の構築を下方に向かって順次繰り返していく工法。

(5) 掘削工事で発生する現象

① ボイリング現象（図5・2・3）

掘削底面の地盤破壊のことで噴泥と呼ぶものである。土粒子に浸透水圧が作用し、ある限界を超えると土粒子が動かされ、地盤は支持力を失い、吹上がる現象。主に**砂質地盤**に起こりやすく、地盤沈下の原因となる。

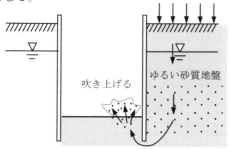

図5・2・3　ボイリング現象

② ヒービング現象（図5・2・4）

粘性土地盤を掘削するとき、土止め壁の背面の土が浸透水圧により底部から回り込んで掘削面が膨れ上がる現象で**盤膨れ**ともいう。

また、ヒービングが発生すると土留め矢板が移動・転倒したり、周囲の地盤沈下を生じたりして大事故につながる。

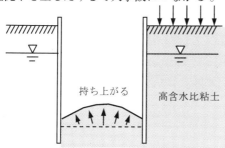

図5・2・4　ヒービング現象

③ クイックサンド現象

比較的緩い砂地盤で、浸透水圧のため砂があたかも無重力の状態になったような現象で、地震時などに砂地盤が振動のため有効応力を消失し流動化又は液状化する現象である。

④ パイピング現象

一般に地盤は均一ではないので、当初ある一部分にクイックサンド、又はボイリング現象があると、局部的に砂が排除されたりして、透水性が急激に増大する現象である。

補　足	R06　R03
	R02　H28

ボイリングを防止する方法
・土留め壁の根入れ深さを十分とる。
・ウエルポイント工法等で地下水位の低下を図る。
・薬液注入などで、掘削底面の止水をする。

(6) 掘削工事の水位低下工法

　水位低下工法は、地下水を排水することによって地下水位の低下を図るもので、**重力排水工法**と**強制排水工法**とに大別される。

　図5・2・5に水位低下工法の分類を示す。

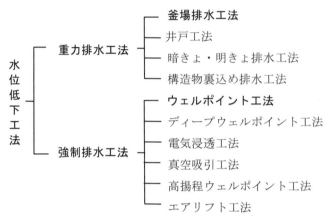

図5・2・5　水位低下工法の分類

①　釜場排水工法

　掘削底面に釜場を掘り、その釜場に集水し、ポンプで排水するもので、湧水量の少ない場合に適している。

②　ウェルポイント工法

　軟弱地盤や湧水量の多い場合、地中に小口径のライザーパイプを多数打込み、先端部のウェルポイントと呼ばれる吸水部から地下水をポンプにより吸引し、ヘッダーパイプを通じて排水することにより、地下水位を低下させる工法である。

　図5・2・6にウェルポイントの構造を示す。

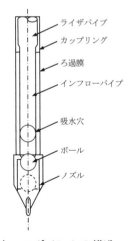

図5・2・6　ウェルポイントの構造

(7)　基礎工法の種類

図5・2・7に基礎工法の種類を示す。

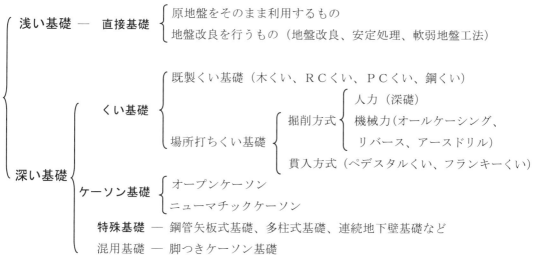

浅い基礎 ― 直接基礎 ┤ 原地盤をそのまま利用するもの／地盤改良を行うもの（地盤改良、安定処理、軟弱地盤工法）

深い基礎 ┤
　くい基礎 ┤ 既製くい基礎（木くい、ＲＣくい、ＰＣくい、鋼くい）／場所打ちくい基礎 ┤ 掘削方式 ┤ 人力（深礎）／機械力（オールケーシング、リバース、アースドリル）　貫入方式（ペデスタルくい、フランキーくい）
　ケーソン基礎 ┤ オープンケーソン／ニューマチックケーソン
　特殊基礎 ― 鋼管矢板式基礎、多柱式基礎、連続地下壁基礎など
　混用基礎 ― 脚つきケーソン基礎

図5・2・7　基礎工法の種類

① 直接基礎

　フーチングともいわれ、良質な支持層に構造物底面を到達させて、地盤に直接荷重を支持させるものである。

② くい基礎

　構造物の基礎として、ごく一般に用いられるもので、**既製くい工法と場所打ちくい工法**がある。既製くい工法には、打込み工法、中掘り工法、プレボーリング工法、ジェット工法、圧入工法、振動打込み工法がある。打ち込みには、一般にドロップハンマ、ディーゼルハンマが用いられるが、騒音・振動の制約から最近は市街地での採用は少なくなってきている。

③ ケーソン基礎

　鉄筋コンクリートの函体を地上で作り、バケットなどの掘削機械で内部の土砂を掘削しながら地中に沈下させる**オープンケーソン**と、圧縮空気を函体内部に送って水の浸入を防ぎ、人力で掘削しながら沈めていく**ニューマチックケーソン**がある。

補　足　R04　H30　H27

基礎と地盤

くい基礎は、比較的軟弱で支持層が深い地盤に適している。

逆Ｔ字型基礎は、比較的支持層が浅く、良質で不同沈下の起こりにくい地盤に適している。

深礎基礎は、地形勾配の急な山岳地や岩塊等を含む比較的良質な地盤に適している。

ロックアンカー基礎は、良質な岩盤が分布する地盤に適している。

2 ▶ 鉄 道 土 木

(1) 線路の構造

線路の断面及び構造を、図 5・2・8 に示す。

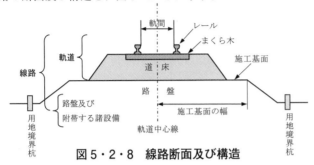

図 5・2・8　線路断面及び構造

(2) 線路一般

① 線路

列車又は車両を走らせるための通路であって、軌道及びこれを支持するために必要な路盤、構造物を包含する地帯。

列車の運転に常用される線路を本線といい、本線でない線路を側線という。

② 路盤 R03

軌道を支えるための構造物。土路盤やコンクリート路盤などがある。

③ 道床 H30

レール又はまくら木を支持し、荷重を路盤に分布する軌道の部分。バラスト、コンクリートなどを用いたものがある。

④ 施工基面

路盤の高さの基準面。

⑤ 軌道中心間隔

並行して敷設された 2 軌道の軌道中心線間の距離。

⑥ 軌間

軌道中心線が直線である区間におけるレール面上から下方の所定距離以内における左右レール頭部間の最短距離。

　新幹線　　　　 1,435 mm（標準軌）
　JR 在来線　　 1,067 mm
　その他の民鉄　 1,435 mm、1,372 mm、1,067 mm、762 mm
　標準軌より広い軌間を広軌、狭い軌間を狭軌という。

⑦ スラック R04

曲線部において軌間を拡大すること、及びその拡大量をいう。現

在はほとんど採用されていない。

⑧　カント

　曲線部における、外側レールと内側レールとの高低差。

　車両が曲線部を走行する時に遠心力により軌道を逸脱するのを防ぐため傾斜させる高低差のこと（図5・2・9）。

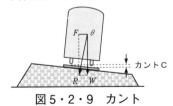

図5・2・9　カント

(3)　軌道構造線路一般

①　軌道

　施工基面上の道床（スラブを含む）、軌きょう及び直接これらに付帯する施設。軌道の構造により、**バラスト軌道**、**直結軌道**、**スラブ軌道**などがある。

　　・バラスト軌道：道床バラスト（砕石等）を用いた軌道。

　　・直結軌道：レールを鋼橋、コンクリート版、スラブなどに直接締結した軌道。

　　・スラブ軌道：プレキャストコンクリートのスラブを用いた軌道。

②　レール

　車輪を直接支持、誘導する部材

　　・短尺レール：5 m以上25 m未満

　　・定尺レール：25 m（標準長さ）

　　・長尺レール：25 m以上200 m未満

　　・ロングレール：200 m以上

③　分岐器

　一つの軌道を二つ以上の軌道に分ける軌道構造

　分岐器の各部の名称を図5・2・10に示す。

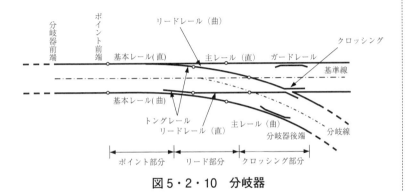

図5・2・10　分岐器

用　語　R02　R01

軌きょう：
レールとまくら木をレール締結装置を用いてはしご状に構成したもの。

緩和曲線：
半径、カント、スラックが連続的に変化する曲線。直線と曲線との間などに設けられる。

縦曲線：
こう配変更箇所に設けられる鉛直面内の曲線。

H28

用　語

トングレール：
ポイント部に用いられる先端が尖ったレール。

(4) 軌道変位

R05

軌道変位とは、レールの曲がり（変位や変形）のことであり、軌道狂いまたは軌道不整とも呼ばれる、一般に、次の5項目について測定や評価がなされる。

① 軌間変位

レールの間隔（軌間）について、設計値との差を言う。広がり過ぎると車輪がレールから外れて脱線する。

② 通り変位

レール側面の長さ方向の凹凸のことである。車両の左右振動に影響し、変位が大きくなると車両のローリングを誘発して、脱線につながる。

③ 高低変位

レール頭頂面の長さ方向の変位のことである。車両の上下振動やピッチングの原因となる。

④ 平面性変位

一定距離の2点の水準変位の差のことである。大きいと車輪の一つが浮き上がって脱線することがある。安全上、最も重要な項目である。

⑤ 水準変位

2本のレールの高さの差を言う。通り変位と同様、変位が大きくなると車両のローリングを誘発し、平面性変位とも関係する。

(5) 車両限界と建築限界

R06

車両限界とは、車両が線路上を安全に走行するために、その幅、高さなどの数値を制限したもので、具体的な数値は、その線路を走行する車両の構造や軌道構造によって異なる。

建築限界とは、線路に近接する建築物を設置してはならない範囲をいう。

図5・2・11に、車両限界と建築限界を示す。

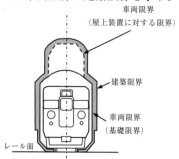

図5・2・11　車両限界と建築限界

3 ▶ 建 設 機 械

(1) 作業種別と適応機種

R05

　土工作業には、伐開除根、掘削、積込み、敷均し、含水量調節、締固め、整地、溝掘りなど多くの作業がある。それらの作業に通常よく使用される建設機械を分類して表5・2・5に示す。

表5・2・5　作業種別と適応機種

作業の種類	建設機械の種類
伐 開 除 根	ブルドーザ、レーキドーザ、バックホウ
掘　　　削	ショベル系掘削機（バックホウ、ドラグライン、クラムシャル）、トラクタショベル、ブルドーザ、リッパ、ブレーカ、ローディングショベル
積　込　み	ショベル系掘削機（バックホウ、ドラグライン、クラムシャル）、トラクタショベル、ローディングショベル
掘削、積込み	ショベル系掘削機（バックホウ、ドラグライン、クラムシャル）、トラクタショベル、ローディングショベル
掘 削、運 搬	ブルドーザ、スクレープドーザ、スクレーパ
運　　　搬	ブルドーザ、ダンプトラック、ベルトコンベア
敷均し、整地	ブルドーザ、モータグレーダ、タイヤドーザ
締　固　め	タイヤローラ、タンビングローラ、振動ローラ、ロードローラ、振動コンパクタ、タンパ、ブルドーザ
砂利道補修	モータグレーダー
溝　掘　り	トレンチャ、バックホウ
のり面仕上げ	バックホウ、モータグレーダ

(2) 建設機械の名称と用途

① レーキドーザ

　抜根作業などに適したレーキ板を装着したブルドーザ

② バックホウ

　機械のすわっている地面より低い所を掘削するショベル系掘削機で、軟弱地盤の掘削作業に適している。

③ クラムシェル

　クラムシェルバケットを装備し、上をつかむようにして掘削するショベル系掘削機で、ケーソンなどの深く掘削する作業に適している。

④ ドラグライン

　ドラグラインアタッチメントを装備し、バケットを手前に引きよせ、主として機械のすわっている地面より低い所を広い範囲にわた

って掘削するショベル系掘削機である。水中掘削や軟弱地盤の改修工事などの作業に適している。

⑤　ローディングショベル

アームの先に大容量のバケットを前向きに取り付けたもので、地表面より高い部分の掘削に適している。広大な鉱山などで使用される。

⑥　スクレーパ

前後車輪軸間にある積込み容器の前下端に取り付けたカッティングエッジで土砂を切削積み込み、運搬後排土できる機構をもつ土工機械で、被けん引式と自走式がある。

⑦　モータグレーダ

前後車軸間に、ブレードなどを備え、路面・土堤などの切削・整地・除雪等を行い、比較的仕上精度の高い作業を行う車輪式の建設機械。

⑧　タイヤローラ

通常多数の空気入りタイヤを持ち、機械の重量を利用して静的圧力をかけ、タイヤの特性を生かした締固めを効果的に行う締固め機械で、土やアスファルト混合物などの締固めに適している。

R04

⑨　ロードローラ

表面を平滑に成形した円筒状の鉄製車輪によって、機械の重量を利用した静的圧力で路面などを締固める機械で、車輪の配置によりタンデム型とマカダム型の2種類がある。土工では路床面等の仕上げに用いられる。

⑩　タンピングローラ

ローラの表面に多数の突起（フート）を外周にとりつけたドラムを持った締固め機械で、土塊や岩塊などの締固めに適している。フートの形状には、色々なものがある。

H29

⑪　振動ローラ

機械の自重のほかに、鉄輪や機体に起振装置を取り付け、それによって生じる起振力で締固めの効果をあげようとする締固め機械で、砂質土の締固めに適している。

4 ▶ コンクリート工

(1) コンクリートの試験

① 圧縮強度試験

通常、設計基準強度は、材齢 28 日の圧縮強度で示されるので、この確認のために行う。このほか、調合強度の管理のために、材齢7 日の圧縮強度試験が行われている。

② スランプ試験

スランプ試験は、フレッシュコンクリートのワーカビリティーを判定するために行われる試験である。

これは、図 5・2・12 に示すように、高さ 30cm のスランプコーンにフレッシュコンクリートを詰めた後、コーンを引き上げフレッシュコンクリートの頂上の下がった数値で表す。一般に、建築工事ではスランプ 15 〜 21cm のものが多く使用されている。

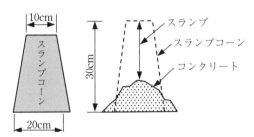

図 5・2・12　スランプ試験

③ 空気量試験

一般にコンクリートは AE 剤を用いた AE コンクリートとして使用されている。コンクリートに含まれる空気の量は、フレッシュコンクリートのワーカビリティー及びコンクリートの耐久性に大きな影響を与える。試験はフレッシュコンクリートの状態で行う。

(2) 用語の説明

① フレッシュコンクリート

練り上がり後のまだ固まらないコンクリートをいう。

② ワーカビリティー

材料の分離を生じることなく、打込み・締固め・仕上げなどの作業が容易にできる程度を示すフレッシュコンクリートの性質をいう。

補　足

計画供用期間

構造体について、大規模の補修を必要としない「計画供用期間」のことをいい、建築主や設計者がこれを特記する。一般 30 年・標準 65 年・長期 100 年の 3 段階の水準がある。

補　足

呼び強度

計画供用期間が特記されると、コンクリートの耐久設計基準強度が選定され、使用するコンクリートの品質基準強度が定められる。これに基づいて使用する生コンの発注強度、つまり呼び強度が選定される。

補　足

設計基準強度

構造計算において基準としたコンクリートの圧縮強度。

補　足

空気量

空気量が大きすぎるとコンクリートの強度低下をまねく。空気量は、普通コンクリート4.5%、軽量コンクリート 5%を標準とする。

③　AE 剤

独立した無数の微細な空気泡を連行し、コンクリートのワーカビリティー及び耐久性を向上させるために用いる化学混和剤をいう。

④　コンシステンシー

変形あるいは流動に対する抵抗性の程度で表されるフレッシュコンクリートの性質をいう。

⑤　プラスチシティー

容易に型に詰めることができ、型を取り去るとゆっくり形を変えるが、くずれたり材料分離したりすることのないようなフレッシュコンクリートの性質をいう。

⑥　フィニッシャビリティー

粗骨材の最大寸法、細骨材率、細骨材の粒度、コンシステンシーなどによる仕上げの容易さを示すフレッシュコンクリートの性質をいう。

⑦　水セメント比

コンクリートの強度は、水セメント比が大きくなると小さくなる。水セメント比はセメント量 C と水量 W の質量比 W/C である。

(3) コンクリートの打込み及び養生

①　コンクリートの打込み時の注意事項
・　多量のコンクリートを広範囲に打込む場合には、打込み箇所を多く設ける。
・　構造性能や耐久性能の低下の原因となる気泡、じゃんか・不充填部はコンクリートの断面欠損となるので締固めを十分に行う。
・　打継目は、設計上できるだけせん断応力の小さい部材位置に設ける。
②　コンクリートの養生中の注意事項
・　硬化初期の期間中に十分な水分を与えること。
・　適当な温度に保つこと。
・　日光の直射、風などの気象作用に対してコンクリートの露出面を保護すること。
・　振動及び外力を加えないよう保護すること。

補　足

AE 減水剤
AE 剤の効能のほか、所定のスランプを得るのに必要な単位水量を減少させる混和剤である。

補　足　　R06　H28

水セメント比
水セメント比はコンクリートの強度のほか、水密性・耐久性・ワーカビリティーと密接に関係する。水セメント比の最大値は65％以下とする。
値が大きすぎると強度や耐久力が低下し、小さ過ぎるとワーカビリティが低くなる。
R03

補　足

じゃんか（豆板）
硬化したコンクリートの一部に粗骨材だけが集まってできた空げきの多い不均質な部分。

H30

5 ▶ 測　　量

(1) 測量の種類

①　三角測量

　測点の位置、高さを求める測量法で、基準点と各測点の距離を測り、他の1点とを結んで測量区域を三角形の組合せで示し、三角法により三角形の内角・辺長を用いて位置関係を求める方法である。ある2点間の正確な距離が分かっている場合、その2点から離れた場所のある地点との距離は、その2点との角度が分かれば「三角形の一辺とその両端角が分かれば三角形が確定する」という性質によって確定することができる（図5・2・13）。

図5・2・13　三角測量

②　トラバース測量（多角測量）

　位置、高さを求める測量法で、多角測量とも呼ばれる。測点間の測定方法は三角測量と同じである。基準点から測点①、測点①から測点②、測点②から測点③という具合に測点を折れ線で結んで、線分の長さ・角度で位置関係を求める方法である。

③　水準測量

　任意の地点の高さを求める測量法で、2測点間に標尺を設置し、レベルにより測定する。これを繰返して各測点の高さを算出する方法である（図5・2・14）。

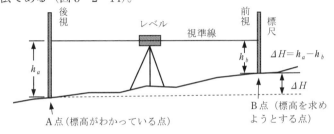

図5・2・14　水準測量

補　足

水準測量
標尺が傾いたままで測定すると、標尺の読みは正しい値より大きくなる。

補　足

ベンチマーク
土地や建築物の位置や高さを測定するための基準点。

補　足

水準点
水準測量により高さの求められた点で、レベルを測る際の基準になる点。

R06　R03　R01　H28

用　語

前視：
標高を求めようとする点を視準すること。

用　語

後視：
標高がわかっている点を視準すること。

④　平板測量

　狭い地域の等高線地図を作成するための測量。三脚の上に平板・図面を設置、アリダードを用いて測点を目視し、図面上に実際の地形を記載する。(アリダードを図5・2・15に示す)

H30

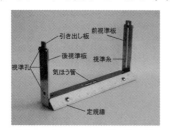

図5・2・15　アリダード

⑤　スタジア測量

　トランシットの望遠鏡の視野内に刻まれたスタジア線を用いて行う簡便な測量方法。一地点にすえたトランシットと、目標地点に立てた標尺との間の距離と比高を間接的に求める。望遠鏡をのぞき、その視野内にある上下2本の平行線(スタジア線)によって、目標地点に鉛直に立てた標尺のはさまれる長さ及びその時の高度角を読み取り、水平距離および比高を算出する。

⑥　写真測量

　航空写真、地上写真などの地形の写真を元に地図を作成するための測量。写真は撮影位置・高度により撮り方や縮尺が異なるため、作業によりこれを補正する。

⑦　GNSS測量

　GPS、GLONASS、ガリレオなどのGNSS(衛星システム)を用いて、位置、高さを求める測量。基準点、測点の2か所にGNSS観測機を設置し、GPS衛星などから発信される電波を受信してする。

6 ▶ 舗　　装

(1) 舗装の種類

　舗装は、交通荷重を支え、円滑な通行のための路面を形成するとともに、気象変化の影響などやその他の外力に対しても安定した路面とするためのもので、用いられる材料によって、コンクリート舗装とアスファルト舗装などがある。

①　コンクリート舗装

　コンクリート舗装は、鋼性舗装の一種で、コンクリート版の表層と路盤から構成されており、たわみが少なく主としてコンクリート版の曲げ抵抗によって車両などの荷重を支える。

②　アスファルト舗装

　アスファルト舗装は、表層、基層、路盤で構成されており、コンクリート舗装に比べて養生期間が短く、せん断力に強いが、曲げ応力に弱く耐久性が低い。

(2) 転圧機械

　転圧とは、締固めの一種でアスファルト混合物の粒子同士を密着させ、余分な水分や空気を除き、強度を高めるために行う作業で、転圧機械には、タイヤローラやロードローラ、また大型の振動ローラや精度・効率の高いアスファルトフィニッシャ、狭い場所にはスプリングが内蔵されているランマなどがある。(「3 ▷建設機械」参照)

5-3 建 築 工 事

1 ▶ 鉄筋コンクリート構造

(1) 鉄筋コンクリート構造（RC）の特徴

　鉄筋コンクリートは RC 構造とも呼ばれ、引張力に弱いコンクリートを鉄筋で補強した構造物である。コンクリートは圧縮には強く、引張には弱い材料であり、鉄筋は圧縮には弱く、引張には強い性質を持っている。コンクリートと鉄筋を組合わせ、圧縮にも引張にも強い部材を造るのがこの構造の特徴である。

　その他の特性を次に示す。

- ・ 単位あたりの重量が重いほど遮音効率が良い（概略単位体積重量 2.3 t/m^3）。
- ・ ひび割れが生じない限り水密性が高い。
- ・ 現場で構築するため平面、断面形状に自由度がある。
- ・ はりの曲げモーメントは、中央部では下側に、端部では上側に引張力が生じる。引張力が生じる部分に主筋を配置する。
- ・ 耐久性・耐火性に優れている。
- ・ 自重が重いため、ある一定限度以上の階数の構造物では鉄骨構造や鉄骨鉄筋構造に比較して経済効率が悪い。
- ・ 鉄筋は大気中では錆びやすいが、コンクリートの持つアルカリ性の性質と一体化することにより酸化せずに強度を保つことができる。

(2) 構造形式

① ラーメン構造

　鉄筋コンクリート構造は、柱、はり、壁、スラブなどの部材から構成されているが、柱とはりを一体化して骨組みを作ったものを、ラーメン構造という。

　この柱とはりに建築物の自重、積載荷重、地震力などの荷重を負担させる構造形式である。

用 語

RC 構造：
Reinforced Concrete。補強されたコンクリートの意味。

R05　R04　R03

補 足

アルカリ骨材反応
コンクリートに含まれるアルカリ性の水溶液と骨材中の成分が化学反応を起こし、その生成物の膨張によってコンクリートがひび割れを起こしたり、劣化したりする現象。

クリープ現象
クリープ現象とは、材料に一定の荷重又は応力を加えると時間の経過とともにひずみが増す現象をいい、床や梁ではたわみが増加する。

付着強度
コンクリートと鉄筋の付着強度は、丸鋼より異形鉄筋を用いたほうが大きい。丸鋼を用いる場合、コンクリートの中で鉄筋の滑りを防ぐために鉄筋端部にフックをつけなければならない。

H29

---

② 壁式構造

ラーメン構造のように柱を用いず、壁と床だけで建物を構成する構造形式を壁式構造という。荷重を壁と床スラブで負担するため、壁には鉄筋を縦・横に配置する。

壁に開口部があると強度不足となるため、開口部の周りには補強鉄筋を配置する。

(3) 鉄筋の配筋

① はりの配筋（図5・3・1）

はりの材軸方向に配筋して曲げモーメントに抵抗する鉄筋を主筋といい、主筋は曲げモーメントによる引張力の働く位置に多く配筋する。

主筋に対して直角方向に配筋してせん断力に抵抗する鉄筋をあばら筋（スターラップ）という。

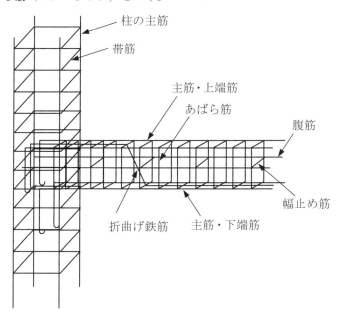

図5・3・1　柱とはりの配筋

　支点の異なるはりに集中荷重が働く場合の主筋は、図5・3・2の位置に設ける。

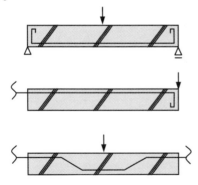

図5・3・2　はりの主筋

　中間階の両端支持のはりの主筋は、中央部では下側に多く配筋し、端部では上側に多く配筋する。

② 柱の配筋（図5・3・3）

　柱の材軸方向に配筋して曲げモーメントと軸方向力に抵抗する鉄筋を主筋といい、主筋に対して直角の方向に配筋してせん断力に抵抗する鉄筋を帯筋（フープ）という。

R06　R01

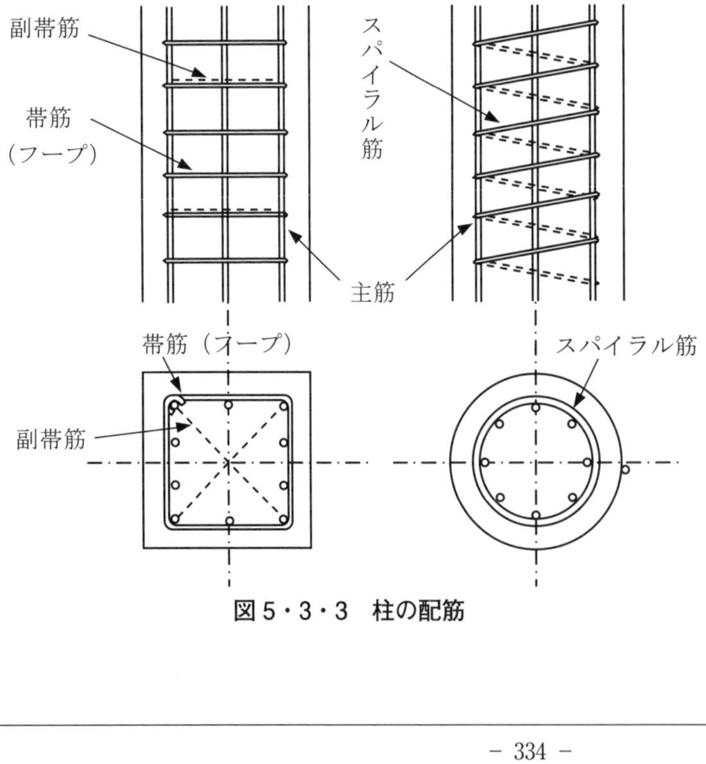

副帯筋

帯筋（フープ）

スパイラル筋

主筋

帯筋（フープ）

副帯筋

スパイラル筋

図5・3・3　柱の配筋

③　スラブの配筋（図5・3・4）

　4辺固定スラブの主筋は短辺方向に配筋し、副筋（配力筋）は長辺方向に配筋する。

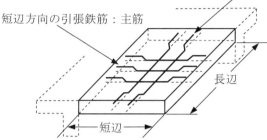

図5・3・4　スラブの配筋

④　ひさしの配筋

　片持ちになっているひさしは上側に引張力が働くので、主筋は上側に多く配筋する。

(4) はりの貫通孔　R03

　はりに貫通孔を設ける場合には、次の点に注意して施工しなければならない。

①　貫通孔の位置

　孔の中心位置は、柱及び直交するはりの面から原則としてはりせいの1.5倍以上離し、高さははりせいの中心付近とする。

②　貫通孔の直径

　原則として管の外径（保温のある場合は保温寸法）より40 mm程度大きくし、保温を行うものは保温材の厚さを加味する。

　また、孔の径ははりせいの1/3以下とし、径が円形でない場合はこれの外接円とする。

③　貫通孔の間隔（図5・3・5）

　孔が並列するときは、その中心間隔を2つの孔平均値の3倍以上離す。

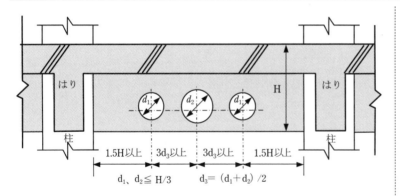

図5・3・5　はりの貫通孔

④　貫通孔の補強

　孔の径がはりせいの1/10以下、かつ150mm未満の場合には補強を省略することができる。

(5)　鉄筋の組立て・加工

①　定　着（図5・3・6）

　一体構造とするために、はりなどの鉄筋端部を柱の中まで延長することを定着という。

　鉄筋の定着を行う場合は、以下の点に注意して施工を行う。

　　イ　鉄筋の定着長さは、鉄筋の種類やコンクリートの設計基準強度により異なり、はりの主筋を柱内に定着させる場合には、柱の中心線を超えてから折り曲げる。

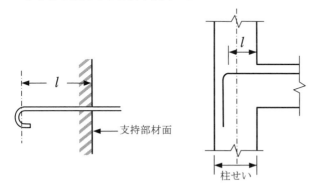

定着長さlの測り方　　　　柱内に定着する場合

図5・3・6　定着長さ

　　ロ　鉄筋の定着長さは、鉄筋径が大きくなるほど長くなる。

② **継　手**（図5・3・7）

　材を軸方向につなぐことを**継手**といい、鉄筋の継手には**重ね継手**とガス圧接継手がある。

　鉄筋の継手を行う場合の注意点は、次のとおりである。

　イ　応力の小さいところに設ける。

　ロ　1ヶ所に集中することなく、ずらして設ける。

　ハ　径が異なる鉄筋の重ね継手の長さは、**細い方**の鉄筋径に所定の倍数を乗じた長さ以上とする。

　ニ　端末フックの長さは継手長さに**含まれない**。

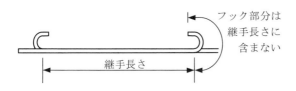

図5・3・7　継手長さ

③　鉄筋のかぶり厚さ（図5・3・8）

　鉄筋の表面とこれを覆うコンクリートの表面までの最短距離を**かぶり厚さ**といい、柱においては、**帯筋**（フープ）の外側表面から測定し、はりにおいては**あばら筋**（スターラップ）の外側表面から測定する。

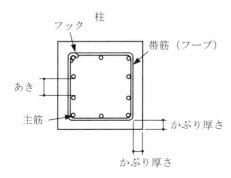

図5・3・8　柱のかぶり厚さ

かぶり厚さについての注意点は、次の通りである。

　イ　基礎においては、捨てコンクリート部分はかぶり厚さに**算入**できない。（図5・3・9）

R06　H30

用　語

かぶり：

鉄筋の表面とこれを覆うコンクリート表面までの最短距離を鉄筋のかぶり（かぶり厚さ）という。かぶりによって鉄筋の錆の抑制や火災などの高熱による鉄筋の強度低下を防止できる。

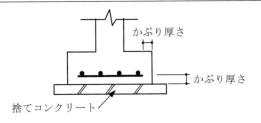

かぶり厚さ

かぶり厚さ

捨てコンクリート

図5・3・9　基礎のかぶり厚さ

ロ　かぶり厚さを必要以上に大きくすると、構造耐力上、問題と
　　なる場合がある。
ハ　鉄筋のかぶり厚さは、土に接する部分や高熱を受ける部分を、
　　その他の部分に比べて大きくする。

2 ▶ 鉄骨構造その他

(1) 鉄骨構造の特徴（図5・3・10）

　鉄骨構造は鉄構造、S造、S構造とも呼ばれ、ラーメン構造、トラ
ス構造及びブレース構造の3つに分けられる。

　鋼材は引張力には強いが、曲げや圧縮力に弱いため、断面形状を様々
に加工することにより強度を高める工夫がされている。

　はり材には主に曲げモーメントが作用するため、曲げ応力に強いH
形鋼が最も多く利用されている。

　その他の特性を次に示す。

・　鉄筋コンクリートに比べ単位あたりの重量が軽いため、はり材
　　として長く利用できるため、柱の間隔を広くすることができる。

・　鉄骨は工場生産され、現地では組立作業のみであるため、工期
　　短縮が可能である。

・　構造物の平面、断面形状の自由度が少ない。

・　材料が均一で、現場作業が少ないため工事品質が作業者の熟練
　　度に左右されない。

・　変形に対する能力が大きいため、地震時のエネルギー吸収能力
　　が高い。

・　鉄骨は燃えないが、約500～600℃の高温になると、急激に強
　　度が低下するため、鋼材に耐火被覆が必要となる。

・　鉄筋コンクリートに比べ断面を小さくすることができる。

R04　R03　R01

・　鋼材が錆びやすいため、防錆処理が必要となる。

・　剛性が小さいので変形が大きく座屈しやすい。

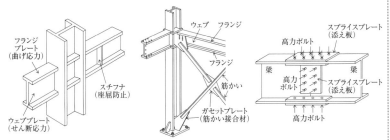

図 5・3・10　鉄骨鋼材の組立て

R06　R05　H30
H28　R27

(2)　構造形式

①　ラーメン構造

部材と部材の接点で接合部が一体化するように剛接合された構造で、トラス構造に比べて大量の鋼材を使用する。部材には一般的にH形鋼が用いられる。

H29

②　トラス構造

三角形を一つの単位として部材を組み立て、部材に働く力が軸方向となる構造で、接合部はすべてピン接合となっている。

ラーメン構造に比べ、細い断面の部材で柱間隔を広くし、重量を支えられる構造であり、部材の加工・組立てに手間がかかる。

③　立体トラス

トラス構造には平面トラスと立体トラスがあるが、立体トラスは大空間を立体的に覆う構造で、構造が複雑で力学的取扱いが難しい。

(3)　鉄骨の接合

①　リベット接合

灼熱したリベットの頭をつぶして固定し、冷却後の収縮力で締付ける。現在はあまり使われていない。

②　ボルト接合

ボルトのせん断耐力によって力を伝達する方法であるが、振動・衝撃を受ける接合部や大規模な建築物構造耐力には使用できない。

③　高力ボルト接合

　トルクレンチにより接合部を強く締付け、接合部材間の圧縮による摩擦力で応力を伝達する。現在多く使われている。

④　溶接接合

　溶接接合は融接、圧接、ろう接の3種類に大別されるが、融接が最も多く用いられている。

　溶接継ぎ手は突合せ溶接、部分溶込み溶接、隅肉溶接の3つの形式がある。

(4) 鉄筋コンクリート構造と鉄骨構造の比較

表5・3・2に、鉄筋コンクリート構造と鉄骨構造の比較を示す。

表5・3・2

	鉄筋コンクリート構造	鉄骨構造
強　　　度	小	大
耐　震　性	低い	粘りがあり良い
柱 の 断 面	大	小
全 体 の 重 量	大	小
工場加工の比率	小	大
施 工 精 度	低い	高い
現 場 の 工 期	長い	短い
耐　火　性	被覆不要	熱に弱く被覆必要

(5) 鋼材及び鋼管の記号と名称

表5・3・3に、鋼材及び鋼管の記号と名称を示す。

表5・3・3

記　号	名　称	JIS 規格
S S	一般構造用圧延鋼材	JIS G 3101
S M	溶接構造用圧延鋼材	JIS G 3106
S N	建築構造用圧延鋼材	JIS G 3136
S T K	一般構造用炭素鋼鋼管	JIS G 3444
S T K M	機械構造用炭素鋼鋼管	JIS G 3445
S G P	配管用炭素鋼鋼管	JIS G 3452
S T K N	建築構造用炭素鋼鋼管	JIS G 3475

R06

第 **6** 章

施工管理

6-1 ▶ 契　約（公共工事標準請負契約約款を含む）・ 設　計

1 ▶ 契　　約

（1）契約の原則
　請負契約は、各々の対等な立場で発注者と請負者の合意に基づいて締結し、信義に従って誠実に履行することが、建設業法で定められている。

（2）契約の方式
　2社以上の建設業者が共同で工事を請負い、施工する共同企業体契約（JV契約）という契約方式もある。この場合、契約による法律的な権利義務は直接構成員に帰属する。

（3）契約書の構成
　①　契約書
　官公庁、公団関係では「建設工事請負契約書」、「公共工事標準請負契約約款」、民間では「工事請負契約書」、「工事請負契約約款」が多く使用される。本書では、過去に出題の多い「公共工事標準請負契約約款」について学習する。

　②　付属書類
　イ　設計図書
　・　設計図面
　・　共通仕様書
　・　特記仕様書
　・　現場説明書
　・　現場説明に対する質問回答書
　ロ　工事請負契約約款

補　足　　H29

設計図書間に相違がある場合の優先順位
① 現場説明に対する質問回答書
② 現場説明書
③ 特記仕様書
④ 設計図面
⑤ 標準（共通）仕様書

2 ▶ 公共工事標準請負契約約款

R03　R02

(1) 総則（第1条）

①　発注者及び受注者は、この約款に基づき、設計図書に従い、日本国の法令を遵守し、この契約を履行しなければならない。

②　受注者は、契約書記載の工期内に完成し、工事目的物を発注者に引き渡し、発注者はその請負代金を支払う。

③　仮設、施工方法その他目的物を完成するために必要な施工方法などについては、受注者の責任で定める。

④　受注者は、この契約の履行に関して知り得た秘密を漏らしてはならない。

⑤　請求、通知、報告、申出、承認及び解除は、書面により行わなければならない。

補　足

設計図書
設計図面、共通仕様書、特記仕様書、現場説明書及び現場説明に対する質問回答書をいう。

(2) 請負代金内訳書及び工程表の承認（第3条）

①　受注者は、設計図書に基づいて請負代金内訳書及び工程表を作成し、発注者に提出し、その承認を受けなければならない。

②　内訳書及び工程表は、この約款の他の条項において定める場合を除き、発注者及び受注者を拘束するものではない。

R06

(3) 契約の保証（第4条（A）、（B））

①　（A）金銭的保証が必要な場合

契約締結と同時に、契約保証金納付、銀行など金融機関の保証、公共工事履行保証証券による保証などを付す。

②　（B）役務的保証が必要な場合

契約締結と同時に、公共工事履行保証証券による保証（かし担保特約付きに限る）を付す。

(4) 一括委任又は一括下請負の禁止（第6条）

①　受注者は、工事の全部もしくはその主たる部分又は他の部分から独立してその機能を発揮する工作物の工事を一括して第三者に委任し、又は請け負わせてはならない。ただし、あらかじめ発注者の承認を得た場合は、この限りではない。

(5) 監督員（第9条）

① 発注者は、監督員を置いたとき、変更したときはその氏名を受注者に通知しなければならない。

② 監督員の権限

・ 契約の履行についての指示、承諾又は協議

・ 施工詳細図の作成、交付又は受注者の作成した詳細図などの承諾

・ 工程の管理、立会い、施工状況の検査、工事材料の試験もしくは検査

R06

(6) 現場代理人及び主任技術者等（第10条）

① 受注者は、現場代理人、主任技術者、監理技術者、監理技術者補佐、専門技術者を定め、その氏名などを通知しなければならない。

現場代理人と主任技術者（監理技術者等）及び専門技術者は兼ねることができる。

H30

用　語

専門技術者：
許可を受けた建設業に係わる建設工事に附帯する他の建設工事（政令で定める軽微な工事を除く）を施工する場合に設置しなければならない技術者などをいう。

② 現場代理人の業務
・ 工事現場に常駐
・ 工事現場の運営・取締り
・ 下記③項以外のこの契約に基づく受注者の一切の権限

③ 現場代理人の権限から外れるもの
・ 請負代金額の変更
・ 請負代金の請求及び受領
・ 発注者が現場代理人を不適当と認め受注者に措置を求める請求の受理
・ 前記に対する決定の通知
・ この契約の解除

(7) 工事関係者に関する措置請求（第12条）
① 発注者は現場代理人、主任技術者、監理技術者等、専門技術者、下請負人及び労働者などが著しく不適当と認めたときは、理由を明示した書面により受注者に必要な措置をするよう請求できる。
② 受注者は監督員が不適当と認めたときは、理由を明示した書面により発注者に必要な措置をするよう請求できる。

(8) 工事材料の品質及び検査等（第13条）
① 工事材料の品質は、設計図書に定めるが、設計図書にその品質が明示されていない材料の品質は中等の品質とする。
② 監督員の検査を指定された材料は検査合格品を使用する。検査費用は受注者が負担する。
③ 工事現場に搬入した材料は監督員の承諾なく場外に搬出してはならない。
④ 検査不合格品は場外に搬出しなければならない。

(9) 支給材料及び貸与品（第15条）
① 発注者が支給する工事材料及び貸与品の品名、数量などは設計図書による。
② 監督員は支給材料・貸与品の引渡しの際、受注者立会いのうえ検査をする。検査費用は発注者が負担する。

補　足

工場立会検査：　　R01
検査の実施に先立ち、現場代理人は検査員を任命する。現場代理人が必ず立会う必要はない。

H27

R06

(10) 設計図書不適合の改造義務及び破壊検査等（第 17 条）

①　受注者は、監督員が設計に適合しないところを改造するよう請求した場合、それに従わなければならない。この場合、不適合の原因が発注者にあるときは発注者は必要に応じて、工期や工事代金の変更、損害費用を負担する。

②　監督員は、受注者が材料検査を受けなかったり、監督員立会いで施工すべきものに立会いを受けないで施工したときは、その施工部分を破壊して検査できる。この検査及び復旧の費用は受注者が負担する。

(11) 条件変更等（第 18 条）

①　受注者が工事施工に当たり、次の事柄を発見したときは監督員に通知し確認を請求する。

・　図面、仕様書、現場説明書、質問回答書が一致しない。
・　設計図書に誤り、落ちがある。
・　設計図書の表示が不明確。
・　現場の状況が設計図書に示されたものと一致しない。
・　予期されない特別な状態が生じた。

②　監督員は確認を請求された場合、受注者立会いで調査しなければならない。調査の結果、必要であれば設計図書の訂正・変更を行う。

(12) 著しく短い工期の禁止

発注者は工期の延長や短縮を行うときは、工事従事者の労働時間や労働条件が適正に確保されるよう日数等を考慮しなければならない。

(13) 工期の延長（第 22 条）

受注者は、天候不良など受注者の責任でないことで、工期内に完成できないときは、理由を明示して書面で工期の延長を請求できる。

(14) 工期の短縮（第 23 条）

発注者は、特別な理由により工期を短縮する必要があるときは、受注者に工期短縮を請求できる。この場合、必要であれば請負代金を変更し、又は受注者に損害を与えたときはその費用を負担しなければならない。

(15) 請負代金額の変更等（第 25 条）

請負代金額の変更は、発注者、受注者が協議して定める。協議が整わない場合には、発注者が定め、受注者に通知する。

(16) 臨機の措置（第27条）

　受注者は、災害防止のため必要があるときは、臨機の措置をとらなければならない。この場合、必要があるときはあらかじめ監督員の意見を聞かねばならないが、緊急でやむを得ないときは措置をして、その内容をただちに監督員に通知しなければならない。

(17) 第三者に及ぼした損害（第29条）

① 　工事の施工により第三者に損害を及ぼした場合は、受注者がその損害を賠償しなければならない。

② 　工事の施工に伴い、通常避けることのできない騒音、振動、地盤沈下、地下水の断絶などの損害は発注者の負担とする。ただし、受注者が善良な管理者の注意義務を怠ったことにより生じたものは受注者負担とする。

(18) 不可抗力による損害（第30条）

　工事目的物引渡し前に、天災などの不可抗力により、工事目的物、仮設物又は工事材料、建設機械器具に損害が生じたときは、受注者はただちに発注者に通知しなければならない。

(19) 検査及び引渡し（第32条）

① 　発注者は、受注者から**工事完成の通知を受けたときは14日以内**に受注者立会いで検査を完了しなければならない。

② 　工事の完成を確認した後、受注者から工事目的物の引渡しを申し出たときは、発注者はただちに引渡しを受けなければならない。

(20) 請負代金の支払い（第33条）

① 　受注者は、工事完成検査に合格したときは請負代金を請求することができる。

② 　発注者はこの請求があったときは、**請求を受けた日から40日以内**に請負代金を支払わなければならない。

(21) 前払金（第35条）

① 　受注者は、保証契約を締結し、その保証証書を寄託して前払金を請求できる。

② 　発注者はその**請求を受けた日から14日以内**に前払金を支払わなければならない。

R06

補　足

受注者は、発注者の承諾を得て請負代金の全部又は一部の受領につき、第三者を代理人とすることができる。

(22) 契約不適合責任（第 45 条）

　発注者は、引き渡された工事目的物に契約不適合があるときは受注者に対し、目的物の修補、代替物の引渡しによる履行の追完を請求できる。ただし、履行の追完に過分の費用を要するときは、請求できない。この請求は、一定の期間内に行わなければならない。

用　語

契約不適合：
工事目的物 種類や品質に関して、契約の内容に適合しないこと

(23) 発注者の解除権（第 47 条）

　発注者は、受注者が次の項目に該当する場合、催促をしても期間内に履行されないときは契約を解除できる。

① 正当な理由なく、工事に着手すべき期日を過ぎても工事に着手しないとき。

② 工期内に完成しないとき、又は工期経過後、期間内に工事を完成する見込みがないとき。

③ 主任技術者、監理技術者を設置しなかったとき。

④ その他、契約に違反し、契約の目的を達することができないと認められるとき。

用　語

受注者の解除権　R06　R01
受注者は、請負代金額が 3 分の 2 以上減少したとき、契約を解除することができる。

(24) あっせん又は調停（第 59 条）

① この契約の各条項において両者が協議して定めるものについて、協議が整わなかったときや契約に関し紛争が生じたときは契約書記載の調停人のあっせん又は調停により解決を図る。

② 調停人の定めがないときは、建設工事紛争審査会のあっせん又は調停による。

3 ▶ 建設工事標準下請契約約款

H29　H28

(1) 元請負人に通知しなければならない事項（第 7 条）

① 現場代理人及び主任技術者の氏名

② 雇用管理責任者の氏名

③ 安全管理者の氏名

④ 工事現場において使用する一日当たり平均作業員数

⑤ 工事現場において使用する作業員に対する賃金支払の方法

⑥ その他元請負人が工事の適正な施工を確保するため必要と認めて指示する事項

補　足

下請契約約款は、「契約の保証」、「一括下請負の禁止」、「監督員」、「現場代理人」などの多くの項目が先の公共工事標準請負契約約款に準ずる。

(2) 下請負人の関係事項の通知（第8条）

　下請負人が工事の全部又は一部を第三者に委任し又は請け負わせた場合、元請負人に対して遅滞なく通知する事項は以下のとおり。

① 受任者又は請負人の氏名及び住所（法人であるときは名称及び工事を担当する営業所の所在地）

② 建設業の許可番号

③ 現場代理人及び主任技術者の氏名

④ 雇用管理責任者の氏名

⑤ 安全管理者の氏名

⑥ 工事の種類及び内容

⑦ 工期

⑧ 受任者又は請負人が工事現場において使用する一日当たり平均作業員数

⑨ 受任者又は請負人が工事現場において使用する作業員に対する賃金支払の方法

⑩ その他元請負人が工事の適正な施工を確保するため必要と認めて指示する事項

4 ▶ 設計・図記号

(1) 図示記号 (JIS C 0303 構内電気設備の配線用図記号〈抜粋〉)

① 一般配線（表6・1・1・①）

名　　称	記　号	適　用
天井隠ぺい配線 床隠ぺい配線 露出配線		a) 天井隠ぺい配線のうち天井ふところ内配線を区別する場合は、　　　　を用いてもよい。 b) 床面露出配線及び二重床内配線の図記号は、　　　　を用いてもよい。 c) 電線の種類を示す必要のある場合は、表1の記号（代表例）を記入する。

表1　電線の記号

記　号	電線の種類
IV	600 V ビニル絶縁電線
HIV	600 V 二種ビニル絶縁電線
OW	屋外用ビニル絶縁電線
OC	屋外用架橋ポリエチレン絶縁電線
OE	屋外用ポリエチレン絶縁電線
DV	引込用ビニル絶縁電線
PDC	高圧引下用架橋ポリエチレン絶縁電線
CV	架橋ポリエチレン絶縁ビニルシースケーブル
VVF	600 V ビニル絶縁ビニルシースケーブル（平形）
VVR	600 V ビニル絶縁ビニルシースケーブル（丸形）
CVV	制御用ビニル絶縁ビニルシースケーブル
FP	耐火ケーブル
HP	耐熱ケーブル
EM-CE	600 V 架橋ポリエチレン絶縁耐燃性ポリエチレンシースケーブル
CPEV	市内対ポリエチレン絶縁ビニルシースケーブル

名　　称	記　号	適　　用
天井隠ぺい配線 床隠ぺい配線 露出配線		d）絶縁電線の太さ及び数は、次のように記入する。単位が明らかな場合は、単位を省略してもよい。ただし、2.0 は直径、2 は断面積を示す。 例　$\dfrac{\#\#\#}{1.6}$　　$\dfrac{\#\#}{2.0}$　　$\dfrac{\#}{2}$　　$\dfrac{\#\#\#}{8}$ 数字の傍記の例　　$\dfrac{1.6 \times 5}{5.5 \times 1}$ e）ケーブルの太さ及び線心数は、次のように記入し、必要に応じて電圧を記入する。 例　1.6 mm　　3 心の場合　　$\dfrac{1.6-3C}{0.5-100P}$ 　　0.5 mm　　100 対の場合 f）電線の接続点は、次による。 g）管類の種類を示す必要がある場合は、表2の記号（代表例）を記入する。 表2　管類の記号 | 記 号 | 配管の種類 | |---|---| | E | 鋼製電線管（ねじなし電線管）| | PF | 合成樹脂製可とう電線管（PF 管）| | CD | 合成樹脂製可とう電線管（CD 管）| | F2 | 2 種金属製可とう電線管 | | F | フロアダクト | | FC | フロアダクト（コンベックス形）| | MM1 | 1 種金属線ぴ | | MM2 | 2 種金属線ぴ | | SGP | 配管用炭素鋼鋼管 | | STPG | 圧力配管用炭素鋼鋼管 | | STK | 一般構造用炭素鋼鋼管 | | PEG | ケーブル保護用合成樹脂被覆鋼管 | | PLP | ポリエチレン被覆鋼管 | | VE | 硬質塩化ビニル電線管 | | VP | 硬質塩化ビニル管 |

名　　称	記　号	適　用
		h）配管は、次のように表す。 　鋼製電線管（ねじなし電線管）　　─╫─ 1.6（E19） 　合成樹脂製可とう電線管（PF管）　─╫─ 1.6（PF19） 　2種金属製可とう電線管　　　　　　─╫─ 1.6（F217） 　硬質塩化ビニル電線管　　　　　　　─╫─ 1.6（VE16） 　電線の入っていない（PF管）　　　─○─ （PF16） i）フロアダクトの表示は、次による。 　例　━━━━（F7）　　━━（FC6） 　ジャンクションボックスを示す場合は、次による。 　　━━◎━━・
立上がり 引下げ 素通し	♂ ♀ ♂	防火区画貫通部は、次による。 　立上がり ♂　　　引下げ ♀ 　素通し ♂
プルボックス	⊠	a）材料の種類、寸法を表示。 b）ボックスの大小及び形状に応じ表示。
ジョイントボックス	□	
VVF用ジョイントボックス	⊘	
接地端子	⏚	医療用のものは、Hを傍記する。
接地極	⏚	a）接地種別を次によって傍記する。 　A種 E_A、B種 E_B、C種 E_C、D種 E_D 　例　⏚$_{E_A}$ b）必要に応じ、接地極の目的、材料の種類、接地抵抗 　値などを傍記する。
受電点	⌁	引込口にこれを適用しても良い。

② バスダクト（表6・1・1・②）

名　　称	記　号	適　用
バスダクト	▭	a）バスダクトの種類を示す場合は、次による。 　フィーダバスダクト　　　　　FBD 　低圧絶縁形耐火バスダクト　　FPBD 　プラグインバスダクト　　　　PBD 　トロリーバスダクト　　　　　vvTBD b）防雨形の場合はWPを傍記する。

③　合成樹脂線ぴ（表6・1・1・③）

名　　称	記　号	適　　用
合成樹脂線ぴ	———	必要に応じ、電線の種類、太さ、条数、線ぴの大きさなど示す場合は、次による。 例　——————— 　　　Ⅰ Ⅴ　1.6×4（ＰＲ35×18）

④　機器（表6・1・1・④）

名　　称	記　号	適　　用
電動機	Ⓜ	必要に応じ、電気方式、電圧、容量等を示す場合は、次による。 例Ⅴ Ⓜ $3\phi200V$ 　　　$3.7kW$
コンデンサ	⊞	電動機の摘要を準用する。
電熱器	Ⓗ	電動機の摘要を準用する。
換気扇	∞	a）必要に応じ、種類及び大きさを傍記する。 b）天井付きは、次による。 　　∞
ルームエアコン	RC	a）屋外ユニットはO、屋内ユニットはⅠを傍記する。 　　RC₀　　　RCᵢ b）必要に応じ、電気方式、電圧、容量を傍記する。
小形変圧器	Ⓣ	a）必要に応じ、電圧、容量を傍記する。 b）必要に応じ、ベル変圧器はB、リモコン変圧器はR、ネオン変圧器はN、蛍光灯用安定器はF、HID灯（高効率放電灯）用安定器はHを傍記する。 　　Ⓣ$_B$ Ⓣ$_R$ Ⓣ$_N$ Ⓣ$_F$ Ⓣ$_H$ c）蛍光灯用安定器及びHID灯用安定器で、器具に収めるものは、表示しない。
整流装置	▶|	必要に応じ、種類、電圧、容量などを傍記する。
蓄電池	⊣|⊢	必要に応じ、種類、電圧、容量などを傍記する。
発電機	Ⓖ	必要に応じ、発電機は、電気方式、電圧、容量及び原動機は、種類、出力などを傍記する。

⑤　照明器具（表6・1・1・⑤）

名　称	記　号	適　用
一般用照明 　　白熱灯 　　HID 灯	◯	a）器具の種類を示す場合は、文字記号などを記入する。 b）a）によりにくい場合は、次の例による。 　ペンダント　　　　　　　⊖ 　シーリング（天井直付）　Ⓒ L 　シャンデリア　　　　　　Ⓒ H 　埋込器具　　　　　　　　Ⓓ L 　引掛シーリングローゼット（丸）　(•) 　引掛シーリングローゼット（角）　[•] c）器具の壁付及び床付の表示 　1）壁付は壁側を塗るか、又は W を傍記する。 　　◖　　◯w　　　　　◯F 　2）床付は、F を傍記する。　◯F d）容量を示す場合は、ワット（W）×ランプ数で傍記する。　　例　◯100　　◯200×3 e）屋外灯　◎　としてもよい。 f）HID 灯の種類を示す場合は、容量の前に次の記号を付けてもよい。 　水銀灯　　　　　　　H　　例　◯H100 　メタルハライド灯　　M 　ナトリウム灯　　　　N
蛍光灯	━◯━	a）図記号　━◯━　は、▭　としてもよい。 　ただし、━◯━　は、ボックス付を示す。 　　　　　▭　は、ボックスなしを示す。 b）器具の種類を示す場合は、文字記号などを記入する。 c）器具の壁付及び床付の表示。 　1）壁付は、壁側を塗るか、又は W を傍記してもよい。 　　━◯━　　　━◯━w 　2）床付は、F を傍記してもよい。　━◯━F d）容量を示す場合は、ワット（W）×ランプ数で傍記する。　例　━◯━F40　　━◯━F40×2

名　称	記　号	適　用
蛍光灯		e）器具内配線のつながりを示す場合は、次による。 例 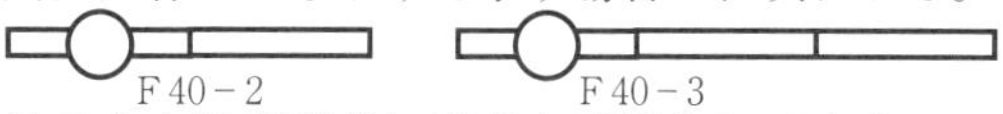　F40-2　　F40-3 f）器具の大小及び形状に応じた表示としてもよい。 例 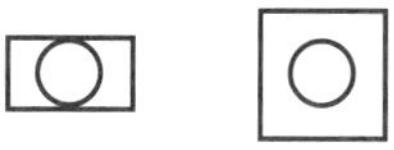
非常用照明 （建築基準法によるもの） 　　白熱灯 　　蛍光灯	 ● ▭●▭	a）器具の種類を示す場合は、文字記号などを記入する。 b）白熱灯を一般蛍光灯に組み込む場合は、次の図記号でもよい。  c）階段に設ける通路誘導灯（蛍光灯形）と兼用のものは、次の図記号でもよい。  d）壁付は、Ｗを傍記しても良い。  ●W　　▭●▭W
誘導灯 （消防法によるもの） 　　白熱灯 　　蛍光灯	 ⊗ ▭⊗▭	a）器具の種類を示す場合は、文字記号などを記入する。 b）客先誘導灯（白熱灯）の場合は、必要に応じＳを傍記してもよい。  ⊗S c）階段に設ける非常用照明（蛍光灯形）と兼用のものは、次の図記号でもよい。  d）通路誘導灯の避難方向表示は、必要に応じ、矢印を記入する。 例  ⊗→　⊗→ e）壁付は、Ｗを傍記してもよい。  ⊗W　　⊗W f）床付は、Ｆを傍記しても良い。  ⊗F　　⊗F

⑥　コンセント（表6・1・1・⑥）

名　　称	記　号	適　　用
コンセント 　　　　一般形 　　　ワイド形	⊖ ◇	a）図記号は、壁付きを示し、壁側を塗る。 b）図記号に ⊖ ◇ は ⦂ ⦂ で示してもよい。 c）天井に取り付ける場合は、次による。 　　　⊖　　　　　◇ d）床に取り付ける場合は、次による。 　　　⊖ e）二重床用は、次による。 　　　⊟ f）定格の表し方は、次による。 　1)　15 A 125 V は傍記しない。 　2)　20 A 以上は、定格電流を傍記する。 　　例　⊖20A　　　　　◇20A 　3)　250 V 以上は、定格電圧を傍記する。 　　例　⊖20A250V　　　◇20A250V g）2口以上の場合は、口数を傍記する。 　　例　⊖2　　　　　　◇2 h）3極以上の場合は、極数を傍記する。 　　例　⊖3P　　　　　◇3P i）種類を示す場合は、次による。 　　抜け止め形　　　　⊖LK 　　引掛形　　　　　　⊖T 　　接地極付　　　　　⊖E 　　接地端子付　　　　⊖ET 　　漏電遮断器付　　　⊖EL j）防雨形は、WP を傍記する。 　　　⊖WP k）防爆形は、EX を傍記する。 　　　⊖EX l）医用は、H を傍記する。 　　　⊖H
非常用コンセント （消防法によるもの）	⊞	図記号 ⊞ は、⦿ としてもよい。

⑦　点滅器（表6・1・1・⑦）

名　称	記　号	適　用
点滅器 　　　　一般形 　ワイドハンドル形	● ◆	a）容量の表し方は、次による。 　1）15 Aは、傍記しない。 　2）15 A以外は、定格電流を傍記する。 　　例　　　●20A　　◆20A b）極数の表し方は、次による。 　1）単極は傍記しない。 　2）2極又は3路、4路はそれぞれ2 P、3又は4を 　　傍記する。 　　　●2P　　　　●3　　　　●4 　　　◆2P　　　◆3　　　◆4 c）プルスイッチは、Pを傍記する。　●P d）パイロットランプ（確認表示灯）を内蔵するものは、 　　Lを傍記する。　　　　　　　　　●L e）別置されたパイロットランプは、○ とする。 　例　　○● f）防雨形は、WPを傍記する。 　　　　　　　　　●WP g）防爆形は、EXを傍記する。 　　　　　　　　　●EX h）タイマー付は、Tを傍記する。 　　　　　　　　　●T i）屋外灯などに使用する自動点滅器はA及び容量を 　　傍記する 　例　　　●A(3A)
調光器 　　　　一般形 　ワイド形	⬗ ⬗	定格を示す場合は、次による。 　例　　　⬗800W　　⬗800W
リモコンスイッチ	●R	a）別置されたパイロットランプは、○ とする。 　例　　○●R b）リモコンスイッチであることが明らかな場合は、 　　Rを省略してもよい。

名　　称	記　号	適　　用
リモコンセレクタスイッチ	⊗	点滅回路数を傍記する。 例　　⊗$_9$
リモコンリレー	▲	a）リモコンリレーを集合して取り付ける場合は、 　▲▲▲ を用い、リレー数を傍記する。 例　　▲▲▲$_{10}$

⑧　開閉器・計器（表6・1・1・⑧）

名　　称	記　号	適　　用
開閉器	S	a）箱入りの場合は、箱の材質などを傍記する。 b）極数、定格電流、ヒューズ定格電流などを傍記する。 例　　S $\begin{smallmatrix}2P30A\\f\ 30A\end{smallmatrix}$ c）電流計付は、Ⓢ を用い、定格電流を傍記する。 例　　Ⓢ $\begin{smallmatrix}2P30A\\f\ 30A\\A5\end{smallmatrix}$
配線用遮断器	B	a）箱入りの場合は、箱の材質などを傍記する。 b）極数、フレームの大きさ、定格電流などを傍記する。 例　　B $\begin{smallmatrix}3P\\225AF\\150A\end{smallmatrix}$ c）モータブレーカを示す場合は、次による。 　B$_M$ 又は Ⓑ d）図記号 B は S$_{MCCB}$ としてもよい。
漏電遮断器	E	a）箱入りの場合は、箱の材質などを傍記する。 b）過負荷保護付は、極数、フレームの大きさ、定格電流、定格感度電流など、過負荷保護なしは極数、定格電流、定格感度電流などを傍記する。 例　過負荷保護付　E $\begin{smallmatrix}2P\\30AF\\15A\\30mA\end{smallmatrix}$ 例　過負荷保護なし　E $\begin{smallmatrix}2P\\15A\\30mA\end{smallmatrix}$ c）過負荷保護付は BE を用いてもよい。 d）図記号 E は S$_{ELCB}$ としてもよい。

名　称	記　号	適　用
電磁開閉器用押しボタン	⬤B	パイロットランプ（確認表示灯）付の場合は、Lを傍記する。 例　　⬤BL
圧力スイッチ	⬤P	
フロートスイッチ	⬤F	
フロートレススイッチ電極	⬤LF	電極数を傍記する。 例　　⬤LF3
タイムスイッチ	TS	
電力量計	Wh	a）必要に応じ、電気方式、電圧、電流などを傍記する。 b）図記号 Wh は WH としてもよい。
電力量計 （箱入り又はフード付）	Wh	a）電力量計の摘要を準用する。 b）集合計器箱に収納する場合は、電力量計の数を傍記する。 例　　Wh 12
変流器（箱入り）	CT	必要に応じ、電流を傍記する。
電流制限器	L	a）必要に応じ、電流を傍記する。 b）箱入りの場合は、その旨を傍記する。
漏電警報器	⊗G	必要に応じ、種類を傍記する。
漏電火災警報器 （消防法によるもの）	⊗F	必要に応じ、級別を傍記する。
地震感知器	EQ	必要に応じ、種類を傍記する。

⑨　配電盤・分電盤（表6・1・1・⑨）

名　称	記　号	適　用
配電盤、分電盤及び制御盤	▭	a）種類を示す場合は、次による。 　配電盤　▨ 　分電盤　◪ 　制御盤　▧ b）直流用は、その旨を傍記する。 c）防災電源回路用配電盤などの場合は、二重枠とし、 　必要に応じ、種別を傍記する。 例　▨ 1種　　◪ 2種

⑩　電話（表 6・1・1・⑩）　　　　　　　　　　　　　　　　　　　　　　　R05

名　　　称	記　号	適　　　用
内線電話機	Ⓣ	ボタン電話機を区別する場合は、BT を傍記する。 例　Ⓣ$_{BT}$
加入電話機	ⓉⒸ	
公衆電話機	ⓅⓉ	
ファクシミリ	FAX	
交換機	PBX	図記号　PBX　は、⊠ としてもよい。
ルータ	RT	図記号　RT　は、ルータ としてもよい。
本配線盤	MDF	
中間配線盤	IDF	
デジタル回線終端装置	DSU	
局線中継台	ATT	

⑪　警報・呼出・表示・ナースコール設備（表 6・1・1・⑪）　　　　　　　R06　H30

名　　　称	記　号	適　　　用
押しボタン 握り押しボタン	▣ ◉	a）壁付は、壁側を塗る。 　　▣ b）2 個以上の場合は、ボタン数を傍記する。 　例　▣$_3$ c）ナースコール用は ▣$_N$ とする。
ベル	♢	警報用と時報用とを区別する場合は、次による。 警報用　♢$_A$　　時報用　♢$_T$
ブザー	◿	警報用と時報用とを区別する場合は、次による。 警報用　◿$_A$　　時報用　◿$_T$
チャイム	♪	
警報盤	▨	
ナースコール用受信盤（親機）	NC	窓数を傍記する。 　例　NC$_{10}$
表示器（盤）	⊞⊞⊞	窓数を傍記する。 　例　⊞⊞⊞$_{10}$

⑫　電気時計設備（表 6・1・1・⑫）

名　　　称	記　号	適　　　用
子時計		a）形状、種類などを示す場合は、その旨を傍記する。 b）アウトレットだけの場合は、　とする。 c）スピーカ付子時計は、次による。
親時計		時計監視盤に親時計を組込みの場合は、 　とする。

⑬　拡声・インターホン（表 6・1・1・⑬）

名　　　称	記　号	適　　　用
スピーカ		a）壁付は、壁側を塗る。 b）形状、種類を示す場合は、その旨を傍記する。 c）アウトレットだけの場合は、 とする。 d）方向を示す場合は、次による。 e）ホーン形スピーカを示す場合は、次による。 f）防滴形は、WP を傍記する。 WP
ジャック		種類を示す場合は、次による。 マイクロホン用　M スピーカ用　　　S

⑭　自動火災報知設備（表 6・1・1・⑭）　　　　　　　　　　　R03　H27

名　　　称	記　号	適　　　用
差動式スポット型感知器		a）必要に応じ、種別を傍記する。 b）埋込形は、 とする。
補償式スポット型感知器		必要に応じ、種別を傍記する。
定温式スポット型感知器		a）必要に応じ、種別を傍記する。 b）防水形は、 とする。 c）耐酸形は、 とする。 d）耐アルカリ形は、 とする。

煙感知器	［S］	a）必要に応じ、種別を傍記する。 b）点検ボックス付の場合は、［S］ とする。 c）埋込みのものは、［S］ とする。
定温式感知線型感知器 （感知線式）	─◉─	a）必要に応じ、種別を傍記する。 b）感知線と電線の接続点は、 ─●─ とする。 c）小屋裏及び天井裏へ張る場合は、‑‑◉‑‑ とする。 d）貫通箇所は、─○─○─ とする。
差動式分布型感知器 （空気管式）	─────	a）小屋裏及び天井裏へ張る場合は、‑‑‑‑‑ とする。 b）貫通箇所は、─○─○─ とする。
差動式分布型感知器 （熱電対式）	─■─	小屋裏及び天井裏へ張る場合は、─□─ とする。
差動式分布型感知器 （熱半導体式）	◉◉	
P形発信機	Ⓟ	a）屋外用のものは、Ⓟ とする。 b）防爆形のものは、EX を傍記する。
警報ベル	Ⓑ	a）屋外用のものは、Ⓑ とする。 b）防爆形のものは、EX を傍記する。
受信機	⧓	複合型を示す場合は、次による。 　　例　ガス漏れ警報設備と一体のもの ⧓△
副受信機	⊟	
中継器	⊟	
警戒区域線	─・─	配線の図記号より太くする。
警戒区域番号	○	a）○のなかに警戒区域番号を記入する。 b）必要に応じ⊖とし、上部に警戒場所、下部に警戒区域番号を記入する。 　　例　 ㊙階段 ㊙シャフト

⑮　非常警報設備（表6・1・1・⑮）

名　　称	記　号	適　　用
起動装置	Ⓕ	屋外用は、Ⓕ とする。
警報ベル	Ⓑ	屋外用は、Ⓑ とする。
警報サイレン	◁	

⑯　消火設備（表6・1・1・⑯）

名　　称	記　号	適　　用
起動ボタン	Ⓔ	a）用途を示す場合は、次による。 　　　ガス系消火設備　　ⒺG 　　　水系消火設備　　　ⒺW b）屋外用は、Ⓔ とする。
警報ブザー	ⒷⓏ	

⑰　自動閉鎖設備（表6・1・1・⑰）

名　　称	記　号	適　　用
煙感知器	Ⓢ	
熱感知器	⊖	
自動閉鎖装置	ⒺⓇ	

⑱　ガス漏れ警報設備（表6・1・1・⑱）

名　　称	記　号	適　　用
検知器	[G]	

⑲　避雷設備（表6・1・1・⑲）

名　　称	記　号	適　　用
突針部　　平面図用 　　　　　立面図用	⊙ ╎	
避雷導線及び棟上げ導体	———	a）必要に応じ、材料の種類、太さなどを傍記する。 b）接続点は、次による。　——●——　　—┬—

(2)　図記号（JIS C 0617 電気用図記号）

①　開閉器類（JIS C 0617 電気用図記号）（表6・1・2・①）　　R01

名　称	記　号	名　称	記　号
ケーブルヘッド（CH）		避雷器（LA）	
断路器（DS）手動操作		変流器（CT）	
遮断器（CB）配線用遮断器（MCCB）		零相変流器（ZCT）	
限流ヒューズ（PF）固定形ヒューズ（F）		計器用変圧器（VT）ヒューズなし	
高圧負荷開閉器（LBS）ヒューズなし		整流器（RF）	
高圧カットアウト（PC）ヒューズ付き		単相変圧器（T）	
電磁接触器（MC）		固体抵抗（R）	
電力用コンデンサ（SC）低圧進相コンデンサ（C）		接地（E）（D種接地：E_D）	
直列リアクトル（SR）		開閉器（スイッチ）（S）	

②　保護継電器類（JSIA118-1 より抜粋）（表6・1・2・②）　　R06

名　称（文字記号）	記　号	名　称（文字記号）	記　号
過電流継電器（OCR）	I＞	過電圧継電器（OVR）	U＞
地絡過電流継電器（OCGR）	I≟＞	地絡過電圧継電器（OVGR）	U≟＞
比率差動継電器（PDFR）	Id/I＞	不足電圧継電器（UVR）	U＜
地絡方向継電器（DGR）	I≟＞	短絡方向継電器（DSR）	I＞

③　計器類（JSIA118‐1より抜粋）（表6・1・2・③）　　　　　　　　　　H30

名　称（文字記号）	記　号	名　称（文字記号）	記　号
電　流　計（AM）	Ⓐ	最大需要電流計（MDAM）（警報接点付）	MDA
電　圧　計（VM）	Ⓥ	最大需要電力計（MDWM）	MDW
電　力　計（WM）	Ⓦ	高周波計（HM）	Ⓗ
電力量計（WHM）	Wh	力　率　計（PFM）	cosφ
零相電流計（AoM）	Ⓐo	無効率計（SNM）	sinφ
零相電圧計（VoM）	Ⓥo	周波数計（FM）	Hz
記録電力計（RWM）	W	回　転　計（NM）	n
無効電力計（VARM）	var	時　間　計（HRM）	h

④　制御器具番号（JEM1090より抜粋）（表6・1・2・④）　　　　　　R03　H29

器具番号	器　具　名　称	器具番号	器　具　名　称	器具番号	器　具　名　称
3	操作スイッチ	43	制御回路切換スイッチ、接触器又は継電器	72	直流遮断器又は接触器
5	停止スイッチ又は継電器	51	交流過電流継電器又は地絡過電流継電器	73	短絡用遮断器又は接触器
27	交流不足電圧継電器	52	交流遮断器又は接触器	76	直流過電流継電器
28	警報装置	55	自動力率調整器又は力率継電器	80	直流不足電圧継電器
29	消火装置	57	自動電流調整器又は電流継電器	84	電圧継電器
30	機器の状態又は故障表示	59	交流過電圧継電器	87	差動継電器
37	不足電流継電器	64	地絡過電圧継電器	89	断路器又は負荷開閉器
42	運転遮断器、スイッチ又は接触器	67	交流電力方向継電器又は地絡方向継電器	90	自動電圧調整器又は自動電圧調整継電器

6-2 工 事 施 工

1 工 事 施 工

　平成11年度より、工事施工に関する問題が出題されている。その範囲は、電気設備に関するものだけでなく、土木や施工の手続きなども出題されている。過去に出題された内容を表6・2・1に示す。

　出題内容の詳細説明については各章を参照のこと。

表6・2・1　工事施工での出題内容

章	項	出題内容
第2章 電気設備	2-1　発電設備	汽力発電設備の発電機据付工事
		発電設備の耐震対策
		火力発電所のタービン据付工事の作業手順
		水力発電所の水車の施工に関して
		火力発電所の発電機据付工事の作業手順
	2-2　変電設備	屋内高圧受電設備について
		屋内変電所の電気工事の施工
		屋外変電所の油入り変圧器の現地組立作業
		受電用遮断器の遮断電流を決定する要素
		屋外変電所の施工
		受変電設備の地絡方向継電器試験に使用する機器
		屋外変電所の耐雷対策
	2-3　送配電設備	低圧架空電線路の支持物の施設する支線の仕様
		低圧屋内配線の金属ダクト工事の施工
		架線工事の弛度測定方法
		低圧電路の漏えい電流値
		架空送電線の延線工事に関して
		ケーブルシールド接地工事
		架空配電線路の無停電工法
		低圧屋内配線のバスダクト工事の施工
		低圧屋内幹線の施工
		架空電線路の昇降用常時足場について
		屋内配線の電気設備の技術基準の規定

章	項	出題内容
第3章 構内電気設備	3-1　照明器具	照明器具の設置に関して
	3-2 幹線・屋内配線	電路の漏えい電流値
		低圧屋内配線の金属管工事の接地
		合成樹脂管工事（PF管・CD管）の施工
		バスダクト工事の規定
		幹線ケーブルのケーブルラック布設工事について
		金属ダクト工事について
		低圧屋内配線の規定
		低圧屋内幹線の施工
		低圧屋内配線の金属管工事
		ケーブルラックに幹線ケーブルを布設する工事について
		低圧屋内バスダクト工事の作業手順
		屋内配線の電技規定
	3-3 動力設備	三相200Vの誘導電動機回路の開閉器
	3-4 高圧受電設備	屋内高圧受電設備に関する記述
		屋内開放形高圧受電設備の施工に関して
		屋内開放形高圧受電設備の工事
		PF・S形高圧受変電設備の保護協調
	3-5 自家発電設備	蓄電池設備の施工について
		自家発電設備（ディーゼル）の施工について
	3-6 防災設備	自動火災報知設備（音響装置、受信機、発信機、表示灯）
		排煙設備の配線工事について
	3-7 構内通信設備	光ファイバケーブルの施工
		有線電気通信設備の架空電線に関する規定
		「有線電気通信法」上の屋内電線、架空電線の規定
		光ファイバケーブル配線について
		光ファイバケーブル配線工事
		「有線電気通信法」の施工規定
		LANについて
		通信設備の配線方法
第3章 構内電気設備	3-8 避雷設備	受雷部システム、引下げ導線システム、接地システム、材料及び寸法
	3-9 構内外線工事	低圧地中線と高圧地中線の離隔距離
	3-10 施工・接地・保護	ケーブルシールド接地工事の施工方法

章	項	出題内容
第4章 電車線・その他の設備	4-1 電気鉄道	電車線のレール面高さ
		電車線路について
		直流電気鉄道の帰線漏れ電流の低減対策
		架空単線式の電車線に関して
		鉄道の軌道用語の説明
		電車線（カテナリちょう架）の規定
		直流電車線路の帰線路について
		新幹線鉄道の電車線路
第5章 関連分野	5-2 土木工事	土量計算
		軟弱地盤対策の工法
		ブロックハンドホールの施工
		土木工事の締固め機械
		地山の掘削作業主任者の選任規定（安衛法）
		盛土工事を行うときの運搬土量
		土の締固め機械の種類
第6章 施工管理	6-1 契約・設計	施工図作成の留意事項
		公共工事標準請負契約約款
		屋内配線用図記号・電気図記号
	6-3 施工計画	工事施工に必要な手続き

6-3 ▶ 施 工 計 画

1 ▶ 施 工 計 画

（1）施工管理の目的

施工管理とは、安全の確保、環境保全への配慮といった社会的要件の制約の中で施工計画に基づき工事の円滑な実施を図ることをいう。

施工管理の目的とする基本的3要素は、**品質管理、工程管理、原価管理**であるが、その他にも社会的制約に基づく**安全管理、労務管理、環境保全管理**などがある。

（2）施工計画の目的

設計図書に基づく品質の工事を、工事期間内に安全に最小の費用で完成させるための方策を立案すること。

①　品質管理

品質管理とは、設計図書に示された品質の工事を、工事費用を含む施工手段が各々満足できる状態にあるかどうかを常に調べ、それらを修正しながら、所定の品質・形状の目的物を構築できるようにすることをいう。

②　工程管理

工程管理とは、施工計画どおりに工事が進捗しているかを調べ、遅れすぎや進みすぎのときは、その原因を調査し必要により対策を立てることをいう。

工程表立案時には下請業者や関連業者との十分な意見の交換を行い、経済的で合理的な工程を作成する必要がある。

③　原価管理

原価管理とは、工事の進捗に応じて、予定した費用かどうかを調べ、予定した費用を超えている場合には、その原因を調査し、必要によりその対策を立てることをいう。

④　安全管理

　安全管理とは、労務者や第三者に危害を加えないようにするために、安全管理体制を確立し、最善の施工方法の検討、安全装備品の整備、工事現場の整理整頓、安全教育の徹底などを行うことである。

⑤　労務管理

　労務管理とは、工事現場で働く従業員や労務者について、労働関係法規上の規定を守り、労働者に安全で快適な職場環境を与えられるように手配を行うことをいう。

⑥　環境保全管理

　環境保全管理とは、工事を実施するときに起こる環境破壊を最小限にするために配慮することをいう。

(3)　施工計画の立案

　施工計画を立案する時は、次のことに注意する。

1)　契約図書の確認

　契約書と設計図書を合わせて契約図書といい、一般に契約書には設計図書と契約約款が添付されている。

①　契約書

　工事名称、工事場所、工事期間、請負代金額、請負代金の支払い方法及び契約当事者の名称などが記載されたものである。

②　設計図書

　設計図書には、設計図、共通仕様書、特記仕様書、現場説明書、質問回答書などがあり、工事の目的物の形状等を示す技術的事項などの工事内容が詳細に記載されたものである。

③　契約約款

　契約約款とは、設計変更、請負代金の変更、契約の解除、天災、賠償、検査・引渡し、紛争の解決方法などの発注者と契約者の権利・義務の内容を細かく記載したものである。

　　　補　足

施工計画書は請負者の責任において作成するが、設計図書に特記された事項については監督員の承諾を受けなければならない。

2 ▶ 施工計画の作成

(1) 施工計画の策定

施工計画の策定は、次のような手順により進める。

1) 現場調査

現場調査の確認事項としては、次のようなものがある。

① 周囲の状況

・ 周囲の環境と騒音の許容限度

・ 公害の予測とその対策の計画

・ 電力・電話の引き込み、近接建物、敷地境界

② 施工条件　　　　　　　　　　　　　　　　　　　R03　R02　R01　H29

・ 現場事務所、作業場、資材置場などの用地

・ 交通規制、揚重の諸条件

・ 作業騒音などの周囲への影響、作業時間帯の規制の有無

・ 交通の便

・ 緊急施設の有無

③ 関連工事

・ 関連工事の状態を確認

2) 施工計画書

施工計画書を作成するときは、次の点に注意する。

① 請負者の組織（組織表）

・ 現場施工体制（現場職員構成、工種別責任者、電気保安責任者）

・ 現場管理体制（統括安全衛生責任者など）

② 現場仮設計画

・ 仮設電気設備の仕様

・ 電力、電話、給排水などの引き込み、ならびに火気使用場所

・ 工事施工のための仮設設備（現場事務所、倉庫、機材置場及び運搬機材など）

③ 災害、公害の種類と対策

④ 出入口の管理

⑤ 危険箇所の点検方法

⑥ 緊急時の連絡方法

⑦ 火災予防器材の設置

補　足　R06　R05　R04　R03　R02　R01

施工方法を決定する際は、従来の施工技術にとらわれることなく、常に改良を試み、新工法や新技術の採用を検討することが、生産性の向上にとって重要なことである。

⑧　官公庁申請届出表、検査予定表

⑨　夜間警戒（火災、盗難、安全）

⑩　安全衛生管理計画

(2)　施工要領書（工種別施工計画書）作成の留意点

①　工事施工の担当者が作成する。

②　個々の工事について具体的に記載する。

③　施工方法、施工手順をできるだけ詳細に分かりやすく記載する。

④　図面は、寸法、材料名称、材質などを記載する。

⑤　設計図書に明示されていない事項、設計図書と異なる施工を行う事項を記載する。

⑥　設計者、現場監理員の承諾を受ける。

(3)　施工図作成の留意点

①　設計図書を確認し、設計意図が確実に表現できるように書く。

②　建築施工図、他設備工事施工図を調べ、問題点を調整する。

③　工事の工程、材料の手配に十分間に合うよう早期に作成する。

④　作業者が見てわかりやすい表現とする。

(4)　安全衛生計画書

　労働基準法及び労働安全衛生法等労働関係法規に基づき提出する届出書類を表6・3・1に示す。

ポイント
計画書作成時の留意事項

R05　H27

H30

H28

表6・3・1　届出書類一覧

申請又は届出名称	提出先	摘　要	法
適用事業報告書	労働基準監督署長	事業場を新設したとき遅滞なく報告	労基法
一斉休憩除外許可申請書		一斉に休憩を与えることができないとき申請	労基法
時間外労働・休日労働に関する協定届		労働者代表との協定書の届出	労基法
就業規則届		常時10人以上の労働者を使用するとき遅滞なく届出（労働者代表の意見書添付）	労基法

特定元方事業者の事業開始報告 (統括安全衛生責任者選任報告)	労働基準監督署長	特定元方事業者の労働者と関係請負人の労働者の作業が同一の場所のとき工事開始後遅滞なく報告。 なお、ビル建設や鉄塔建設などの工事において、事業場の労働者数が関係下請負人の労働者を含めて**常時50人以上**のときは**統括安全衛生責任者**を選任し届出。	労安法
共同企業体代表者届	都道府県労働局長 (労働基準監督署長経由)	JV工事の場合、出資割合その他を考慮して、そのうち1人を代表者として選定。仕事開始**14日前**までに届出	労安法
安全衛生責任者選任報告	特定元方事業者	統括安全衛生責任者の選任を要する事業場で、下請として仕事をする場合、**安全衛生責任者**を選任し、遅滞なく下請事業者が特定元方事業者に提出する	労安法
労働者死傷病報告	労働基準監督署長	労働災害で4日以上の休業、死亡災害があったときは遅滞なく。4日未満のときは、4半期毎にまとめて翌月末までに	労安法

注) 労基法：労働基準法
　　労安法：労働安全衛生法

3▶ 諸官庁申請・届出関係

(1) 電気事業法関係

① 保安規程届・工事計画届 (表6・3・2)　　　　　R04　R02　H30

表6・3・2　保安規程届・工事計画届

申請又は届出名称	提出者	提出先	提出時期	摘　　要
保安規程届	設置者	経済産業大臣又は産業保安監督部長	着工前	事業用電気工作物の設置者は、電気工作物の工事・維持・運用に関する保安を確保するため保安規程を定め経済産業大臣に届け出なければならない。
工事計画届	設置者		着工30日前まで	事業用電気工作物の設置や変更の工事の内、省令で定めるものは、工事計画について、経済産業大臣の認可を受けなければならない。
主任技術者選任届	設置者		遅滞なく	事業用電気工作物の設置者は、電気工作物の工事・維持・運用に関する保安の監督のため、省令で定める者から主任技術者を選任し経済産業大臣に届け出なければならない。

② 電気関係報告の内、事故報告（表6・3・3）

表6・3・3　事故報告

報告者	報告先	報告の方式		主な対象
		連　絡		
電気事業者又は自家用電気工作物の設置者	産業保安監督部長	事故の発生を知った時から24時間以内可能な限り速やかに（電話などの方法により行う）	事故の発生を知った日から起算して30日以内（所定の様式の報告書を提出）	①感電又は破損事故もしくは電気工作物の誤操作もしくは電気工作物を操作しないことにより人が死傷した事故 ②電気火災事故 ③破損事故又は電気工作物の誤操作もしくは電気工作物を操作しないことにより、社会的に影響を及ぼした事故など

(2) 消防法関係　　　　　　　　　　　　　　　　　　　　　　R04

① 消防用設備設置届ほか（表6・3・4）

表6・3・4

申請又は届出名称	提出者	提出先	提出時期	摘　　要
消防用設備等着工届	甲種消防設備士	消防長又は消防署長	着工10日前	消防の用に供する設備の工事をするとき届出。 注）消防の用に供する設備は、消火設備、警報設備及び避難設備をいう。
消防用設備等設置届	所有者管理者占有者		工事完了後4日以内	消防の用に供する設備を設置したとき届出。
危険物製造所・貯蔵所・取扱所設置許可申請	所有者管理者占有者	市町村長、都道府県知事又は総務大臣	着工前	指定数量以上の危険物製造所、貯蔵所又は取扱所を設置するとき申請。主な対象物は ・　酸化性固体：塩素酸塩類など ・　可燃性固体：硫化りんなど ・　自然発火性物質：カリウムなど ・　引火性液体：第一石油類など ・　酸化性液体：過酸化水素など

注）消防法では、所有者、管理者、占有者をまとめて関係者と称している。

(3) 建築関係（建築基準法、電波法、航空法）
① 建築基準法関係（表6・3・5）

表6・3・5

申請又は届出名称	提出者	提出先	提出時期	摘　要
建築確認申請	建築主	建築主事	着工前	建築物の建築、増築、大規模な修繕及び大規模な模様替をするとき申請。主な対象は ①別に定める用途の特殊建築物で、床面積の合計が200㎡を超えるもの。 ②木造の建築物で3以上の階数を有し、又は延べ面積500㎡、高さ13m、もしくは軒の高さが9mを超えるもの。 ③木造以外の建築物で2以上の階数を有し、又は延べ面積200㎡を超えるもの。

注1）建築主事を置かない市町村にあっては都道府県の建築主事。
注2）建築主事を置く市町村の区域については市町村の長、その他の市町村の区域については都道府県知事を特定行政庁という。

② 航空法（表6・3・6）

表6・3・6

申請又は届出名称	提出者	提出先	提出時期	摘　要
航空障害標識の設置届（航空障害灯）	設置者	国土交通大臣	設置後遅滞なく	地表又は水面から60m以上の高さの物件の設置者は、当該物件に航空障害灯を設置しなくてはならない。

③ 電波法（表6・3・7）

表6・3・7

申請又は届出名称	提出者	提出先	提出時期	摘　要
伝搬障害防止区域内の高層建築等の届	建築主	総務大臣	着工前	伝搬障害防止区域内で高さ31mを超える高層建築物などの新設または増改築

(4) 環境関係（騒音規制法、大気汚染防止法）

① 騒音規制法（表6・3・8）

表6・3・8

申請又は届出名称	提出者	提出先	提出時期	摘　要
特定建設作業実施届（騒音）	施工者	市町村長	工事開始7日前	指定地域内において特定建設作業を伴う建設工事を行うとき。 ・　くい打機、杭抜機・鋲打機・さく岩機 ・　空気圧縮機・コンクリートプラント ・　バックホウ・トラクターショベル ・　ブルドーザーなど

② 大気汚染防止法（表6・3・9）

表6・3・9

申請又は届出名称	提出者	提出先	提出時期	摘　要
ばい煙発生施設装置設置届	排出する者	都道府県知事又は政令で定める市の長	着工60日前	ばい煙を大気中に排出する施設を設置するとき以下の内容を届出る。 ・　大気中に排出されるいおう酸化物もしくは特定物質の量 ・　排出物に含まれるばいじんもしくは有害物質の量 ・　ばい煙の排出方法

(5) 道路関係（道路法、道路交通法）

① 道路法（道路占用許可申請）、② 道路交通法（道路使用許可申請）（表6・3・10）

表6・3・10　　　　　　　　　　　　　　　R04

申請又は届出名称	提出者	提出先	提出時期	摘　要
道路占用許可申請	発注者	道路管理者	着工前	道路に工作物、物件又は施設を設け、継続して道路を使用するときなど道路を継続的・独占的に使用する場合に申請。 ・　電柱、電線、変圧塔、公衆電話所、広告塔に類する工作物 ・　水管、下水道管、ガス管に類する物件 ・　鉄道、軌道に類する施設
道路使用許可申請	施工者	警察署長	着工前	道路において工事もしくは作業をするときなど、交通の安全に支障が生じる可能性がある場合に申請。

4 ▶ 請負工事費の構成

(1) 工事費の構成

工事費の構成を図6・3・1に示す。

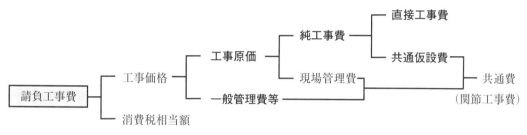

図6・3・1　工事費の構成

① 工事原価

　工事現場で使われる材料費、労務費、機械リース・損料、仮設費及び工事現場における現場管理のために必要となる全ての費用をいう。

② 一般管理費

　企業運営上必要な経費（本社経費）で、所定の率を工事原価に乗じたものである。

③ 純工事費

　工事の目的物をつくるために必要な費用で、直接工事費と共通仮設費を加えたものである。

イ．直接工事費

　工事の目的物をつくるために直接必要とされる費用を直接工事費といい、材料費、労務費、直接経費からなる。

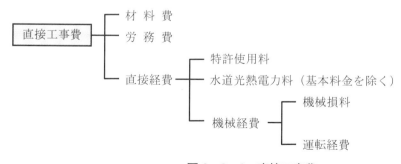

図6・3・2　直接工事費

ロ．共通仮設費

　出来高に直接関係ないが、各施工部門に共通に使用されるものに要する費用を共通仮設費という。

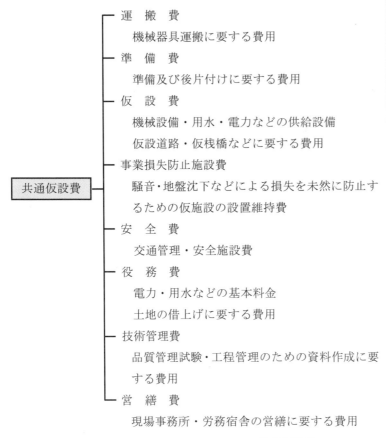

	運　搬　費
	機械器具運搬に要する費用
	準　備　費
	準備及び後片付けに要する費用
	仮　設　費
	機械設備・用水・電力などの供給設備
	仮設道路・仮桟橋などに要する費用
共通仮設費	事業損失防止施設費
	騒音・地盤沈下などによる損失を未然に防止するための仮施設の設置維持費
	安　全　費
	交通管理・安全施設費
	役　務　費
	電力・用水などの基本料金
	土地の借上げに要する費用
	技術管理費
	品質管理試験・工程管理のための資料作成に要する費用
	営　繕　費
	現場事務所・労務宿舎の営繕に要する費用

図 6・3・3　共通仮設費

ポイント
実行予算

(2) 実行予算作成の目的

① 工事原価を確認し、現場担当者の工事費についての責任目標を明確にする。

② 一般管理費（利益を含む）が把握できる。

③ 施工中の原価管理の資料となる。

④ 工事完成後、次回積算の参考資料として役立つ。

(3) 実行予算作成時の検討事項

① 見積書、積算数量表を再検討し、数量の誤りをチェックする。

② 施工方法を再検討し、労務費削減の可能性を検討する。

③ 機器などの見積を複数業者からとり、最低価格を予算とする。

④ 現場状況を調査し、仮設費、現場経費を再検討する。

5 ▶ 下請業者の選定

下請業者の選定は、次の事項などを的確に評価する。

① 施工能力

② 経営管理能力

③ 雇用管理及び労働安全衛生管理の状況

④ 労働福祉の状況

⑤ 関係企業との取引の状況

H27

6 ▶ 仮設電気設備

工事用仮設電気設備を施設する場合、次の事項に留意する。

① 電気機械器具の充電部分には、感電を防止するための囲い又は絶縁覆いを設けなければならない。(安全衛生規則)

② 手持型電灯などには、感電の危険及び電球の破損による危険を防止するため、ガードを取付けなければならない。(安全衛生規則)

③ 使用電圧が 300V 以下で分岐回路のみに使用するケーブルをコンクリートに直接埋設して施設する場合は、その設置の工事が完了した日から **1 年以内**に限り使用できる。

6-4 工 程 管 理

1 ▶ 施工速度と原価

(1) 施工速度と費用の関係

工事を施工する際の施工速度と費用の関係を、図6・4・1に示す。

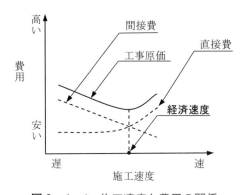

図6・4・1　施工速度と費用の関係

突貫工事で工期を短縮すると、多くの人員や残業が必要となり直接費は増加するが、間接費は少なくて済む。

直接費と間接費との合計を総費用という。この総費用が最小となる施工速度を経済速度といい、このときの工期が最適工期となる。

(2) 工程・原価・品質の関係

工程・原価・品質の一般的な関係を、図6・4・2に示す。

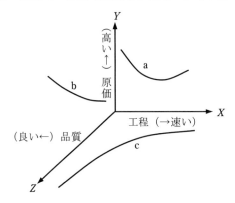

図6・4・2　工程・原価・品質の一般的な関係

R06　R04　H30　H27

(3) 進度管理曲線

　縦軸に出来高、横軸に時間経過を表したものを**進度管理曲線**という。
（図6・4・3）進度管理曲線において、予定進度曲線（実線）をS カーブ、許容範囲（破線）を**バナナ曲線**という。

　なお、予定進度曲線は、平均的な労働力等に拠る施工速度を基礎として作成する。

　また、進捗度管理において、出来高累積値の実績が予定の上側にあれば工程は進んでおり、上側にあれば遅れていることになる。

R05　R03

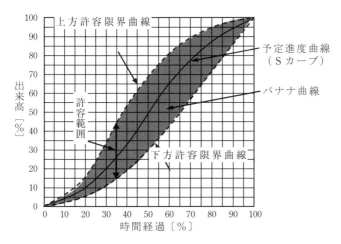

図6・4・3　進度管理曲線

(4) 利益図表

R03　R01　H28

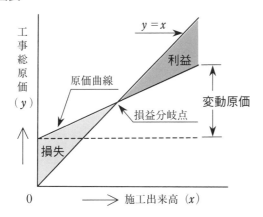

図6・4・4　利益図表

　損益分岐点より右側の施工出来高を上げる施工速度を**採算速度**という。

2 ▶ 工　程　表

(1) 工程表の種類

工程表には**目的別工程表**と**表示法別工程表**があり、その種類は図6・4・5に示すとおりである。

R04

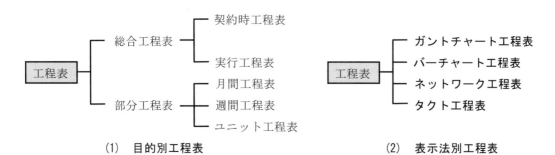

(1)　目的別工程表　　　　　　　　　　(2)　表示法別工程表

図　6・4・5　工程表の種類

(2) 総合工程表

H27

全体（総合）工程表は、着工から竣工引渡しまで（仮設工事、工事の施工順序はもとより、試運転や検査の時期、後片付けなど）の全容を表すもので、工事全体の作業の進捗を大局的に把握する目的で作成される。

実施工程表に記入すべき事項には、次のようなものがある。

① 官公署等への届出書類提出時期
② 施工計画書、製作図および施工図の作成ならびに承諾時期
③ 電力、電話等の引込配線施工時期および期間
④ 工程打合せ等の定例打合せ日
⑤ 自主検査の時期および期間
⑥ 官庁検査等を受ける時期
⑦ 受電の時期
⑧ 試運転調整および後片付け期間
⑨ 気候、風土、習慣等の影響

> **補　足**
>
> **工程表作成時の所要日数の算出**
>
> $$所要日数 = \frac{必要作業量}{1日平均作業量}$$
>
> 1日平均作業量：1日の作業時間を8時間とし、手待ちによる損失や、天候の影響による損失も考慮する。
> 必要作業量：工事の内容、工事量、現場の状況、作業実施時期などを考慮する。

(3) ガントチャート工程表

ガントチャート工程表（図6・4・6）は、縦軸に工事を構成する工種を、横軸に各作業の達成度を百分率でとり、計画日程と現時点における進行状態とを棒グラフで示したものである。

R06　R04　R01

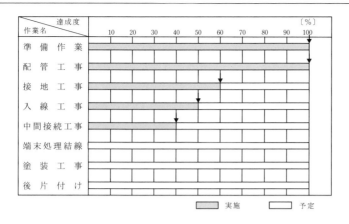

図6・4・6　ガントチャート工程表

特徴としては、以下のようなものがある。

① 工事の進捗状況が明確で、表の作成が容易である。

② 重点管理作業が不明である。

③ 作業間相互の関係が不明である。

④ 各作業の開始日、終了日及び所要日数が不明である。

(4) バーチャート工程表　　　　　　　　　　　　　　　　　R06　R05　R03　H29

バーチャート工程表（図6・4・7）は、縦軸に作業名、横軸に工期を列記したものである。

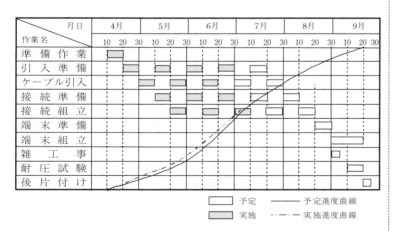

図6・4・7　バーチャート工程表

特徴としては、以下のようなものがある。

① 各作業の所要日数、日程がわかりやすい。

② 各作業の進行度、全体の進行度が大まかにわかる。

補　足

発注者に提出する実施工程表の記載事項には、製作図や施工図の作成時期、官庁検査等を受ける時期、試運転調整期間などの事項も含まれる。

③　作成は比較的簡単で、視覚的にも見やすい。

④　各作業の余裕時間がわからない。

⑤　工程遅れ発生時の対応策が立てにくい。

(5) タクト工程表

R06　R04

タクト工程表は、フローチャートを階段状に積み上げた工程表で、縦軸に建物の階層、横軸に暦日をとり、作業階の作業項目をバーチャートで表し、作業階と後続する階との関連をネットワークで表現した工程表である。

主な特徴は、以下のとおりである。

①　ネットワーク工程表に比べ、作成および管理が容易である。

②　バーチャート工程表に比べ、他作業との関連性が理解しやすい。

③　高層住宅など、くり返し作業の多い施工の工程管理に適している。

④　全体の投入人員の把握が容易である。

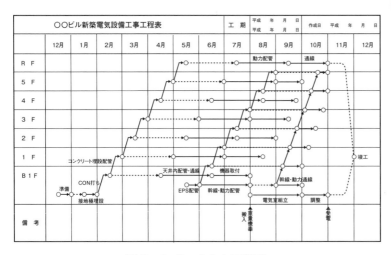

図6・4・8　タクト工程表

(5) ネットワーク工程表

　ネットワーク工程表（図6・4・8）は、作業の相互関係を結合点（イベント）と矢線（アロー）によって表現した網状工程表である。

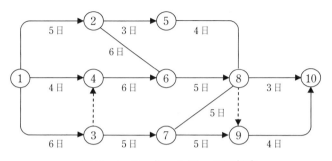

図6・4・9　ネットワーク工程表

特徴としては、以下のようなものがある。

① 　工程の順序関係をある程度の精度で表現できる。

② 　各作業に対する先行作業・並行作業及び後続作業の相互関係がわかりやすい。

③ 　余裕の有無、遅れなど日数計算が容易であり、変更にも対応しやすい。

④ 　工程表に表現される情報が豊富なため、作成者以外の者でも理解しやすい。

⑤ 　工程表が数量化されているため信頼度が高く、コンピュータの利用も可能である。

⑥ 　工程表の作成に知識を要し、時間がかかる。

3 ▶ ネットワークの作図

(1) ネットワークの作図方法

　ネットワーク工程表は、イベント（結合点）、アロー（矢線）、ダミーなどで表されるが、建設工事では主に作業内容をアロー（矢線）で表している。

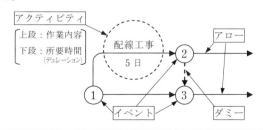

ポイント

ネットワーク工程表
工程を矢印で表示するアロー型と作業を丸印で表示するサークル型がある。一般的にアロー型の採用が多い。

R06　R04　R03
R01　H29

ポイント　R02　H30

工期を短縮する際の留意事項

① 　各作業の所要日数が適切であるか検討する。

② 　各作業の順序の入れ替えによる効果を検討する。

③ 　直列作業になっている作業を並列作業に変更する。

④ 　余裕のある他の作業から人、機材、機械を投入する。

⑤ 　品質及び安全性を低下してはならない。

⑥ 　人員、機械の増加、高能率の機械、熟練工を投入する。

〈用語〉

アクティビティ（作業）：

矢線（アロー）で表わし作業内容や所要時間（デュレーション）を示す。

イベント（結合点）：

丸印で表し、作業の開始や終了時点を示す。

ダミー：

点線の矢印で表わし、架空の作業（所要時間は 0）で各アクティビティの相互関係を示す。

(2) 作図上の基本ルール

ネットワーク工程表を作成する際には、次の基本ルールがある。

① 同じイベント番号が 2 つ以上あってはならない。

② 同一イベントから始まり、同一イベントに終わるアローが 2 つ以上あってはならない。

次のような場合には、作業の前後関係を忠実に表すためにダミーを用いる。

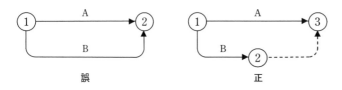

③ イベントに入ってくる全ての先行作業が終了しなければ、後続作業は開始できない。

④ ネットワーク上にサイクルがあってはならない。

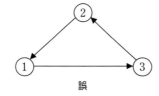

4▶ 最早開始時刻と最遅完了時刻

(1) 最早開始時刻（EST）

R06

　各イベントにおいて最も早く次の作業が開始できる時刻を最早開始時刻といい、これを計算することにより**所要工期**が求められる。

　最早開始時刻の計算手順は、以下のとおりである。

① 出発点の最早開始時刻は、0とする。

② 順次、矢線に従って所要日数を加えていく。

③ 2本以上の矢線が入ってくる結合点では、**最大値**が最早開始時刻となる。

例題 1

　下図のネットワークの所要日数を求めよ。

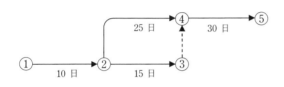

解答 1

　計算の手順に従い、イベント①から順次計算していく。

1) まずイベント①の最早開始時刻を0とする。

2) イベント②は 0 + 10 = 10、イベント③は 10 + 15 = 25 がそれぞれ最早開始時刻となる。

3) イベント④は②→④、③┈▶④の2本の矢線が入ってくるので、このうち最大値が最早開始時刻となる。

　　②→④　10 + 25 = 35

　　③┈▶④　25 + 0 = 25

　したがって、④の最早開始時刻は35となる。

4) イベント⑤は 35 + 30 = 65 となり、これが所要日数となる。

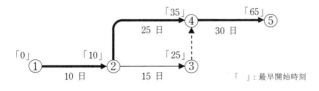

(2) 最早完了（終了）時刻（EFT）

　その作業を最も早く完了できる時刻を最早完了（終了）時刻（EFT）といい、最早開始時刻（EST）にその作業の所要時間を加えた時刻である。

　例題1の②→④間の例では、②の最早開始時刻（EST）10日に作業日数25日を加えた35日である。

(3) 最遅完了時刻（LFT）

R06

　工事を工期内に完成するために、各イベントが遅くとも完了していなければならない時刻を最遅完了時刻という。

　最遅完了時刻の計算手順は、以下のとおりである。

① 計算は最終結合点から出発点に向かって行う。

② 最終結合点の最早開始時刻より、順次各作業の所要日数を引いていく。

③ 2本以上の矢線が分岐する結合点では、そのうちの最小値が最遅完了時刻となる。

例題 2

例題 1 のネットワークの最遅完了時刻を求めよ。

解答 2

　計算の手順に従い、イベント⑤から逆向きに計算していく。

1) イベント⑤の最遅完了時刻は65とする。

2) イベント④は65 − 30 = 35、イベント③は35 − 0 = 35がそれぞれ最遅完了時刻となる。

3) イベント②は③←②、④←②の2本の矢線が分岐しているので、このうち最小値が最遅完了時刻となる。

　　③←② 　35 − 15 = 20

　　④←② 　35 − 25 = 10

　したがって、②の最遅完了時刻は10となる。

4) イベント①は10 − 10 = 0である。

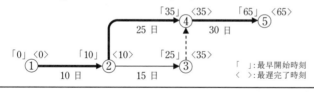

- 389 -

(4) 最遅開始時刻 (LST)

R06

対象工事の工期に影響のない範囲で、作業を最も遅く開始してよい時刻を最遅開始時刻 (LST) といい、最遅完了時刻 (LFT) からその作業の所要時間を引いた時刻である。

例題2の②→④間の例では、④の最遅完了時刻 (LST) 35日から作業日数3日を引いた32日である。

5 ▶ フロート (余裕時間)

R06　R05

フロートとは、各作業についてその作業がとりうる**余裕時間**のことで、トータルフロート (TF)、フリーフロート (FF)、インターフェアリングフロート (IF) 〔デペンデントフロート (DF) ともいう〕がある。

(1) トータルフロート (全余裕、又は最大余裕時間：TF)

作業を最早開始時刻で始め、**最遅完了時刻**で完了する場合に生じる**余裕時間**をトータルフロート (全余裕) という。これを使用しても工期には影響を与えないが一つの経路上で、ある作業が使用すれば他の作業のトータルフロートに影響する。

計算式は

TF_{ij} (全余裕時間) $= LFT_j$ (最遅完了時刻)
$\quad - [EST_i$ (最早開始時刻) $+ T_{ij}$ (所要時間)]

(2) フリーフロート (自由余裕時間：FF)

作業を最早開始時刻で始め、**後続作業も最早開始時刻**で始める場合に生じる余裕時間をフリーフロート (自由余裕) という。

フリーフロートは、これを使用しても後続のアクティビティ (作業) の最早開始時刻に影響を及ぼさない。

計算式は

FF_{ij} (自由余裕時間) $= EST_j$ (最早開始時刻)
$\quad - [EST_i$ (最早開始時刻) $+ T_{ij}$ (所要時間)]

(3) インターフェアリングフロート (干渉余裕時間：IF)

トータルフロートからフリーフロートを引いたものをインターフェアリングフロート (干渉余裕) という。

インターフェアリングフロートは、これを使用すると後続のアクティビティ (作業) の最早開始時刻に影響を及ぼす。

例題 3

　下図は、あるネットワーク図の一作業である。この作業の全余裕、自由余裕、干渉余裕を求めよ。

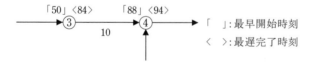

　「　」:最早開始時刻
　〈　〉:最遅完了時刻

解答 3

トータルフロート（T.F）　　　 ＝＜ 94 ＞－（「50」＋ 10）＝ 34
フリーフロート（F.F）　　　　 ＝「88」－（「50」＋ 10）＝ 28
インターフェアリングフロート（I.F）＝ T.F － F.F
　　　　　　　　　　　　　　　　　 ＝ 34 － 28
　　　　　　　　　　　　　　　　　 ＝ 6

6 ▶ クリティカルパス

　作業の開始からあるイベントまでの各経路のうち、**最も時間がかかる経路をクリティカルパス**といい、クリティカルパスの通算日数で工期が決定される。

　クリティカルパスには、次のような特徴がある。

① 　クリティカルパス上のアクティビティ（作業）の最早開始時刻と最遅完了時刻は等しく、フロート（余裕時間）は 0 である。なお、2 つの時刻が等しくても、2 つのイベント間に 2 つの経路が生じる場合は、所要時間の長い方がクリティカルパスとなる。

② 　クリティカルパスは 1 本以上存在する。

③ 　クリティカルパス以外のアクティビティ（作業）でも、フロート（余裕時間）を消化してしまうとクリティカルパスになる。

④ 　クリティカルパスでなくてもフロート（余裕時間）の非常に小さいものは、クリティカルパスに準じて重点管理する。

⑤ 　ダミーは、クリティカルパスに含まれることがある。

⑥ 　全体の工程を短縮するためには、クリティカルパス上の工程を短縮しなければならない。

ポイント

クリティカルパス

R06　R05　R02　H30　H27

例題 4

　下図のネットワークにおいて、クリティカルパスを示すルートを求めよ。

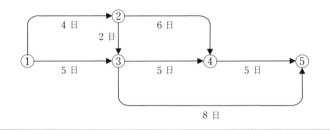

解答 4

　一般にクリティカルパスは各作業のトータルフロートを計算して求めるが、このような単純なネットワークの場合には、すべての経路を探す方法もある。

1) すべての経路の所要日数を計算する方法

①→②→③→④→⑤　　　$4 + 2 + 5 + 5 = 16$ 日

①→②→④→⑤　　　　　$4 + 6 + 5$ 　　$= 15$ 日

①→③→④→⑤　　　　　$5 + 5 + 5$ 　　　$= 15$ 日

①→②→③→⑤　　　　　$4 + 2 + 8$ 　　$= 14$ 日

①→③→⑤　　　　　　　$5 + 8$ 　　　　$= 13$ 日

　したがって①→②→③→④→⑤の経路がクリティカルパスで、工期は 16 日である。

2) トータルフロートの計算による方法

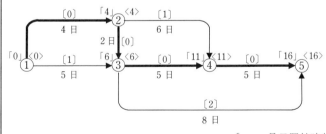

　　　　　　　　　　　　「　」：最早開始時刻
　　　　　　　　　　　　〈　〉：最遅完了時刻
　　　　　　　　　　　　〔　〕：トータルフロート

　トータルフロートが 0 となるルートがクリティカルパスなので、クリティカルパスは①→②→③→④→⑤、工期は 16 日となる。

7 ▶ リミットパス

　当初の工期におけるトータルフロートから短縮しようとする日数を引いた値が、マイナスとなる経路をリミットパスという。

　フロート（余裕時間）が小さい経路ほどリミットパスになりやすい。

例題 5

　下図のネットワークを3日短縮しようとする場合に、リミットパスとなる経路はいくつ発生するか求めよ。

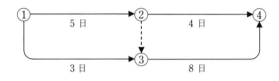

解答 5

　各イベントの最早開始時刻と最遅完了時刻は図のようになる。

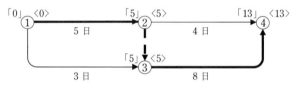

　「　」：最早開始時刻
　〈　〉：最遅完了時刻

　各アクティビティ（作業）のトータルフロートは、以下のようになる。

　TF（①→②）＝〈5〉－（「0」＋5）＝0

　TF（①→③）＝〈5〉－（「0」＋3）＝2

　TF（②┈③）＝〈5〉－（「5」＋0）＝0

　TF（②→④）＝〈13〉－（「5」＋4）＝4

　TF（③→④）＝〈13〉－（「5」＋8）＝0

アクティビティ	①→②	①→③	②┈③	②→④	③→④
当初の TF	0	2	0	4	0
当初の TF － 3	-3	-1	-3	1	-3

　以上より、リミットパスとなる経路は4つ発生する。

8 ▶ フォローアップ

当初の工程計画に従って工事を進めた時に、計画時点では予測できなかった要因や工程の見込違いなどで実際の工事進捗が計画と合わなくなった場合、これを放置すると工程管理に支障を及ぼす。

このように、放置しておくと現実から遊離してしまう計画に対し、現実の推移を入れて調整することをフォローアップという。

例題6

下図のネットワーク工程表において、工事着手後12日経過したところでフォローアップした結果、各作業の完了までに作業Bに3日、作業Cに2日、作業Dに5日必要であった。次の記述のうち、**誤っているもの**はどれか。

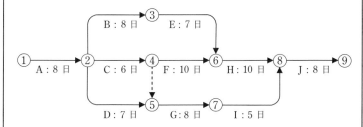

(1) 作業Dが2日遅れている。

(2) 所要日数は42日である。

(3) クリティカルパスが変わった。

(4) 作業Iのフリーフロートが4日になった。

解答 6

　フォローアップ前の各イベントの最早開始時刻は図のようになる。

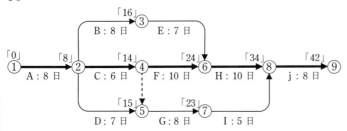

　フォローアップ後の各イベントの最早開始時刻、最遅完了時刻は図のようになる。

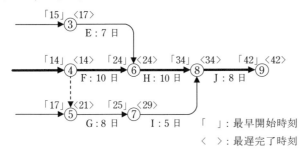

「　」：最早開始時刻

〈　　〉：最遅完了時刻

(1) イベント⑤の最早開始時刻は、15日から17日に変わったので、作業Dは2日遅れている。

(2) イベント⑨の最早開始時刻は、42日のままで変わっていない。

(3) クリティカルパスは④→⑥→⑧→⑨のままで変わっていない。

(4) 作業Iのフリーフロートは、4日となる。

$$〈34〉 − （「25」 + 5） = 4$$

　以上より、(3) が誤っている。

9 ▶ 配 員 計 画

　建設工事では、人員、機械、資材などの投入資源をできるだけ平均化して、建設費のコストダウンを図り、資源の最も合理的な使用計画を作成する。

　ピーク時の作業員数を最も少なくする**配員計画**は、以下の手順で行う。

① 　クリティカルパス、最早開始時刻、最遅完了時刻を求める。

② 　クリティカルパス上の作業を配員する。

③ 　人員数と最早開始時刻・最遅完了時刻を考慮しながら、ピーク時の作業員数が最小となるように、残りの作業を配員する。

例題 7

　次のネットワークで、ピーク時の作業員数を最も少なくする配員計画とした場合のピーク時の作業員数として、**正しいもの**はどれか。

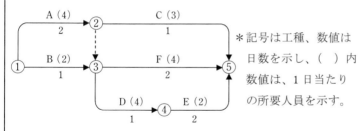

＊記号は工種、数値は日数を示し、（ ）内数値は、1 日当たりの所要人員を示す。

(1)　6 人

(2)　7 人

(3)　8 人

(4) 11 人

解答 7

　ピーク時の作業員数を最も少なくする配員計画は、以下の手順で行う。

① 　クリティカルパス、最早開始時刻、最遅完了時刻を求める。

② 　クリティカルパス上の作業を配員する。

③ 　人員数と最早開始時刻・最遅完了時刻を考慮しながら、ピーク時の作業員数が最小となるように、残りの作業を配員する。

各イベントの最早開始時刻、最遅完了時刻は図のようになる。

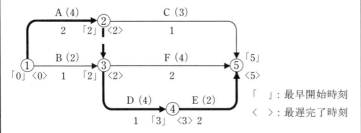

　よって、クリティカルパスは①→②→③→④→⑤となり、作業Aは「0」から<2>の2日間に作業員4人を配置し、作業Dは「2」から<3>の1日間に作業員4人を配置し、作業Eは「3」から<5>の2日間に作業員2人を配置しなければならない。

　また、作業Bは「0」から<2>のどこか1日に作業員2人を配置し、作業Cは「2」から<5>のどこか1日に作業員3人を配置し、作業Fは「2」から<5>のどこか2日に作業員4人を配置しなければならない。以上により、作業A、D、E、次に作業B、C、Fをできるだけ1日の作業員数が最少となるように山積みすると次図のようになる。

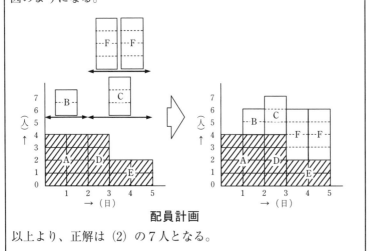

配員計画

以上より、正解は（2）の7人となる。

R04　H28

10▶ ネットワーク用語

　ネットワークに用いられる用語の意味と記号・表示方法を、表6・4・1に示す。

表6・4・1　用語の意味と記号・表示方法　　　　　　　　　H28

用　語	記号・表示	意　味
アクティビティ（作業）	アロー型ネットワークでは矢線 ━━▶ で表す	ネットワークを構成する作業単位
イベント（結合点）	アロー型ネットワークでは丸印━━▶①━━▶ で表し、番号を付ける	アロー型ネットワークにおいて、作業（又はダミー）と作業（又はダミー）を結合する点及び対象工事の開始点又は終了点
ダミー	アロー型ネットワークでは矢線 ‑‑▶ で表す	アロー型ネットワークにおいて、正しく表現できない作業の相互関係を図示するために用いる矢線で、時間の要素は含まない
デュレイション（所要時間）	D	作業をするために必要な時間
最早開始時刻	EST	作業を始められる最も早い時刻
最早完了（終了）時刻	EFT	作業を終了できる最も早い時刻
最遅開始時刻	LST	対象工事の工期に影響のない範囲で作業を最も遅く開始してもよい時刻
最遅完了（終了）時刻	LFT	対象工事の工期に影響のない範囲で作業を最も遅く終了してもよい時刻
結合点時刻		アロー型ネットワークにおいて時間計算された結合点の時刻
最早結合点時刻	ET	開始結合点から対象となる結合点に至る経路のうち、時間的に最も長い経路を通って、最も早く到達する結合点の時刻
最遅結合点時刻	LT	任意の結合点から終了結合点に至る経路のうち、時間的に最も長い経路を通って、プロジェクトの修了時刻に間に合うぎりぎりの開始時刻
パス		ネットワークの中で2つ以上の作業の経路
クリティカルパス	CP	アロー型ネットワークでは、開始結合点から終了結合点に至る最長パス（経路）

用　語	記号・表示	意　味
フロート（余裕時間）		作業余裕時間
トータルフロート （最大余裕時間）	TF	作業を最早開始時刻で始め、最遅終了時刻で完了する場合に生じる余裕時間で、1つの経路上では共有されており、任意の作業が使い切ればその経路上の他の作業のTFに影響する
フリーフロート （自由余裕時間）	FF	作業を最早開始時刻で始め、後続する作業も最早開始時刻で始めてなお存在する余裕時間で、その作業の中で自由に使っても、後続作業に影響を及ぼさない
インターフェアリングフロート （干渉余裕時間）	IF 又は DF	後続作業のトータルフロートに影響を及ぼすようなフロートのことで、デペンデントフロートともいう

6-5 ▶ 品 質 管 理

1 ▶ 品質管理の目的

R05　R03

(1) デミングサークル

「品質を重視する意識」という土台の上で、計画（Plan）→実施（Do）
→確認・評価（Check）→処置（Action）の4つの段階（P.D.C.A）
を繰返しつつ前進していくことをデミングサークルという。

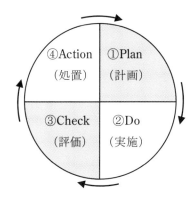

図6・5・1　デミングサークル

Plan　　：目的を決め、その目的を達成するための方法を決める。
Do　　　：計画で決められた基準どおり実行する。
Check：実施の結果を調べ評価、確認する。
Action：結果に基づいて処置する。

(2) 品質管理の効果

品質管理を行うことによって得られる効果には、次のようなものがある。

① 品質が向上し、不良品の発生やクレームが減少する。
② 品質が均一化され、信頼性が向上する。
③ 無駄な作業や手直しがなくなるのでコストが下がる。
④ 新しい問題点や改善の方法を発見できる。
⑤ 早い時期に検討に入ることができ、しかも効果が上がる。
⑥ 検査の手数を大幅に減らすことができる。

ポイント

品質マネジメントの8原則
（JIS Q 9000（ISO9000））
① 顧客重視
② リーダーシップ
③ 人々の参画
④ プロセスアプローチ
⑤ マネジメントへのシステム
　アプローチ
⑥ 継続的改善
⑦ 意思決定への事実に基づく
　アプローチ
⑧ 供給者との互恵関係

2 ▶ 品質管理の手順

(1) 品質特性の決定

　品質特性としては、最終品質に影響を及ぼすと考えられるもののうち、できるだけ工程の初期に測定できるもの、また、すぐに結果の得られるものがよい。

　品質特性を決める場合の条件には、以下のようなものがある。

① 　工程の状態を総合的に表すものであること。

② 　設計品質に重要な影響を及ぼすものであること。

③ 　代用特性又は工程要因を品質特性とする場合は、真の特性との関係が明らかなものであること。

④ 　測定しやすい特性であること。

⑤ 　工程に対して処置の取りやすい特性であること。

(2) 品質標準の決定

　品質標準は、実際に実現できる品質標準であるべきで、品質の平均とバラツキの幅で示す性質のものである。

(3) 作業標準（作業方法）の決定

　品質標準を実現するためには、どのような作業方法及び手順で行うべきかを作業ごとに決定する。

　作業標準は、各作業間に矛盾がないように**明文化**する。

(4) データの測定・管理

　作業標準にしたがって施工を実施し、データを無作為に採取する。各データが十分ゆとりをもって品質規格を満足しているかどうかをヒストグラムにより確かめたのち、同じデータにより**管理図**を作り工程が安定しているかを確かめる。

(5) 検討と処置

　作業を行っていくうちに管理限界線外に点が出た場合、工程に異常が発生したものとして、その原因を追究し再発しないように処置をとる。

用　語

品質特性：
工程の結果として製品の状態を表す特性。製品側で測定できる特性。

代用特性：
求めたい真の特性と密接な関係にあり、真の特性の代わりに用いる特性。

3 ▶ 品質管理の用語

(1) 品質管理基本用語

品質管理に用いられる主な用語を次表に示す。

表6・5・1 品質管理の基本用語

用　語	意　　味
品　質	品物又はサービスが、使用目的を満たしているかどうかを決定するための評価の対象となる固有の性質・性能の全体
品質水準	品質の良さの程度。不良率、欠点数、平均、ばらつきなどで表す
設計品質	製造の目標としてねらった品質。ねらいの品質ともいう
製造品質	設計品質をねらって製造した製品の実際の品質、できばえの品質又は適合の品質ともいう
使用品質	使用者が要求する品質又は品質に対する使用者の要求度合い 設計品質を企画するときは、使用品質を十分に考察する必要がある
品質保証	消費者の要求する品質が十分満たされていることを保証するために、生産者が行う体系的活動
公　差	規定された許容最大値と許容最小値との差
許容差	規定された基準値と規定された限界値との差
母集団	調査、研究の対象となる特性を持つすべてのものの集団 サンプルにより、処置をしようとする集団
サンプル	母集団から、その特性を調べる目的をもって取り出したもの
ロット	等しい条件下で生産され、又は生産されたと思われる品物の集まり
測　度	測定量の大きさの目安に使う量又は数
平均、平均値	測定値の集団、又は分布の中心的位置を表す値 ・確率変数については期待値。母平均ともいう ・サンプルについては通常の場合算術平均
中央値 (メジアン)	測定値を大きさの順に並べたとき、ちょうどその中央に当たる一つの値（測定値が奇数の場合）又は中央の二つの値の算術平均（測定値が偶数の場合）
中点値 (ミッドレンジ)	測定値の最大値と最小値の算術平均
偏　差	測定値とその期待値との差
誤　差	測定値から真の値を引いた差
残　差	測定値からその期待値の推定値を引いた差
算術平均	測定値を全部加えてその個数で割ったもの

4 ▶ ＱＣ７つ道具

(1) パレート図

　不良項目などを大きい順に並べた棒グラフに、累積率の折れ線グラフを重ねた図（図6・5・2）である。利用法は次のとおりである。

① 不良項目の最も大きいものを調べる。

② 全体の不良率減少に効果的項目を調べる。

③ 改善前の図と改善後の図とを横に並べて、改善効果を確認する。

R05　R04　R01　H29

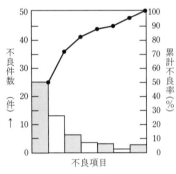

図6・5・2　パレート図

(2) 特性要因図

　問題となっている特性（結果）とそれに影響を与える要因（原因）の関係を体系的に整理した図（図6・5・3）である。利用法は次のとおりである。

① 問題としている特性（結果）を決める。

② 影響を与える要因を出席者から引き出し、図に書き込む。

③ 不良・不具合の要因（原因）を整理する。

④ 原因を追求して改善の手段を決める。

⑤ 問題について図を中心に話し合い、関係者の意見を統一する。

補　足

特性要因図は出来上がった図が似ていることから「魚の骨」とも呼ばれている。

R06　H28

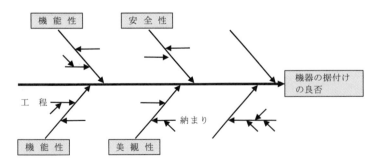

図6・5・3　特性要因図

(3) ヒストグラム

　測定値の存在する範囲をいくつかの区分に分けた場合、各区間を底辺としその区間に属する測定値の出現度数を柱状グラフに表した図（図6・5・4）である。規格の上限・下限の線を入れる場合もある。利用法は次のとおりである。

① 　データ全体の分布とばらつき度合いを調べる。

② 　規格からはずれている度合いを調べる。

③ 　全体の形状から不良原因を調べる。

R06　R03　R02　H30　H27

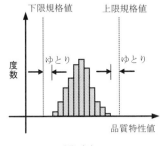 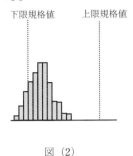

図（1）規格値もばらつきもゆとりがあり、平均値が規格の中心にあり良。

図（2）下限規格値を割るものがあり、平均値を大きい方にずらすよう処置が必要。

図6・5・4　ヒストグラム

(4) 管理図

　工程が安定状態にあるかどうかを調べるため、又は工程を安定状態に保持するために用いる図（図6・5・5）である。

　管理限界を示す一対の線（上下に）と中心線を引いて、これに品質又は工程のデータを表す点をプロットし、点を結んで折れ線グラフにしたものである。利用法は次のとおりである。

① 　プロットした点が管理限界線から飛び出していれば、異常があるとしてこれを取り除くなどの対策をとる。

② 　点が管理線の内部にあって、かつ、打点の並び方にくせがなければ工程は安定状態にあると判断する。

R06　R04

用　語

管理限界：
見のがせない原因と偶然による原因とを見分けるために管理図に設けた限界。

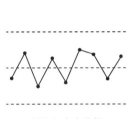 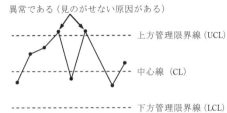

図（1）安定状態　　図（2）管理されていない状態

図6・5・5　管理図

(5) 散布図

　データが 2 つの要因によって変わるとき、2 つの変数を x 軸、y 軸に取り、その打点分布の状況により 2 つの要因間の相関関係を調べる図（図 6・5・6）である。利用法は次のとおりである。

① 2 つの要因の相関関係の有無などを調べる。打点の分布が右上がりは正の相関関係、右下がりは負の相関関係、バラバラは相関関係なし。

② 関係があるときは管理対策をたてる。

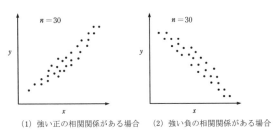 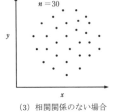 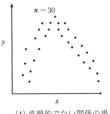

(1) 強い正の相関関係がある場合　(2) 強い負の相関関係がある場合　　(3) 相関関係のない場合　　　(4) 直線的でない関係の場合

図 6・5・6　散布図

(6) チェックシート

　チェックシートは直接問題解決に使うものではなく、不良数や不具合数などの計数値を項目別に集計、整理する記録用紙（図 6・5・7）である。

項目 ＼ 月別	4 月	5 月	6 月	7 月	8 月	9 月	計
事　　故			/		/		2
危険作業	////	///	///	////	//	//	18
不安全行為	𝍷𝍷𝍷/	𝍷𝍷//	𝍷/////	𝍷𝍷//	𝍷𝍷//	𝍷𝍷///	72

図 6・5・7　チェックシート

(7) 層別

　層別とは、直接問題解決に使うものではなく、データをグループに分けて問題点を分かりやすくする手法で、ヒストグラムなどを書くときに行われる。折れ線グラフ、棒グラフ、帯グラフ、円グラフなどの種類がある。利用法は次のとおりである。

① データ全体の傾向が把握しやすくなる。

② グループ間の違いがはっきりわかる。

③ 管理対象範囲が把握しやすくなる。

5 ▶ 抜取検査と全数検査

(1) 抜取検査

① 抜取検査の定義

　抜取検査とは、検査ロットからあらかじめ定められた抜取検査方式に従ってサンプルを抜き取って検査し、その結果をロット判定基準と比較して、そのロットの合格・不合格を判定する検査をいう。

② 抜取検査が必要な場合

- ・ **連続体**（電線、ワイヤーロープ等）や**カサモノ**（砂、セメント等）の場合。
- ・ 被検体を破壊しなければ検査の目的を達し得ない製品や、試験を行うと商品価値がなくなる製品の場合。
- ・ ロットの品質に関する事前の情報が不足しているとき。
- ・ 製品が多数、多量のもので、合格ロット中にある程度の**不良品の混入が許される製品**の場合。
- ・ 全数検査をするよりも検査の手間を減らして、ある程度の不良品を許すほうが**経済的に有利**となる場合。
- ・ 検査の成績によって供給者を格付け選択したい場合。
- ・ 抜取検査で不良品と判定されたロットは、多くの良品が含まれており、**生産者に品質向上の刺激を与えたい**場合。

(2) 全数検査

① 全数検査が必要な場合

- ・ 発電用ボイラー、タービンなど製作台数が少なく、受注生産の大型で特殊な機械の場合。
- ・ 不良品を見逃すと人身事故や消費者に重大な損害を与えるとき。
- ・ 新規開発品や製作開始が間もない製品の場合。
- ・ 工程の状態からみて不良率が大きく、あらかじめ決めた品質水準には達していないとき。
- ・ 据付後取外し困難な機器や後から取替えのきかない機器の場合。
- ・ 検査費用に比べて得られる効果の大きいとき。

用　語

ロット：
生産単位として、同一種類の製品の集まりをロットという。

---

6 ▶ 電気工事に関係する試験

(1) 低圧電路の絶縁性能（電技第58条、電技・解釈第14条）

① 絶縁抵抗値

　電気使用場所における使用電圧が低圧の電路の電線相互間及び電路と大地間の絶縁抵抗は、開閉器又は過電流遮断器で区切ることのできる電路ごとに、次の表の左欄に掲げる電路の使用電圧の区分に応じ、それぞれ同表の右欄に掲げる値以上でなければならない。

　表6・5・2に、電路の使用電圧区分と絶縁抵抗値を示す。

表6・5・2　電路の使用電圧区分と絶縁抵抗値

電路の使用電圧の区分		絶縁抵抗値
300 V 以下	対地電圧（接地式電路においては電線と大地との間の電圧、非接地式電路においては電線間の電圧をいう）が150V 以下の場合	0.1M Ω以上
	その他の場合	0.2M Ω以上
300 V を超えるもの		0.4M Ω以上

　電技・解釈第14条に、絶縁抵抗測定が困難な場合においては、当該電路の使用電圧が加わった状態における漏えい電流が1mA以下であることと規定されている。

② 試験方法

　低圧の電路の電線相互間及び電路と大地間の絶縁抵抗は、開閉器又は過電流遮断器で区切る電路ごとに、絶縁抵抗計（メガー）を用いて測定する。

(2) 絶縁耐力試験（電技第5条、電技・解釈第15条）　R05

① 絶縁耐力試験電圧

　高圧又は特別高圧の電路、回転機及び整流器、燃料電池及び太陽電池モジュール、変圧器の電路、器具などの電路の絶縁耐力が、次の表の左欄に掲げる電路の種類に応じ、それぞれ右欄に掲げる試験電圧を電路と大地との間に連続して10分間加えて絶縁耐力試験をしたとき、これに耐えられることの確認をする試験。

　表6・5・3に電路の種類と試験電圧（抜粋）を示す。

表6・5・3　電路の種類と試験電圧（抜粋）

電路の種類		試験電圧
最大使用電圧が7,000 V以下の電路	交流の場合	最大使用電圧の1.5倍の交流電圧
	直流の場合	最大使用電圧の1.5倍の直流電圧又は1倍の交流電圧
最大使用電圧が7,000 Vを超え、60,000 V以下の電路	最大使用電圧が15,000 V以下の中性点接地式電路（中性線を有するものであって、その中性線に多重接地するものに限る）	最大使用電圧の0.92倍の電圧
	上記以外	最大使用電圧の1.25倍の電圧（10,500 V未満となる場合は、10,500 V）
最大使用電圧が60,000 Vを超える中性点非接地式電路	中性点非接地式電路	最大使用電圧の1.25倍の電圧

H29

② **試験方法**

　耐圧試験器により被試験体に電圧を加え、規定電圧の1/2の電流値を確認後、規定の電圧まで徐々に昇圧する。一般的には、昇圧完了後の1分値、5分値、9分値を記録する。10分経過後、徐々に電圧を下げ電圧が0になったことを確認後、電源を切る。充電部には残留電圧があるため、自然放電後に充電部を接地して放電させる。

　また、耐圧試験の前後には絶縁抵抗測定を行い、電路の絶縁状態を確認する。

R01

7 ▶ ISO

　ISO（国際標準化機構）とは、国際的な品質基準を定めた国際規格の標準化を推進する国際機関で、代表的なものに ISO9000 や ISO14000 などがある。

①　ISO9000 ファミリー

　品質マネジメントシステムの基本的な考え方と基本用語の定義が定められたもので、企業が品質保証活動を進めるための仕組みについて定めたものである。その仕組みとは概略次のようなものである。

・　品質方針を定める。
・　品質保証活動に携わる各人の責任と権限の明確化。
・　品質方針を実現するための仕組みの文書化。
・　現場作業が仕組みに従い実施されているかを確認。
・　顧客から要求があった場合、顧客が満足する品質が確保されていることをいつでも開示できる状態にしておく。

②　ISO9001

　品質マネジメントシステムの要求事項が定められたもので、組織における品質管理や品質保証に加え、顧客満足、品質マネジメントシステムの有効性の継続的改善についての業務手順や仕組みについての指針を規定している。製品そのものの規格を定めたものではない。

③　ISO14000

　環境マネジメントシステムを定めたもので、企業が生産活動を行う上で発生させる環境負荷に対し、企業自身が自主的に環境方針を定めて、それを実践していくためのものである。

＜補足説明＞
電気及び電子部門の国際規格としては、IEC（国際電気標準会議）があり、その目的は次のようなものである。
①　電気及び電子工学技術分野の国際規格の策定及び普及。
②　国際貿易を円滑に促進するために、IEC 規格を策定し、製品が規格に適合しているかを証明する。

用　語

ISO：
International Organization for Standardization
略称でイソ、アイソ、アイエスオーなどと呼ばれている。
用語の定義：
R02　H30　H27

用　語

IEC：
International Electrotechnical Commision の略称。

6-6 安 全 管 理

　この項では、建設工事現場で起こり得る労働災害のうち、感電災害、墜落災害、飛来・落下災害、建設機械による災害及び酸素欠乏危険作業など現場作業の安全基準について記載している。労働安全衛生法に定められた安全管理体制等については、第7章「法規」に記載する。

1 ▶ 安全管理の成績評価

(1) 労働災害発生率

　労働災害発生率の指標として、年間 1,000 人当たりの死傷者数で表す**年千人率**と、100 万延べ労働時間中の死傷者数で表す**度数率**がある。

① 年千人率

　労働者 1,000 人当たりの 1 年間に発生した死傷者数で表すもので、災害発生の頻度を示す。

$$年千人率 = \frac{年間労働災害による死傷者総数}{年間の平均労働者数} \times 1,000$$

② 度数率

　100 万延べ労働時間中に発生する死傷者の数で表すもので、災害発生の頻度を示す。

$$度数率 = \frac{死傷者数}{延労働時間数} \times 1,000,000$$

③ 強度率

　労働時間 1,000 時間（標準作業量）に対する負傷などによる損失労働量（**労働損失日数**）の比で、災害の強度（傷害の軽重の程度）を示す。

$$強度率 = \frac{労働損失日数}{延労働時間数} \times 1,000$$

労働損失日数

・　死亡又は永久労働不能（身体障害 1 ～ 3 級）　　　　　7,500 日

・　永久一部労働不能（身体障害 4 ～ 14 級）　　　5,500 ～ 50 日

・　一時全労働不能（休業）（暦日による休業日数）×（300/365）

H29

補　足

労働損失日数

労働災害により、労働者が一時労働不能（休業）や死亡又は永久労働不能（身体障害）などの労働不能による損失日数をいう。

2 ▶ 現場の安全活動

(1) TBM（ツールボックスミーティング）

　作業前に職長が作業員の健康状態をチェックし、その日の作業内容や安全についての指示をする。この席で KYK を合わせて実施することが多く、この場合は TBM − KY と呼ぶ。

(2) KYK（危険予知活動又は危険予知訓練）

　作業員全員が、その日の作業で危険が予想される箇所を挙げ、それに対する安全対策をグループ討議で決め、実行する活動。上からの指示でなく各自が考えて、行動することに意義がある。

(3) ヒヤリ・ハット運動

　「1 人の重傷災害が発生するかげに 29 人の軽傷災害があり、さらに 300 件のヒヤリ・ハットがある」という、労働災害におけるハインリッヒの法則から、ヒヤリとしたり、ハッとしたりしたが災害にならなかった事例を取り上げ、その原因を取り除き災害防止をする安全活動である。

(4) その他の運動

　① 　4 S 運動：現場を常に「整理」・「整頓」・「清掃」・「清潔」の状態に保つ運動。

　② 　オアシス運動：「オハヨウ」・「アリガトウ」・「シツレイシマス」・「スミマセン」の頭文字をとって名付けられ、コミュニケーションを図るための運動である。

　③ 　ZD 運動：「ゼロディフェクト」（無欠陥）の略で、ミスや欠点の排除を目的とした運動である。

　④ 　OJT：「オン・ザ・ジョブ・トレーニング」の略で、日常の職場内での技能教育をいう。

3 ▶ 感 電 災 害 の 防 止

(1) 高圧活線近接作業

R04

① 活線近接作業とは、充電電路に対し頭上30cm、軀側及び足下60cm 以内に近接して作業する状態をいう。

② 活線近接作業では、充電電路に絶縁防具を装着するか、作業者に絶縁用保護具を着用させる。

(2) 絶縁用保護具・防具の検査

R06

① 絶縁用保護具・防具は6ヶ月以内ごとに1回、定期的に絶縁性能の自主検査をしなければならない。但し、6ヵ月を超えて使用しない保護具等の不使用期間については除外される。

② この検査結果の記録は3年間保存しなければならない。

③ 使用前には、ひび、割れその他の損傷の有無、乾燥状態などを点検する。

(3) 漏電による感電の防止

対地電圧が150V を超える移動式や可搬式などの電気機械器具は、器具の絶縁抵抗を測定、絶縁被覆の損傷がないか点検後、次の何れかによって使用する。

① 電路に感電防止用漏電遮断器（30mA、1秒で動作）を設ける。

② 1心を専用の接地線とする多心ケーブルと接地付きコンセントを使用する。

③ 二重絶縁構造具の機器を使用する。又は絶縁台上で作業する。

(4) 停電作業を行う場合の措置

① 停電時
・ 開路に用いた開閉器に施錠・表示する。又は監視人を置く。
・ 電力ケーブル・コンデンサの残留電荷を放電する。
・ 電圧に適合した検電器で検電する。
・ 短絡接地器具を用い、確実に接地する。

② 復電時
・ 作業者が作業を終了し、電路に接触していないことを確認する。
・ 短絡接地器具を取り外す。
・ 開閉器の施錠・表示を外し、投入する。

参　考

電気による危険の防止→
　　　　　労働安全衛生規則
・電気機械器具（329条～335条）
・配線及び移動電線（336条～338条）
・停電作業（339条・340条）
・活線作業及び活線近接作業（341条～349条）　H29
・定期自主検査（351条）
・使用前点検（352条）

・　元のとおりの電圧になっているか計器で確認する。

4 ▶ 充電部との安全距離

(1) 送配電線との離隔距離

　移動式クレーン等が送配電線類の充電部分と近接する場合、送配電線との離隔距離は、表6・6・1の値以上とする。

表6・6・1　送配電線との離隔距離

電路の電圧	離隔距離
特別高圧（7,000 V 超）	2 m ただし、60,000 V 以上は 10,000 V 又はその端数増すごとに 20 cm 増
高圧（交流 600 V 超 7,000 V 以下） （直流 750 V 超 7,000 V 以下）	1.2 m
低圧（交流 600 V 以下） （直流 750 V 以下）	1.0 m

(2) 充電電路に対する接近限界距離（表6・6・2）

表6・6・2　充電電路に対する接近限界距離

充電電路の使用電圧〔kV〕	充電電路に対する接近限界距離〔cm〕
22 以下	20
22 を超え 33 以下	30
33 を超え 66 以下	50
66 を超え 77 以下	60
77 を超え 110 以下	90
110 を超え 154 以下	120
154 を超え 187 以下	140
187 を超え 220 以下	160
220 を超える場合	200

5 ▶ 墜 落 災 害 の 防 止

(1) 高所作業（作業床の設置等）

R05　R03

① 高さ2m以上の場所の作業は**高所作業**で、作業床を設ける必要がある。作業床を設けることが困難な場合は**防網**を張り、労働者に**要求性能墜落制止用器具**を使用させる等墜落による労働者の危険を防止するための措置を講じなければならない。

② 作業床の端や開口部には、墜落防止の**囲い**、**手すり**、**覆い**などを設ける。

③ 強風、大雨、大雪などの悪天候で危険が予想されるときは、当該作業に労働者を従事させてはならない。

> **補　足**　　H28
> スレート、木毛板等の材料で葺かれた屋根の上作業を行う場合、幅30cm以上の歩み板を設けること。

(2) 移動はしご

R05

① 幅は30cm以上とする。

② 滑り止め装置があること。

③ その他は図6・6・1に示すように使用する。

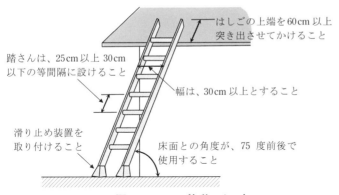

踏さんは、25cm以上30cm以下の等間隔に設けること

はしごの上端を60cm以上突き出させてかけること

幅は、30cm以上とすること

滑り止め装置を取り付けること

床面との角度が、75度前後で使用すること

図6・6・1　移動はしご

(3) 脚立（図6・6・2）

① 脚と水平面の角度は**75度以下**とする。

② 折りたたみ式のものは脚と水平面の角度を確実に保つ金具を備える。

③ 踏み面は作業を安全に行うのに必要な面積を有する。

幅12cm以上　　長さ30cm以上

天板

脚柱

5cm以上

踏さん

脚端具

75度以下　　開き止め

図6・6・2　脚立

> **補　足**
> **作業禁止**
> 事業者は、つり足場の上で、脚立、はしご等を用いて労働者に作業させてはならない。
> （労働安全衛生規則第575条）

(4) 作業床（図 6・6・3、図 6・6・4）

足場における高さ 2 m 以上の作業場所には、次の構造の作業床を設ける。

① 作業床の幅 40cm 以上、床材間のすき間は 3cm 以下、床材と建地とのすき間は 12cm 未満。

② 危険箇所には手すり等を設ける。手すりの高さは 85cm 以上（わく組足場を除く）。

③ 足場の床材は次の場合を除いて、2 点以上の支持物に取り付けること。

　・床材は幅 20cm 以上、厚さ 3.5cm 以上、長さ 3.6 m 以上。

　・足場板は 3 点以上で支持する。

　・支持点からの突出は 10cm 以上、足場板の長さの 18 分の 1 以下。

　・長手方向に重ねるときは支点の上で 20cm 以上重ねる。

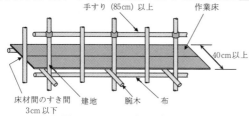

図 6・6・3　床・手すり

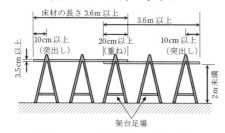

図 6・6・4　足場架台の使用例

(5) 昇降設備

高さ又は深さが 1.5m を超える箇所で作業を行なうときは、安全に昇降するための設備等を設ける。　R05

(6) 架設通路

① 勾配は 30 度以下とする。勾配 15 度を超えるものは踏み桟その他の滑止めを設ける。　H30

② 墜落の危険のある場所には、高さ 85cm 以上の手すり及び高さ 35cm 以上 50cm 以下のさんを設ける。

③ 高さ 8 m 以上の登り桟橋には、7 m 以内ごとに踊り場を設ける。

6 ▶ 飛来・落下災害の防止

(1) 高所からの物体投下
① 3 m以上の場所から物体を投下するときは、投下シュートなど適当な投下設備を設ける。
② 投下設備がないときは、投下してはならない。

R05　R01

7 ▶ 建設機械による災害の防止

(1) クレーン及び移動式クレーン
1) クレーン及び移動式クレーン等の資格
クレーン、移動式クレーン及びデリックの運転の業務等に就くには、表6・6・3に示す資格が必要となる。

R01

表6・6・3

種　別	吊り上げ荷重	運転に必要な資格
クレーン・デリック	5 t 以上	クレーン・デリック運転士免許
	5 t 未満	クレーン運転の特別教育
移動式クレーン	5 t 以上	移動式クレーン運転士免許
	1 t 以上 5 t 未満	移動式クレーン運転士免許又は運転技能講習
	1 t 未満	移動式クレーン業務特別教育
玉掛け（クレーン、移動式クレーン、デリック）	1 t 以上	玉掛け技能講習
	1 t 未満	玉掛け業務の特別教育

2) クレーン及び移動式クレーンの作業
① クレーン及び移動式クレーン（以下クレーン等とする。）を用いて作業を行うときは、クレーン等の運転について一定の合図を定め、合図を行う者を指名して、その者に合図を行わせなければならない。
② クレーン等により、労働者を運搬し、又は労働者をつり上げて作業させてはならない。
③ 強風のため、クレーン等に係る作業の実施について危険が予想されるときは、当該作業を中止しなければならない。
④ クレーン等の運転者は、荷を吊ったままで、運転位置を離れてはならない。

⑤　クレーン等を設置した後、1年以内ごとに1回検査する項目と、1月以内ごとに1回検査する項目を、定期に自主検査を行わなければならない。

⑥　クレーン等を用いて作業を行うときは、その日の作業を開始する前に、定められた項目（過負荷警報装置等）について点検を行わなければならない。

⑦　自主検査及び点検の結果を記録し、これを3年間保存しなければならない。

(2)　高所作業車

1）高所作業車の作業　　　　　　　　　　　　　　　　R04

①　高所作業車を用いて作業を行うときは、**作業計画**を定め、当該作業計画により作業を行わなければならない。

②　作業を行うときは、**指揮者**を定め、その者に作業計画に基づき作業の指揮を行わせなければならない。

③　作業を行うときは、乗車席及び作業床以外の箇所に労働者を乗せてはならない。

④　作業を行うときは、高所作業車の転倒又は転落による労働者の危険を防止するため、アウトリガーを張り出すこと、地盤の不同沈下を防止すること、路肩の崩壊を防止すること等必要な措置を講じなければならない。

⑤　作業を行う場合、一定の合図を定め、当該合図を行う者を指名してその者に行わせる等必要な措置を講じなければならない。

⑥　作業を行うときは、乗車席及び作業床以外の箇所に労働者を乗せてはならない。

⑦　高所作業車を走行させるときは、当該高所作業車の作業床に労働者を乗せてはならない。

⑧　作業を行うときは、当該高所作業車の作業床上の労働者に**要求性能墜落制止用器具**を使用させる等墜落による危険を防止するための措置を講じなければならない。　　　　　　　　　　　　H30

⑨　高所作業車については、1年以内ごとに1回検査する項目と、1月以内ごとに1回検査する項目を、定期に自主検査を行わなければならない。　　　　　　　　　　　　　　　　　　　　H28

⑩　自主検査を行ったときは、これを記録し、3年間保存しなければならない。

⑪　作業を行うときは、その日の作業開始前に、制動装置、操作装置及び作業装置の機能について点検を行わなければならない。

8 ▶ 酸素欠乏危険作業

(1) 酸素欠乏危険作業

① 酸素欠乏とは、空気中の酸素の濃度が18%未満である状態を
いう。酸素欠乏等とは、前述の状態又は空気中の硫化水素の濃度
が10ppm を超える状態をいう。 R03　H27

② 酸素欠乏危険作業には、技能講習終了の作業主任者を選任し、
作業者も特別教育を受けた者でなくてはならない。 R01

③ 暗きょ、マンホールなどの酸素欠乏危険場所では、その日の作
業開始前に空気中の酸素及び硫化水素の濃度を測定、記録し、3
年間保存する。

④ 酸素欠乏危険場所で作業するときは、酸素欠乏等の状態になら
ないように換気をしなければならない。

9 ▶ その他の災害の防止

(1) 掘削作業

① 地山の掘削作業を行うときは、地山の種類によって掘削面の高
さに応じた掘削面の勾配が定められているので、それ以下の勾配
で掘削する。砂からなる地山にあっては、掘削面の勾配を35度
以下とし、又は掘削面の高さを5m 以下とすること。 R05　H30

② 掘削面の高さが2m 以上の場合は地山の掘削作業主任者を選任
し、直接作業指揮を行わせる。掘削作業主任者は、器具及び工具
を点検し、不良品を取り除くなどの職務を行う。

③ 軟弱地盤で崩壊の危険があるところでは、土止め支保工、防護
網などの危険防止措置をしなければならない。土止め支保工を設
けたときは、7日を超えない期間ごとに、または、中震以上の地
震後や大雨等で地山が急激に軟弱化するおそれのある事態が生じ
た後に、点検し、異常を認めた時は、ただちに補強や補修をする。

④ 明り掘削の作業により露出したガス導管の損壊により危険があ
る場合は、つり防護、受け防護等によって当該ガス管の防護を行
い、又は当該ガス管を移設する等の措置を行う。

10 ▶ 技能講習・特別教育を必要とする業務

　労働安全衛生法では、「事業者は、免許を受けた者又は技能講習を
修了した者でなければ次の業務に就かせてはならない。」

　また、「事業者は、危険又は有害な業務に労働者を就かせるときは、
当該業務に関する特別教育を行わなければならない。」とある。

　これらをまとめると、表6・6・3のとおりとなる。

R05　H29　H27

表6・6・3　技能講習・特別教育を必要とする主な業務

労働者	特別教育	技能講習
クレーン運転者	つり上げ荷重が5t未満のクレーンの運転	つり上げ荷重が5t以上のクレーンの運転
移動式クレーン運転者	つり上げ荷重が1t未満の移動式クレーンの運転	つり上げ荷重が1t以上5t未満の移動式クレーンの運転
玉掛け作業者	つり上げ荷重が1t未満のクレーン、移動式クレーン又はデリックの玉掛け	つり上げ荷重が1t以上のクレーン、移動式クレーン又はデリックの玉掛け
溶接作業者	アーク溶接機を用いて行う金属の溶接、溶断等の業務	可燃性ガスを用いて行う金属の溶接、溶断又は加熱の業務
高所作業車運転者	作業床の高さが10m未満の運転の業務（道路上の走行運転を除く）	作業床の高さが10m以上の運転の業務（道路上の走行運転を除く）
フォークリフト運転者	最大荷重が1t未満のフォークリフトの運転の業務（道路上の走行運転を除く）	最大荷重が1t以上のフォークリフトの運転の業務（道路上の走行運転を除く）
車両系建設機械の運転者	機体重量3t未満の運転	機体重量3t以上のもの
研削砥石取替え試運転の作業者	研削砥石の取替え又は取替え時の試運転の業務	―
酸素欠乏危険作業者	酸素欠乏危険作業に係る作業	酸素欠乏作業における業務に選任する主任者
特定粉じん作業者	特定粉じん作業に係る作業	―
足場の組立等作業者	足場の組立、解体、又は変更に係る作業者	―
電気取扱者（高圧又は低圧）	充電電路又はその支持物の敷設、点検、修理、操作、充電部分が露出した開閉器の操作	―
ゴンドラ操作者	ゴンドラの操作	―

第 **7** 章

法　規

7-1 建 設 業 法

【注意事項1】法令はたびたび改正される場合があり、過去に出題された問題集で勉強すると、正解が間違っていたりする場合もあるので、それを十分理解して勉強して下さい。

【注意事項2】本書ではわかりやすく、覚えやすいように法令の文章を一部省略した部分があります。実務では正確な条文を知っておく必要があります。

1 ▶ 建設業の許可

R03

(1) 建設業の種類

　建設業法において、建設工事とは土木建築に関する工事をいい、建設工事を請け負う営業を建設業という。

　建設業は29業種に分けられ、許可を受けて建設業を営む者を建設業者という。建設業の許可は、建設工事の種類に対応する建設業ごとに受けなければならない。　表7・1・1に建設業の種類を示す。

表7・1・1　建設業の種類

建設工事	建設業	建設工事	建設業
土木一式工事	土木工事業	板金工事	板金工事業
建築一式工事	建築工事業	ガラス工事	ガラス工事業
大工工事	大工工事業	塗装工事	塗装工事業
左官工事	左官工事業	防水工事	防水工事業
とび・土工・コンクリート工事	とび・土工工事業	内装仕上工事	内装仕上工事業
石工事	石工事業	機械器具設置工事	機械器具設置工事業
屋根工事	屋根工事業	熱絶縁工事	熱絶縁工事業
タイル・煉瓦・ブロック工事	タイル・煉瓦・ブロック工事業	電気通信工事	電気通信工事業
電気工事	電気工事業	造園工事	造園工事業
管工事	管工事業	さく井工事	さく井工事業
鋼構造物工事	鋼構造物工事業	建具工事	建具工事業
鉄筋工事	鉄筋工事業	水道施設工事	水道施設工事業
舗装工事	舗装工事業	消防施設工事	消防施設工事業
しゅんせつ工事	しゅんせつ工事業	清掃施設工事	清掃施設工事業
		解体工事	解体工事業

　　　　　：指定建設業（7業種）

ポイント

建設業の許可
常勤役員の一人が　許可を受けようとする建設業に関し5年以上経営業務の管理責任者としての経験を有する者でなければならない。

指定建設業
建設業の29業種の内、施工技術の総合性を有するなどとして指定された7業種の建設業。建設業の許可条件や技術者要件が、他の業種より厳格となる。

(2) 大臣許可と知事許可

　建設業を営もうとする者は、2以上の都道府県の区域内に営業所を設けて営業しようとする場合には国土交通大臣、1の都道府県の区域内にのみ営業所を設けて営業しようとする場合には当該都道府県知事の許可を受けなければならない。

　都道府県知事の許可を受けた建設業者は、当該都道府県の区域以外であっても建設工事を施工できる。

大臣許可と知事許可

(3) 営業許可の適用除外

　建設業を営もうとする者であっても、以下の軽微な建設工事のみを請け負って営業する者は、建設業の許可を受けなくても営業を営むことができる。

① 　工事1件の請負代金の額が建築一式工事にあっては1,500万円に、また、建築一式工事以外の建設工事にあっては500万円に満たない工事

② 　延べ面積が150㎡に満たない木造住宅工事

　上記の軽微な建設工事以外の建設工事を請け負って営業する者は、建設業の種類ごとに許可が必要になる。

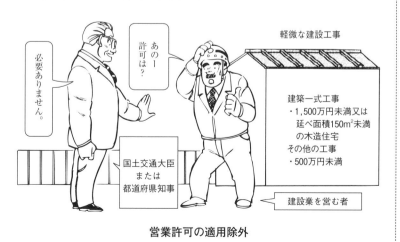

営業許可の適用除外

ポイント

大臣許可と知事許可
5年ごとにその更新を受けなければ、その期間の経過によって、その効力を失う。
（建設業法第3条）

R06　R01

(4) 附帯工事

R06

建設業者は、許可を受けた建設業に係る建設工事を請け負う場合においては、当該建設工事に附帯する他の建設業に係る建設工事を請け負うことができる。

(5) 許可の基準

国土交通大臣又は都道府県知事は、許可を受けようとする者が営業所ごとに一定の要件（資格又は実務経験）を満たした専任の技術者を置く者であると認めるときでなければ、許可をしてはならない。

複数の建設業について許可を受けようとする場合、この専任の技術者は、許可を受けようとする建設業ごとに別々の者でなくてもよい。

電気工事業についての技術者要件を、表7・1・2に示す。

ポイント
専任の技術者の資格

表7・1・2 電気工事業の営業所ごとの専任の技術者の資格

一般建設業の場合	特定建設業の場合
①電気工事に関し 　・高校卒　　　5年以上 　・大学高専卒　3年以上 　・それ以外　　10年以上 　の実務経験を有する者 ②国交省大臣が上記①と同等以上の知識、技術や技能を有すると認定した者 　・1・2級電気工事施工管理技士 　・技術士（電気電子部門又は建設部門） 　・第一種電気工事士（経験不要） 　　第二種電気工事士（工事経験3年以上） 　・一・二・三種電気主任技術者（工事経験5年以上） 　・建築設備士（電気工事経験1年以上） 　・1級計装士（電気工事経験1年以上）	①1級電気工事施工管理技士 ②技術士（電気電子部門又は建設部門） ③国交省大臣が上記①②と同等以上の能力を有すると認定した者

R06　H29

(6) 特定建設業と一般建設業

建設業の許可は一般建設業の許可と特定建設業の許可にわかれる。発注者から直接請け負う1件の建設工事につき、その工事の全部又は一部を、下請代金の額（その工事に係る下請契約が2以上あるときは、下請代金の額の総額）が4,500万円（建築工事業では7,000万円）以上となる下請契約を締結して施工しようとする者は特定建設業の許可を受け、それ以外の場合は一般建設業の許可が必要となる。

ポイント
特定建設業

R06　H30　H27

特定建設業と一般建設業

2▶ 主任技術者と監理技術者

(1) 主任技術者

　建設業者は、その請け負った建設工事を施工するときは、当該建設工事に関し一定の要件に該当する者で当該工事現場における建設工事の施工の技術上の管理をつかさどる者（以下「**主任技術者**」という）を置かなければならない。

　主任技術者は、現場代理人を兼務してもよい。

(2) 監理技術者

　特定建設業者は、発注者から直接請け負った建設工事を施工するために締結した**下請契約の請負代金の額**（当該下請契約が2以上あるときは、それらの請負代金の額の総額）が **4,500万円**（建築工事業では7,000万円）**以上**になる場合においては、「主任技術者」の規定にかかわらず、当該建設工事に関し一定の要件に該当する者で当該工事現場における建設工事の施工の技術上の管理をつかさどる者（以下「**監理技術者**」という）を置かなければならない。

　なお、**指定建設業**（土木工事業、建築工事業、管工事業、鋼構造物工事業、舗装工事業、電気工事業、造園工事業）に係る**監理技術者**は、**1級国家資格者**、又は大臣認定技術者に限られる。

　監理技術者は、現場代理人を**兼務**しても良い。

ポイント
監理技術者の設置規定

R06　R04　R01　H30
H27

補　足
指定建設業
土木工事業、建築工事業、管工事業、鋼構造物工事業、舗装工事業、電気工事業、造園工事業の7業種

補　足
国家資格者
電気工事の場合は1級電気工事施工管理技士

主任技術者と監理技術者

表 7・1・3　建設業法における技術者制度

許可を受けている業種		指定建設業 （土木工事業、舗装工事業、建築工事業、電気工事業、管工事業、造園工事業、鋼構造物工事業）			その他 （左以外の 22 業種）		
建設業の許可制度	許可の種類	特定		一般	特定		一般
	営業所に必要な技術者の資格要件	一級国家資格者 国土交通大臣特別認定者		1級国家資格者 2級国家資格者 実務経験者	1級国家資格者 実務経験者		1級国家資格者 2級国家資格者 実務経験者
工事現場の技術者制度	元請工事における下請金額合計	4,500万円注1 以上	4,500万円注1 未満	4,500 万円 以上は契約で きない	4,500万円 以上	4,500万円 未満	4,500 万円 以上は契約で きない
	工事現場に置くべき技術者	監理技術者	主任技術者	主任技術者	監理技術者	主任技術者	主任技術者
	技術者の資格要件	1級国家資格者 国土交通大臣 特別認定者	1 級国家資格者 2 級国家資格者 実務経験者		1級国家資格者 実務経験者	1 級国家資格者 2 級国家資格者 実務経験者	
	技術者の専任	公共性のある施設・工作物又は多数の者が利用する施設・工作物に関する重要な建設工事で請負金額が 4,000 万円注2 以上のときに必要					
	監理技術者資格証・講習受講の必要性	監理技術者の専任を要する工事のときに必要	不要		監理技術者の専任を要する工事のときに必要	不要	

注 1：建築一式工事の場合は 7,000 万円以上
注 2：建築一式工事の場合は 8,000 万円以上

(3) 専任の技術者が必要な工事　　　　　　　　　　　R06

　公共性のある以下の工事で、工事 1 件の請負金額が 4,000 万円（建築一式工事の場合は 8,000 万円）以上のものについては、工事の安全

かつ適正な施工を確保するために、工事現場ごとに専任の主任技術者又は監理技術者を置かなければならない。

① 国、地方公共団体の発注する工事。

② 鉄道、道路、ダム、上下水道、電気事業用施設、ガス事業用施設等の公共的工作物の工事。

③ 学校、事務所等のように多数の人が利用する施設の工事。

　ただし、規定されている工事のうち、密接な関係のある2つ以上の工事を、同一の建設業者が同一の場所において施工するものについては、同一の主任技術者がこれらの工事の管理を兼務することができる。

(4) 監理技術者資格者証

　工事現場に専任で置かなければならない監理技術者のうち、国や地方公共団体などが発注者である場合の監理技術者は、監理技術者資格者証の交付を受けた者でなければならない。

① 監理技術者は、工事現場では、常に資格者証を携帯し、発注者から請求があった場合は提示しなければならない。

② 資格者証の有効期間は5年とし、申請により更新する。

③ 複数の資格を有する者には、これらの監理技術者資格を合わせて記載した資格者証が交付される。

④ 資格者証には、交付を受ける者の氏名、生年月日及び住所、交付の年月日、また、交付を受ける者が有する監理技術者資格、建設業の種類、当該建設業者の称号又は名称及び許可番号を記載するものとする。

監理技術者資格者証

(5) 施工技術の確保

① 建設業者は、建設工事の担い手の育成及び確保その他の施工技術の確保に努めなければならない。

補　足

専任
他の工事の主任技術者又は監理技術者との兼務を認めないこと。

R05　H28

②　建設工事に従事する者は、建設工事を適正に実施するために必要な知識及び技術又は技能の向上に努めなければならない。

③　国土交通大臣は、前項の施工技術の確保並びに知識及び技術又は技能の向上に資するため、必要に応じ、講習及び調査の実施、資料の提供その他の措置を講ずるものとする。

3 ▶ 建設工事の請負契約

(1) 請負契約の内容

建設工事の請負契約の当事者は、契約の締結に際して、次に掲げる事項等を書面に記載し、**署名又は記名捺印をして相互に交付**しなければならない。

① 　工事内容

② 　請負代金の額

③ 　工事着手の時期及び工事完成の時期

④ 　工事の施工により第三者が損害を受けた場合における賠償金の負担に関する定め

⑤ 　注文者が工事の全部又は一部の完成を確認するための検査の時期及び方法並びに引渡しの時期

⑥ 　工事完成後における請負代金の支払の時期及び方法

⑦ 　契約に関する紛争の解決方法

(2) 情報通信技術を利用した請負契約の技術的基準

① 　当該契約の相手方がファイルへの記録を出力することによる書面を作成することができるものであること。

② 　ファイルに記録された契約事項等について、改変が行われていないかどうかを確認することができる措置を講じていること。

③ 　当該契約の相手方が本人であることを確認することができる措置を講じていること。

(3) 現場代理人の選任等に関する通知

請負人は、請負契約の履行に関し工事現場に現場代理人を置く場合においては、当該現場代理人の権限に関する事項及び当該現場代理人の行為についての注文者の請負人に対する意見の申出の方法を、**書面により注文者に通知**しなければならない。

ポイント

建設工事の請負契約

R05　R04　R02　H30

R05

R06

(4) 工期等に影響を及ぼす事象に関する情報の提供

　建設工事の注文者は、当該建設工事について、地盤の沈下その他の**工期又は請負代金の額に影響を及ぼすもの**として国土交通省令で定める事象が発生するおそれがあると認めるときは、請負契約を締結するまでに、建設業者に対して、その旨及び当該事象の状況の把握のため**必要な情報を提供**しなければならない。

(5) 一括下請負の禁止

　建設業法では、以下のように一括下請負を禁止している。

① 建設業者は、その請け負った建設工事を、いかなる方法でも一括して他人に請け負わせてはならない。

② 建設業を営む者は、建設業者から当該建設業者の請け負った建設工事を一括して請け負ってはならない。

③ ①、②の規定は、元請負人があらかじめ発注者の書面による承諾を得た場合には、適用しない。

ポイント
一括下請負の禁止
R01

(6) 下請負人の変更請求

　注文者は、請負人に対して、建設工事の施工につき著しく不適当と認められる下請負人があるときは、その変更を請求することができる。ただし、あらかじめ注文者の書面による承諾を得て選定した下請負人については、この限りでない。

(7) 下請負人の意見の聴取

　元請負人は、その請け負った建設工事を施工するために必要な工程の細目、作業方法等を定めるときは、あらかじめ、下請負人の意見を聞かなければならない。

ポイント
下請負人の意見の聴取
R06　R03

下請負人の意見の聴取

(8) 下請代金の支払い

　元請負人は、請負代金の出来形部分に対する支払い又は工事完成後における支払いを注文者より受けたときは、下請負人に対して、**元請負人が支払いを受けた日から 1 月以内**で、かつ、できる限り短い期間内に支払わなければならない。

　元請負人は、前払金の支払いを受けたときは、下請負人に対して、資材の購入、労働者の募集、その他建設工事の着手に必要な費用を前払金として支払うよう適切な配慮をしなければならない。

(9) 検査及び引渡し

　元請負人は、下請負人からその請け負った建設工事が完成した旨の通知を受けたときは、その通知を受けた日から 20 日以内で、かつ、できる限り短い期間内に、その完成を確認するための検査を完了しなければならない。

　元請負人は、検査によって建設工事の完成を確認した後、下請負人が申し出たときには、**直ちに**、その建設工事の目的物の引渡しを受けなければならない。

　ただし、下請契約において工事完成の時から 20 日以前を引渡しの日とする特約をしている場合、その日が引渡しの日となる。

(10) 施工体制台帳及び施工体系図の作成

　特定建設業者は、発注者から直接建設工事を請け負った場合において、当該建設工事を施工するために締結した下請契約の請負代金の総額が 4,500 万円（建築一式工事の場合には 7,000 万円）以上になるときは、**施工体制台帳を作成して工事現場ごとに備え置き、施工体系図を作成して当該工事現場の見やすい場所に掲げなければならない**。

　施工体系図の表示内容は以下のとおりである。

　①　作成建設業者の商号又は名称
　②　作成建設業者が請け負つた建設工事に関する次に掲げる事項
　　イ　建設工事の名称及び工期
　　ロ　発注者の商号、名称又は氏名
　　ハ　当該作成建設業者が置く主任技術者又は監理技術者の氏名
　　ニ　監理技術者補佐を置くときは、その者の氏名
　③　前号の建設工事の下請負人で現にその請け負つた建設工事を施工しているものに関する次に掲げる事項（下請負人が建設業者でない場合においては、イ及びロに掲げる事項に限る。）
　　イ　商号又は名称

ポイント
請負代金の支払い

R04　R02　H29

R05　R03　R02　H29　H27

　ロ　代表者の氏名

　ハ　一般建設業又は特定建設業の別

　ニ　許可番号

④　前号の請け負つた建設工事に関する次に掲げる事項（下請負人が建設業者でない場合においては、イに掲げる事項に限る。）

　イ　建設工事の内容及び工期

　ロ　特定専門工事の該当の有無

　ハ　下請負人が置く主任技術者の氏名

（11）標識の掲示

　建設業者は、営業所及び工事現場ごとに見やすい場所に標識を掲げなければならない。標識への記載事項は次のとおりである。

①　一般建設業又は特定建設業の別　　　　　　　　　　　　　H28

②　許可年月日、許可番号及び許可を受けた建設業

③　商号又は名称

④　代表者の氏名

⑤　主任技術者又は監理技術者の氏名（工事現場の標識のみ）

7-2 ▶ 電気事業法及び電気関係法規

1 ▶ 電気事業法

(1) 電気工作物の分類

電気事業法でいう電気工作物は図7・2・1のように分類される。

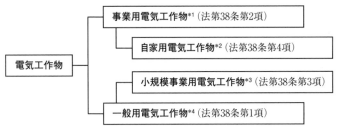

〈備考〉
*1：一般用電気工作物以外の電気工作物
*2：事業用電気工作物の内、電気事業の用に供する電気工作物以外のもの
*3：10kW以上50kW未満の太陽光発電設備や20kW未満の風力発電設備
*4：600V以下で受電または一定の出力以下の小規模発電設備など

図7・2・1　電気工作物の分類

(2) 一般用電気工作物の範囲

① 他の者から600 V以下の電圧で受電し、その受電の場所と同一の構内で電気を使用する電気工作物で、受電用の電線路以外の電線路で構内以外にある電気工作物と電気的に接続されていないもの。

② 構内に設置する小出力発電設備であって、その発電した電気が構内以外にある電気工作物と電気的に接続されていないもの。

③ 小出力発電設備とは、電圧600 V以下の次の設備をいう。

・ 出力50kW未満の太陽電池発電設備
・ 出力20kW未満の風力発電設備
・ 出力20kW未満の水力発電設備
・ 出力10kW未満の内燃力火力発電設備
・ 出力10kW未満の燃料電池発電設備

(3) 事業用電気工作物の保安規程

事業用電気工作物の設置者は、保安規程を定めて使用の開始前に経

ポイント　　R05

電気工作物の分類

電圧30V未満の電気的設備であって、電圧30V以上の電気的設備と電気的に接続されていない工作物は、電気工作物から除かれる（電気事業法施行令第1条三号）。

電気工作物は、発電、蓄電、変電、送電若しくは配電又は電気の使用のために設置する機械、器具、ダム、水路、貯水池、電線路その他の工作物をいう。

ポイント

一般用電気工作物

R02　H29

R01　H28

済産業大臣に届け出なければならい。主な内容は次のとおりである。

① 事業用電気工作物の工事、維持又は運用に関する業務管理者の職務、組織に関すること。

② 事業用電気工作物の工事、維持及び運用の従事者に対する保安教育に関すること。

③ 事業用電気工作物の工事、維持及び運用に関する保安の巡視、点検及び検査に関すること。

④ 事業用電気工作物の運転又は操作に関すること。

⑤ 災害その他非常の場合の措置に関すること。

【注】小規模事業用電気工作物については、保安規程に代えて基礎情報を届け出る。

(4) 主任技術者の選任

① **事業用電気工作物**を設置する者は、主任技術者免状の交付を受けている者のうちから、**主任技術者**を選任しなければならない。

② 自家用電気工作物を設置する者は、①の規定にかかわらず、経済産業大臣の許可を受けて、主任技術者免状の交付を受けていない者を主任技術者として選任することができる。

③ 事業用電気工作物を設置する者は、主任技術者を選任したときは、遅滞なく、その旨を**経済産業大臣**に届け出なければならない。解任したときも、同様とする。

④ 主任技術者は、事業用電気工作物の工事、維持及び運用に関する保安の監督の職務を誠実に行わなければならない。

⑤ 事業用電気工作物の工事、維持又は運用に従事する者は、主任技術者がその保安のためにする指示に従わなければならない。

【注】小規模事業用電気工作物については、主任技術者の選任に代えて基礎情報を届け出る。

(5) 電気主任技術者の種類と監督範囲

主任技術者免状の種類と監督の範囲を表7・2・1に示す。

電気主任技術者

表7・2・1 主任技術者免状の種類と監督範囲

免状（資格）の種類	保安監督の適用範囲
第一種電気主任技術者	事業用電気工作物の工事、維持及び運用
第二種電気主任技術者	電圧 170 kV 未満の事業用電気工作物の工事、維持及び運用
第三種電気主任技術者	電圧 50 kV 未満の事業用電気工作物（出力 5,000 kW 以上の発電所を除く）の工事、維持及び運用

(6) 各種届出・報告

保安規程及び主任技術者選任の届出以外において、電気事業法及び経済産業省令で定める主な届出及び報告は表7・2・2のとおりとなる。

表7・2・2　各種届出及び報告　　　　R06　R04

届出及び報告の種類	適用範囲	届出及び報告先
工事計画認可申請*1	・事業用電気工作物の設置又は変更の工事の内、省令で定めるものは認可を受けなければならない。	経済産業大臣、権限委任により需要設備は産業保安監督部長
工事計画事前届	・事業用電気工作物の設置又は変更の工事の内、省令で定めるものは、その工事計画を届出なければならない。 ・届出が受理された日から30日を経過した後でなければ工事を開始してはならない。なお、事業用電気工作物が需要設備の場合、主な対象は次のとおりである。 ①需要設備の設置工事の計画 　受電電圧 10,000 V 以上の需要設備の設置工事 ②需要設備の変更工事の計画 　受電電圧 10,000 V 以上の需要設備に属する遮断器、中性点接地装置、電線路などの変更工事	経済産業大臣、権限委任により需要設備は産業保安監督部長
使用開始届*2	・自家用電気工作物の設置者は、その使用を開始した後、遅滞なく届ける。ただし、上記工事の認可、届出があったものでは必要としない。	経済産業大臣、権限委任により需要設備は産業保安監督部長

〈備考〉　＊1：原子力発電所などの特殊な発電所の設置が対象
　　　　　＊2：次の場合が対象　・特別高圧受変電設備（工事計画届出対象の設備）を譲り受けた場合
　　　　　　　　　　　　　　　　・ばい煙発生施設を譲り受けた場合

(7) 電気事故報告

電気事故の報告及び届出を、表7・2・3に示す。

ポイント

電気事故報告　R03　H30　H27

表7・2・3　電気事故の報告及び届出

事　故　（抄）	報告の時期及び方法	報告先
1　感電死傷事故（死亡又は病院等に入院した場合に限る） 2　電気火災事故（工作物の半焼以上の場合に限る） 3　破損事故又は電気工作物の誤操作若しくは操作しないことにより、他の物件に損傷を与え又はその機能の全部又は一部を損なわせた事故又は社会的に影響を及ぼした事故	・事故の発生を知った時から24時間以内可能な限り速やかに事故の発生の日時及び場所、事故が発生した電気工作物並びに事故の概要について電話等の方法により行う ・事故の発生を知った日から起算して30日以内に報告書を提出	電気工作物の設置の場所を管轄する産業保安監督部長

(8) 使用前安全管理検査（使用前自主検査）

使用前安全管理検査とは、工事計画の事前届出を行った事業用電気工作物に対して、使用開始前に、設置者が自主検査（使用前自主検査）

を実施し、結果を記録し保存することである。その後、設置者の申請により使用前安全管理審査が実施される。

1) 使用前自主検査

① 事業用電気工作物の届出をして設置又は変更の工事をする設置者は、その**使用の開始前**に当該電気工作物の**自主検査**を行い、その結果を**記録**し、これを**保存**しなければならない。

② 使用前自主検査においては、その事業用電気工作物が次の各号のいずれにも適合していることを確認しなければならない。

イ　その工事が工事の計画に従って行われたものであること。

ロ　経済産業省令で定める技術基準に適合するものであること。

ハ　使用前自主検査を行う事業用電気工作物を設置する者は、使用前自主検査の実施に係る**体制**について、経済産業省令で定める時期に、経済産業大臣又は経済産業大臣の登録を受けた者が行う審査を受けなければならない。

ニ　前項の審査は、事業用電気工作物の**安全管理**を旨として、使用前自主検査の実施に係る**組織**、**検査の方法**、**工程管理**その他経済産業省令で定める事項について行う。

2) 記録の記載内容と保存期間 （表7・2・4）

表7・2・4　検査結果の記録と保存期間

記載内容	保存期間
① 検査年月日	イ　発電用水力設備に係るものは当該設備の存続する期間 ロ　上記以外のものは**5年間**
② 検査の対象	
③ 検査の方法	
④ 検査の結果	
⑤ 検査を実施した者の氏名	
⑥ 検査の結果に基づいて補修等の措置を講じたときは、その内容	
⑦ 検査の実施に係る組織	使用前自主検査を行った後、経済産業大臣から審査及び評定の結果の通知を受けるまでの期間
⑧ 検査の実施に係る工程管理	
⑨ 検査において協力した事業者がある場合には、当該事業者の管理に関する事項	
⑩ 検査記録の管理に関する事項	
⑪ 検査に係る教育訓練に関する事項	

【注】以下の電気工作物については、工事計画の届け出や使用前自主検査に代えて、使用前自己確認を実施しその結果を届け出る。
　・小規模事業用電気工作物
　・50kW 以上 2000kW 未満の太陽光発電設備
　・20kW 以上 500kW 未満の風力発電設備

(9) 特定卸供給事業

1) 定義

① 特定卸供給

　発電等用電気工作物を維持し、及び運用する他の者に対して発電又は放電を指示する方法その他の経済産業省令で定める方法により電気の供給能力を有する者（発電事業者を除く）から集約した電気を、小売電気事業、一般送配電事業、配電事業又は特定送配電事業の用に供するための電気として供給することをいう。

② 特定卸供給事業

　特定卸供給を行う事業であって、その供給能力が経済産業省令で定める要件に該当するものをいう。

③ 特定卸供給事業者

　特定卸供給事業を営むことについて、下記2）の規定による届出をした者をいう。

2) 事業の届出

特定卸供給事業を営もうとする者は、経済産業省令で定めるところにより、次に掲げる事項を経済産業大臣に届け出なければならない。

① 氏名又は名称及び住所並びに法人にあっては、その代表者の氏名

② 主たる営業所その他の営業所の名称及び所在地

③ 特定卸供給の相手方の電気の需要に応ずるために必要と見込まれる供給能力の確保に関する事項

④ 定義①の経済産業省令で定める方法に関する事項

⑤ 事業開始の予定年月日

⑥ その他経済産業省令で定める事項

2 ▶ 電気工事士法

(1) 電気工作物の種類と資格

電気工事を行う場合の電気工作物の種類及び範囲並びに電気工事の種類と必要な資格は、表7・2・5のとおりである。

R05　R03　R01　H30
H29　H28

表7・2・5　電気工作物の種類と資格

電気工作物の種類及び範囲、電気工事の種類				資　　格
事業用電気工作物	電気事業の用に供する電気工作物	発電所、変電所、送電線路、配電線路、保安通信設備など		
		最大電力500kW以上の需要設備		
		最大電力500kW未満の需要設備	特殊電気工事を除く電気工事	第一種電気工事士
			特殊電気工事 簡易電気工事＊1	第一種電気工事士又は認定電気工事従事者
			特殊電気工事 ネオン工事＊2	ネオン工事に係る特種電気工事資格者
			特殊電気工事 非常用予備発電装置工事＊3	非常用予備発電装置に係る特種電気工事資格者
一般用電気工作物		主として一般家庭の屋内配線、屋側配線など		第一種電気工事士 第二種電気工事士

注）＊1　600V以下の電気設備の工事（電線路に係るものを除く）
　　＊2　ネオン用として設置される分電盤、主開閉器（電源側の電線との接続部分を除く）、タイムスイッチ、点滅器、ネオン変圧器、ネオン管及びこれらの付属設備に係る電気工事
　　＊3　非常用予備発電装置として設置される原動機、発電機、配電盤（他の需要設備との間の電線との接続部分を除く）及びこれらの付属設備に係る電気工事

(2) 電気工事士でなければできない作業

一般用電気工作物又は自家用電気工作物に係る電気工事の作業で、電気工事士でなければできない作業と電気工事士でなくてもできる軽微な作業を区別している。その区別を表7・2・6に示す。

表7・2・6 電気工事士でなければできない作業と電気工事士でなくてもできる軽微な作業

電気工事士でなければできない作業	電気工事士でなくてもできる軽微な作業
1. 電線相互を接続する作業	1. 電圧600V以下で使用するさし込み接続器、ねじ込み接続器、ソケット、ローゼットその他の接続器又はナイフスイッチ、カットアウトスイッチ、スナップスイッチその他の開閉器にコード又はキャブタイヤケーブルを接続する工事
2. がいしに電線を取付ける作業	
3. 電線を直接造営材その他の物件（がいしを除く）に取付ける作業	
4. 電線管、線ぴ、ダクト、その他これらに類する物に電線を収める作業	
5. 配線器具を造営材その他の物件に固定し、又はこれに電線を接続する作業（露出形点滅器、又は露出形コンセントを取替える作業を除く）	2. 電圧600V以下で使用する電気機器（配線器具を除く）の端子に電線（コード、キャブタイヤケーブル及びケーブルを含む）をねじ止めする工事
6. 電線管を曲げ、もしくはねじ切りし、又は電線管相互もしくは電線管とボックスその他の付属品とを接続する作業	3. 電圧600V以下で使用する積算電力計、電流制限器又はヒューズを取付け、又は取外す工事
7. ボックスを造営材その他の物件に取付ける作業	4. 電鈴、インターホーン、火災感知器、豆電球その他これに類する施設に使用する小型変圧器（二次電圧が36V以下のものに限る）の二次側の配線工事
8. 電線、電線管、線ぴ、ダクト、その他これらに類する物が造営材を貫通する部分に防護装置を取付ける作業	
9. 金属製の電線管、線ぴ、ダクト、その他これらに類する物又はこれらの付属品を、建造物のメタルラス張り、ワイヤラス張り又は金属板張りの部分に取付ける作業	5. 電線を支持する柱、腕木その他これらに類する工作物を設置し、又は変更する工事
10. 配電盤を造営材に取付ける作業	6. 地中電線用の暗きょ又は管を設置し、又は変更する工事
11. 接地線を電気工作物に取付け、接地線相互もしくは接地線と接地極とを接続し、又は接地極を地面に埋設する作業	
12. 電圧600Vを超えて使用する電気機器に電線を接続する作業	

3 ▶ 電 気 用 品 安 全 法

(1) 電気用品の定義

① 「電気用品」とは、一般電気工作物の部分となり、又はこれに
接続して用いられる機械、器具又は材料及び携帯発電機であって、
政令で定めるものをいう。

R06　R05　R04　R02

電気用品を表7・2・7に示す。

表7・2・7　電気用品（令別表第2）（一部省略）

電気用品安全法施行令　別表第2（電気用品）
1. 電線及び電気温床線
(1) 絶縁電線（導体の公称断面積が100㎟以下）
1) 蛍光灯電線
2) ネオン電線
(2) ケーブル（定格電圧が100V以上600V以下、導体の公称断面積が22㎟を超え100㎟以下、線心が7本以下）
(3) 電気温床線
2. 電線管類及びその附属品並びにケーブル配線用スイッチボックス
(1) 電線管（可とう電線管を含み、内径が120mm以下）
(2) フロアダクト（幅が100mm以下）
(3) 線ぴ（幅が50mm以下）
(4) 電線管類の附属品
(5) ケーブル配線用スイッチボックス
3. ヒューズ（定格電圧が100V以上300V以下及び定格電流が1A以上200A以下）
(1) 筒形ヒューズ
(2) 栓形ヒューズ
4. 配線器具（定格電圧が100V以上300V以下）
(1) リモートコントロールリレー（定格電流が30A以下）
(2) 開閉器（定格電流が100A以下）
1) カットアウトスイッチ
2) カバー付ナイフスイッチ
3) 分電盤ユニットスイッチ
4) 電磁開閉器（箱入り）
(3) ライティングダクト及びその附属品、並びにライティングダクト用接続器（定格電流が50A以下）

5. 小形単相変圧器、電圧調整器及び放電灯用安定器（定格 1 次電圧が 100V 以上 300V 以下）
  (1) 小形単相変圧器（定格容量が 500VA 以下）
    1) ベル用変圧器
    2) 表示器用変圧器
    3) リモートコントロールリレー用変圧器
    4) ネオン変圧器
    5) 燃焼器具用変圧器（点火用、パルス型を除く）
  (2) 電圧調整器（定格容量が 500VA 以下）
  (3) 放電灯用安定器（その適用放電管の定格消費電力の合計が 500W 以下）
    1) ナトリウム灯用安定器
    2) 殺菌灯用安定器

6. 小形交流電動機
  (1) 単相電動機（定格電圧が 100V 以上 300V 以下）
  (2) かご形三相誘導電動機（定格電圧が 150V 以上 300V 以下及び定格出力が 3kW 以下）

7. 電熱器具（定格電圧が 100V 以上 300V 以下及び定格消費電力が 10kW 以下）
  (1) ～ (57) 省略 特定電気用品（令別表第 1）6. 電熱器具の (1) ～ (10) を除く。

8. 電動力応用機械器具（定格電圧が 100V 以上 300V 以下）
  (1) ベルトコンベア（可搬型）
  (2) 電気冷蔵庫及び電気冷凍庫（定格消費電力が 500W 以下）
  (3) 電気製氷機（定格消費電力が 500W 以下）
  (4) 電気冷水機（定格消費電力が 500W 以下）
  (5) 空気圧縮機（定格消費電力が 500W 以下）
  (6) ～ (70) 省略

9. 光源及び光源応用機械器具（定格電圧が 100V 以上 300V 以下）
  (1) ～ (7) 省略
  (8) 白熱電球（一般照明用電球）
  (9) 蛍光ランプ（定格消費電力が 40W 以下）
  (10) LED（定格消費電力が 1W 以上）
  (11) 電気スタンド、家庭用つり下げ型蛍光灯器具、ハンドランプ、庭園灯器具、装飾用電灯器具、
      その他の白熱電灯器具及び放電灯器具（防爆型を除く）
  (12) LED 電灯器具（定格消費電力が 1W 以上、防爆型を除く）
  (13) ～ (18) 省略

10. 電子応用機械器具（定格電圧が 100V 以上 300V 以下）
  (1) ～ (18) 省略

11. 第 3 号から前号までに掲げるもの以外の交流用電気機械器具（定格電圧が 100V 以上 300V 以下）
  (1) ～ (11) 省略

12. リチウムイオン蓄電池（自動車用、原動機付自転車用、医療用機械器具用及び産業用機械器具用
    を除く）

② 「特定電気用品」とは、構造又は使用方法その他の使用状況から見て特に危険又は障害の発生するおそれが多い電気用品であって、政令で定めるものをいう。

特定電気用品を表7・2・8に示す。

ポイント　R06　R03　R01
H30　H29　H28
H27

特定電気用品
PSE マーク
電気用品安全法の義務履行表示

特定電気用品

特定電気用品
以外の電気用品

表7・2・8　特定電気用品（令別表第1）（一部省略）

電気用品安全法施行令　別表第1（特定電気用品）
1. 電線（定格電圧が100V 以上 600V 以下） （1）絶縁電線（導体の公称断面積が 100 ㎟以下） 　1）ゴム絶縁電線 　2）合成樹脂絶縁電線 （2）ケーブル（導体の公称断面積が 22 ㎟以下、線心が7本以下） （3）コード （4）キャブタイヤケーブル（導体の公称断面積が 100 ㎟以下及び線心が7本以下）
2. ヒューズ（定格電圧が100V 以上 300V 以下） （1）温度ヒューズ （2）その他のヒューズ（定格電流が1A 以上 200A 以下、別表第2の筒形ヒューズ、栓形ヒューズ、及び半導体保護用速動ヒューズを除く）
3. 配線器具（定格電圧が100V 以上 300V 以下、防爆型及び油入型を除く） （1）タンブラースイッチ、中間スイッチ、タイムスイッチその他の点滅器（定格電流が30A 以下、別表第2のリモートコントロールリレーを除く） （2）開閉器（定格電流が100A 以下） 　1）箱開閉器（カバー付スイッチを含む） 　2）フロートスイッチ 　3）圧力スイッチ（定格動作圧力が294kPa 以下） 　4）ミシン用コントローラー 　5）配線用遮断器 　6）漏電遮断器 （3）カットアウト（定格電流が100A 以下） （4）接続器及びその附属品（定格電流が50A 以下、極数が5以下） 　1）差込み接続器（別表第2のライティングダクト及びその附属品を除く） 　2）ねじ込み接続器 　3）ソケット 　4）ローゼット 　5）ジョイントボックス
4. 電流制限器（定格電圧が100V 以上 300V 以下及び定格電流が100A 以下

5. 小形単相変圧器及び放電灯用安定器（定格 1 次電圧が 100V 以上 300V 以下）
 (1) 小形単相変圧器（定格容量が 500VA 以下）
　 1) 家庭機器用変圧器（別表第 2 のベル用変圧器及び燃焼器具用変圧器を除く）
　 2) 電子応用機械器具用変圧器（定格容量が 10VA を超える電源変圧器）
 (2) 放電灯用安定器（その適用放電管の定格消費電力の合計が 500W 以下）
　 1) 蛍光灯用安定器
　 2) 水銀灯用安定器その他の高圧放電灯用安定器
　 3) オゾン発生器用安定器

6. 電熱器具（定格電圧が 100V 以上 300V 以下及び定格消費電力が 10kW 以下）
 (1) 電気便座
 (2) 電気温蔵庫
 (3) 水道凍結防止器、ガラス曇り防止器その他の凍結又は凝結防止用電熱器具
 (4) 電気温水器
 (5) 〜 (10) 省略

7. 電動力応用機械器具（定格電圧が 100V 以上 300V 以下）
 (1) 電気ポンプ（定格消費電力が 1.5kW 以下）
 (2) 冷蔵用又は冷凍用のショーケース（定格消費電力が 300W 以下）
 (3) アイスクリームフリーザー（定格消費電力が 500W 以下の電動機を使用）
 (4) ディスポーザー（定格消費電力が 1kW 以下）
 (5) 電気マッサージ器
 (6) 自動洗浄乾燥式便器
 (7) 自動販売機（電熱装置、冷却装置、放電灯又は液体収納装置）
 (8) 電気気泡発生器（浴槽以外は定格消費電力 100W 以下）
 (9) 電動式おもちゃその他の電動力応用遊戯器具

8. 高周波脱毛器（定格電圧が 100V 以上 300V 以下、定格高周波出力が 50W 以下）

9. 2 〜 8 以外の交流用電気機械器具（定格電圧が 100V 以上 300V 以下）
 (1) 磁気治療器
 (2) 電撃殺虫器
 (3) 電気浴器用電源装置
 (4) 直流電源装置（交流電源装置と兼用を含み、定格容量が 1kVA 以下）

10. 定格電圧が 30V 以上 300V 以下の携帯発電機

4 ▶ 電気通信事業法

(1) 電気通信事業の登録・届出
　電気通信事業を営もうとする者は、**総務大臣の登録**を受けなければならない。

　登録を受けようとする者は、次の事項を記載した申請書を**総務大臣**に提出しなければならない。

① 　氏名又は名称及び住所並びに法人にあっては、その代表者の氏名

② 　業務区域

③ 　電気通信設備の概要

(2) 電気通信主任技術者の選任・届出
　電気通信事業者は、事業用電気通信設備の工事、維持及び運用に関する事項を監督させるため、電気通信主任技術者資格者証の交付を受けている者のうちから、**電気通信主任技術者を選任**しなければならない（小規模の場合はこの限りでない）。

　電気通信事業者は、電気通信主任技術者を選任したときは、遅滞なく、その旨を**総務大臣**に届け出なければならない。解任したときも同様とする。

(3) 電気通信主任技術者資格者証の種類
① 　伝送交換主任技術者資格者証

② 　線路主任技術者資格者証

(4) 電気通信主任技術者の義務
　電気通信主任技術者は、事業用電気通信設備の工事、維持及び運用に関する事項の監督の職務を誠実に行わなければならない。

5 ▶ 電気工事業の業務の適正化に関する法律

(1) 定義
① 登録電気工事業者

　2以上の都道府県の区域内に営業所を設置して電気工事業を営もうとするときは経済産業大臣の、1の都道府県の区域内にのみ営業所を設置してその事業を営もうとするときは当該営業所の所在地を管轄する都道府県知事の登録を受けなければならない。

　この登録を受けたものを登録電気工事業者という。

　登録電気工事業者の登録の有効期間は、5年とする。

② 通知電気工事業者

　「自家用電気工事」のみに係る電気工事業を営もうとする者は、経済産業省令で定めるところにより、その事業を開始しようとする日の10日前までに、2以上の都道府県の区域内に営業所を設置してその事業を営もうとするときは経済産業大臣に、1の都道府県の区域内にのみ営業所を設置してその事業を営もうとするときは当該営業所の所在地を管轄する都道府県知事にその旨を通知しなければならない。

　この通知をした者を通知電気工事業者という。

　通知書の記載事項は、以下の通りである。
- イ　氏名又は名称及び住所並びに法人にあっては、その代表者の氏名
- ロ　営業所の名称及び所在の場所
- ハ　法人にあっては、その役員の氏名

③ 電気工事業者

　「電気工事業者」とは登録電気工事業者及び通知電気工事業者をいう。

(2) 標識の掲示

　電気工事業者は、経済産業省令で定めるところにより、その営業所及び電気工事の施工場所ごとに、その見やすい場所に、氏名又は名称、登録番号その他の経済産業省令で定める事項を記載した標識を掲げなければならない。

　登録電気工事業者が標識に記載しなければならない省令で定める事

項は、以下の通りである。

　　イ　氏名又は名称及び法人にあっては、その代表者の氏名

　　ロ　営業所の名称及び当該営業所の業務に係る電気工事の種類

　　ハ　登録の年月日及び登録番号

　　ニ　主任電気工事士等の氏名

　通知電気工事業者が標識に記載しなければならない省令で定める事項は、以下の通りである。

　　イ　氏名又は名称及び法人にあっては、その代表者の氏名

　　ロ　営業所の名称

　　ハ　通知の年月日及び通知先

(3)　帳簿の備付け

　電気工事業者は、経済産業省令で定めるところにより、その営業所ごとに帳簿を備え、その業務に関し経済産業省令で定める事項を記載し、これを保存しなければならない。

　記載事項は、以下の通りである。

　　イ　注文者の氏名または名称および住所

　　ロ　電気工事の種類および施工場所

　　ハ　施工年月日

　　ニ　主任電気工事士等および作業者の氏名

　　ホ　配線図

　　ヘ　検査結果

　帳簿は、記載の日から**5年間保存**しなければならない。

7-3 ▶ 建 築 基 準 法

1 ▶ 建 築 基 準 法

(1) 建築基準法の用語

① 建築

建物を新築、増築、改築し、又は移転することを建築という。

R05　R04　R03　R02

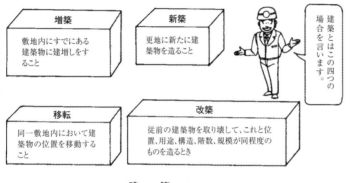

増築
敷地内にすでにある建築物に建増しをすること

新築
更地に新たに建築物を造ること

建築とはこの四つの場合を言います。

移転
同一敷地内において建築物の位置を移動すること

改築
従前の建築物を取り壊して、これと位置、用途、構造、階数、規模が同程度のものを造るとき

建　　築

② 建築物

土地に定着する工作物のうち、屋根及び柱もしくは壁を有するもの（これに類する構造のものを含む）、これに附属する門もしくは塀、観覧のための工作物又は地下もしくは高架の工作物内に設ける事務所、店舗、興行場、倉庫その他これらに類する施設（鉄道及び軌道の線路敷地内の運転保安に関する施設並びに跨線橋、プラットホームの上家、貯蔵槽その他これらに類する施設を除く）をいい、建設設備を含むものとする。

③ 特殊建築物

学校、体育館、病院、劇場、観覧場、集会場、展示場、百貨店、市場、ダンスホール、遊技場、公衆浴場、旅館、共同住宅、寄宿舎、下宿、工場、倉庫、自動車車庫、危険物の貯蔵場、と畜場、火葬場、汚物処理場その他これらに類する用途に供する建築物を特殊建築物という。事務所ビル、郵便局、庁舎、長屋等は特殊建築物に該当しない。

ポイント
特殊建築物　　　H30　H28

補　足
学校
専修学校及び各種学校を含む。

④　建築設備

　建築物に設ける**電気、ガス、給水、排水、換気、暖房、冷房、消火、排煙**もしくは汚物処理の設備又は**煙突、昇降機**もしくは**避雷針**をいう。

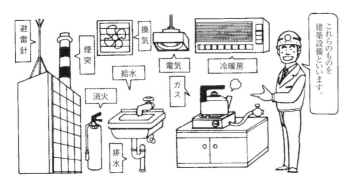

建築設備

⑤　居室

R06

　居住、執務、作業、集会、娯楽その他これらに類する目的のために**継続的に使用する部屋**を居室という。

　更衣室、便所、浴室等は居室に該当しない。

⑥　主要構造部

　壁、柱、床、はり、屋根又は**階段**を主要構造部という。

　建築物の構造上重要でない間仕切壁、間柱、附け柱、揚げ床、最下階の床、廻り舞台の床、小ばり、ひさし、局部的な小階段、屋外階段その他これらに類する建築物の部分を除く。

⑦　耐火構造

　壁、柱、床その他の建築物の部分の構造のうち、**耐火性能に関して政令で定める技術的基準に適合する鉄筋コンクリート造、れんが**造その他の構造で、国土交通大臣が定めた構造方法を用いるもの又は国土交通大臣の認定を受けたものをいう。

用　語

耐火性能：
通常の火災が終了するまでの間、当該火災による建築物の倒壊及び延焼を防止するために必要とされる性能。

⑧　防火構造

　建築物の外壁又は軒裏の構造のうち、**防火性能に関して政令で定める技術的基準に適合する鉄網モルタル塗、しつくい塗**その他の構造で、国土交通大臣が定めた構造方法を用いるもの又は国土交通大臣の認定を受けたものをいう。

⑨ **不燃材料**

　建築材料のうち、**不燃性能に関して政令で定める技術的基準に適合するもの**で、国土交通大臣が定めたもの又は国土交通大臣の認定を受けたものをいう。

⑩ **延焼のおそれのある部分**

　隣地境界線、道路中心線又は同一敷地内の２以上の建築物相互の外壁間の中心線から、１階にあっては**３m以下**、２階以上にあっては**５m以下**の距離にある建築物の部分を延焼のおそれのある部分という。延焼のおそれのある部分を図７・３・１に示す。

補　足

同一敷地内の２以上の建築物：
延べ床面積の合計が 500m² 以内の建築物は、一の建築物とみなす。

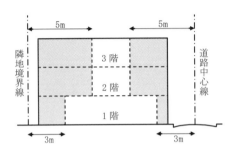

図７・３・１　延焼のおそれのある部分

⑪ **大規模の修繕**

　建築物の**主要構造部の一種以上について行う過半の修繕**をいう。

R01　H29

⑫ **大規模の模様替**

　建築物の**主要構造部の一種以上について行う過半の模様替**をいう。

H27

⑬ **工作物**

　一般には人為的に作られたものを工作物という。次の表７・３・１の高さを超える工作物が、建築基準法の確認申請の適用をうける。

表７・３・１　建築基準法が適用される工作物

高　さ	種　　類
2 m	擁壁類
4 m	広告塔、広告板、装飾塔、記念塔等
6 m	煙突
8 m	高架水槽、サイロ、物見塔等
15 m	RC造の柱、鉄柱、木柱等

高さ8mを超える高架水槽

高さ2mを超える擁壁

これらの工作物を建築する場合、確認申請をして建築主事の確認を得なければなりません。

高さ6mを超える煙突

高さ4mを超える広告塔

工　作　物

⑭　**建築主**

　建築物に関する工事の請負契約の注文者又は請負契約によらないで自らその工事を行う者。

⑮　**特定行政庁**

　建築主事を置く市町村の区域については当該**市町村の長**をいい、その他の市町村の区域については**都道府県知事**をいう。

　特定行政庁は、申請に基づく建築確認や建築基準法違反の建築物に対する是正命令などを行う。

⑯　**建築主事**

　政令で指定する人口 **25 万人以上**の市は、その長の指揮監督の下に、建築基準法第 6 条第 1 項の規定による確認に関する事務をつかさどらせるために、建築主事を置かなければならない。

　建築主事は、建築物、工作物又は建築設備の計画に関する確認などの事務に携わる者をいう。

(2) 建築基準法施行令の用語

R06

①　敷地

一の建築物又は用途上不可分の関係にある二以上の建築物のある一団の土地をいう。

②　地階

床が地盤面下のある階で、床面から地盤面までの高さがその階の天井の高さの 1/3 以上のものをいう。

③　構造耐力上主要な部分

構造耐力上主要な部分とは、基礎、基礎ぐい、壁、柱、小屋根、土台、斜材、床版、屋根版又は横架材で、建築物の自重もしくは積載荷重、積雪、風圧、土圧もしくは水圧又は地震その他の震動もしくは衝撃を支えるものをいう。各種の荷重に対して、安全性を確保するための重要な構造部材である。

④　建築面積

建築物の外壁又はこれに代わる柱の中心線で囲まれた部分の水平投影面積。

⑤　床面積

建築物の各階又はその一部で壁その他の区画の中心線で囲まれた部分の水平投影面積。

⑥　延べ面積

建築物の各階の床面積の合計。

⑦　階数

昇降機塔、装飾塔、物見塔その他これらに類する建築物の屋上部分又は地階の倉庫、機械室、その他これらに類する建築物の部分で、水平投影面積の合計が、それぞれ当該建築物の建築面積の 1/8 以下のものは、当該建築物の階数に算入しない。

建築物の一部が吹抜けとなっている場合、建築物の敷地が斜面又は段地である場合、その他建築物の部分によって階数を異にする場合においては、これらの階数のうち最大のものになる。

用　語

横架材：
はり、けたその他これらに類するもの

補　足

建築物
地階で地盤面上 1 m 以下にある部分を除く。

補　足

柱の中心線
軒、ひさし、はね出し縁その他これらに類するもので当該中心線から水平距離 1 m 以上突き出たものがある場合においては、その端から水平距離 1 m 後退した線。

2 ▶ 建築物の建築等に関する各種手続き

各種手続きの提出者と提出先は、表7・3・2のとおりである。

表7・3・2　各種手続きの提出者と提出先

手続き	提出者	提出先
確認申請	建築主	建築主事又は指定確認検査機関
中間検査申請		
完了検査申請		
仮使用の承認申請	建築主	特定行政庁又は建築主事
定期報告	所有者又は管理者	特定行政庁
建築工事届	建築主	都道府県知事
建築物除却届	工事施工者	都道府県知事

（1）確認申請

建築主は、建築物を建築しようとする場合、建築物の大規模の修繕もしくは大規模の模様替えをしようとする場合は、工事着手前に建築計画が建築基準法関係規定に適合するものであるかどうか、建築主事に確認の申請を行い、**建築主事の確認を受け、確認済証の交付**を受けなければならない。

国土交通大臣等が指定した指定確認検査機関の確認を受け、確認済証の交付を受けたときは、その確認及び確認済証の交付は建築主事がしたものとみなす。

また、建築物の**大規模な修繕**もしくは**大規模な模様替え**をしようとする場合にも、申請及び確認に関する手続きが必要となる。

確認申請

① 確認申請が必要な建物、建築設備、工作物

表7・3・3は、確認申請が必要な主な建築物等である。

表7・3・3 確認申請を要する主な建築物、建築設備、工作物

工事種別	用途・構造	規 模
建築（新築、増築、改築、移転）、大規模な修繕、大規模な模様替、用途変更（用途変更して特殊建築物となる場合に限る）をする場合	特殊建築物	延べ面積が 100 ㎡を超えるもの
	木 造 *1	階数が3以上のもの 延べ面積が 500 ㎡を超えるもの 高さ 13 mを超えるもの 軒の高さが9mを超えるもの
	木造以外 *2	階数が2以上のもの 延べ面積が 200 ㎡を超えるもの
建築設備（エレベータ、エスカレータなど）を設ける場合	建築確認が必要な建築物に設けるもの	
工作物を築造する場合	工作物（高さ6mを超える煙突など）	

*1、*2に該当する建築物は構造計算を必要とする。

② 申請が不要な建築物

防火区域及び準防火区域外で、増築し、改築し、又は移転をする場合、その部分の床面積の合計が 10 ㎡以内のものは①の表に該当しているものであっても、**確認申請は不要**となる。

また、災害があった場合において建築する停車場、郵便局、官公署その他これらに類する公益上必要な用途に供する応急仮設建築物又は工事を施工するために現場に設ける事務所、下小屋、材料置場その他これらに類する仮設建築物は**確認申請が不要**となる。

災害救助のための応急仮設建築物

このような場合には法の規定は緩和されます。

申請が不要な建築物

③ 構造計算が必要な建築物

確認申請が必要な建築物のうち、「用途・構造」の項目が「木造」、「木造以外」に該当する建築物は、設計図書の作成にあたって、構造計算により、その構造が安全であることを確かめなければならない。

(2) 完了検査申請

建築主は、工事を完了したときは、4 日以内に建築主事に到達するように、検査の申請をしなければならない。

完了検査の申請を受理した場合、建築主事又はその委任を受けた当該市町村もしくは都道府県の職員（建築主事等）は、申請を受理した日から 7 日以内に検査を行う。

国土交通大臣等が指定した指定確認検査機関の検査を受け、検査済み証の交付を受けたときは、その検査及び検査済み証の交付は建築主事がしたものとみなす。

完了検査申請

(3) 仮使用の承認申請

原則として、建築主は検査済み証の交付を受けた後でなければ、建築物を使用することはできないが、次のいずれかに該当する場合は、仮に使用することができる。

① 特定行政庁の承認

完了検査の申請が受理される前に仮使用の承認申請をして、特定行政庁が承認したとき。

② 建築主事の承認

完了検査の申請が受理された後に仮使用の承認申請をして、建築主事が承認したとき。

③ 申請受理後 7 日経過

完了検査の申請が受理された日から 7 日を経過したとき。

3 ▶ 建築物の建築設備

（1）電気設備

　建築物の電気設備は、法律又はこれに基づく命令の規定で電気工作物に係る建築物の安全及び防火に関するものの定める工法によって設けなければならない。

（2）避雷設備

　高さ 20 m を超える建築物には、有効に避雷設備を設けなければならない。

　ただし、周囲の状況によって安全上支障がない場合においては、この限りでない。

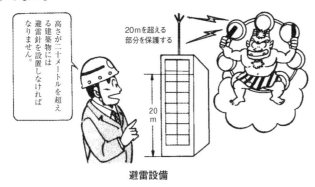

避雷設備

（3）排煙設備（建築基準法に基づく）

① 設置義務のある建築物

・　法別表第一の特殊建築物で延べ面積が 500 ㎡ を超えるもの。

・　階数が 3 以上で、延べ面積が 500 ㎡ を超える建築物。

・　排煙上有効な開口部面積の合計が、当該居室の床面積の 1/50 以下である居室。

・　延べ面積が 1,000 ㎡ を超える建築物の居室で、床面積が 200 ㎡ を超えるもの。

② 構造

・　建築物を床面積 500 ㎡ 以内ごとに、防煙壁で区画すること。

・　排煙設備の排煙口、風道その他煙に接する部分は、不燃材料とすること。

・　排煙口には、手動開放装置を設けること。

・　排煙口が防煙区画部分の床面積の 1/50 以上の開口面積を有し、

補　足

別表第一は、耐火建築物又は準耐火建築物としなければならない特殊建築物を定めたもの。

かつ、直接外気に接する場合を除き、排煙機を設けること。

・　電源を必要とする排煙設備に、予備電源を設けること。

・　高さ 31 m を超える建築物、床面積の合計が 1,000 ㎡を超える地下街の排煙設備の制御及び動作状態の監視は**中央管理室**で行うことができるようにすること。

・　火災時に生ずる煙を有効に排出することができるものとして国土交通大臣が定めた構造方法を用いるものとすること。

(4) 非常用の照明装置

①　設置義務のある建築物

・　法別表第一の特殊建築物の居室。

・　階数が 3 以上で、延べ面積が 500 ㎡を超える建築物の居室。

・　窓その他の開口部を有しない居室又は延べ面積が 1,000 ㎡を超える建築物の居室。

・　上記の建築物において居室から地上に通ずる廊下、階段その他の通路。

②　構造

・　照明は直接照明で床面の照度が 1lx（蛍光灯や LED ランプでは 2lx）以上の照度を確保できること。

・　火災時に著しく光度が低下しない構造のもの。

・　30 分間点灯を維持できるものであること。

・　照明器具の主要部分は不燃材料とし、また覆いを設けること。

・　予備電源を設け、常用電源が停電した場合は直ちに予備電源によって点灯すること。

・　その他国土交通大臣が定めた構造方法及び認定を受けたものを用いること。

(5) 防火区画

　主要構造部を耐火構造又は準耐火構造とした建築物で、延べ面積が 1,500 ㎡を超えるものは、床面積の合計 1,500 ㎡以内ごとに準耐火構造の床もしくは壁又は**特定防火設備**で区画しなければならない。

①　特定防火設備の設置場所及び性能

・　防火区画

・　遮炎時間 1 時間の遮炎性能を有すること。

②　防火設備の設置場所及び性能

・　耐火建築物又は準耐火建築物の外壁の開口部で延焼のおそれの

ポイント
非常用照明装置

用　　語
防火区画：
建築物内部で火災が発生したときに、火災が他に拡大しないように建築物をいくつかの部分に区画する。
この区画を構成する壁、床、防火戸などをいう。

防火設備：
防火戸やドレンチャーなど火炎を遮る設備をいい、特に遮炎能力が高いものを特定防火設備という。

ある部分。

- ・ 防火地域又は準防火地域内の建築物の外壁で延焼のおそれのある部分。
- ・ 遮炎時間 20 分の遮炎性能又は準遮炎性能を有すること。

4 ▶ 建 築 士 法

R06　R05　R04　R03
R02　H29

(1) 1 級建築士でなければできない設計又は工事監理

① 学校、病院、劇場、公会堂、百貨店等で 500 ㎡を超えるもの。

② 木造建築物で、高さ 13 m 又は軒高が 9 m を超えるもの。

③ 鉄筋コンクリート造、鉄骨造、れんが造、コンクリートブロック、無鉄筋コンクリート造で、延べ面積が 300 ㎡、高さ 13 m 又は軒高が 9 m を超えるもの。

④ 延べ面積が 1,000 ㎡を超え、かつ、**階数が 2 以上の建築物**。

(2) 1 級又は 2 級建築士でなくてもできる設計又は工事監理

次の建物は建築士でなくても、設計や工事管理ができる。

- ・ 木造の場合
    ：1 ～ 2 階建て延べ床面積 100m^2 以下
- ・ RC 造、S 造など
    ：1 ～ 2 階建て延べ床面積 30m^2 以下

(3) 建築士の免許

① 1 級建築士になろうとする者は、国土交通大臣の行う**1 級建築士試験**に合格し、国土交通大臣の免許を受けなければならない。

② 2 級建築士又は木造建築士になろうとする者は、それぞれ都道府県知事の行う**2 級建築士試験**又は**木造建築士試験**に合格し、その都道府県知事の免許を受けなければならない。

(4) 設計の変更

1 級建築士、2 級建築士又は木造建築士は、他の 1 級建築士、2 級建築士又は木造建築士の設計した設計図書の一部を変更しようとするときは、当該 1 級建築士、2 級建築士又は木造建築士の承諾を求めなければならない。ただし、承諾を求めることのできない事由があるとき、又は承諾が得られなかったときは、自己の責任において、その設計図書の一部を変更することができる。

補　足

建築士の工事監理　　H30

工事が設計図書のとおりに実施されていないときは、直ちに、工事施工者に注意を与え、施工者が従わないときは、その旨を建築主に報告しなければならない。

設計図書　　R01

建築物の建築工事の実施のために必要な図面（現寸図その他これに類するものを除く。）及び仕様書

その他の業務　　H27

建築士は、設計及び工事監理を行うほか、建築工事契約に関する事務、建築工事の指導監督、建築物に関する調査又は鑑定及び建築物の建築に関する法令又は条例の規定に基づく手続の代理その他の業務を行うことができる。

再委託の制限

建築士事務所の開設者は、委託者の許諾を得た場合においても、委託を受けた設計又は工事監理の業務を建築士事務所の開設者以外の者に委託してはならない。

7-4 ▶ 消 防 法

　消防法に基づく防災設備（消火設備、警報設備、避難設備）の詳細については、第3章「構内電気設備」3-6防災設備に記載している。

1 ▶ 消 防 用 設 備

(1) 消防用設備の設置及び維持

　学校、病院、工場、事業場、興行場、百貨店、旅館、飲食店、地下街、複合用途防火対象物その他の**防火対象物**で政令で定めるものの関係者は、政令で定める**消防の用に供する設備、消防用水及び消火活動上必要な施設**（以下「消防用設備等」という。）について、政令で定める技術上の基準に従って、設置及び維持しなければならない。

　① 防火対象物

　消防法施行令「別表第一」で定める防火対象物を、表7・4・1に示す。

表7・4・1　防火対象物（別表第一）

(1)	イ	劇場、映画館、演芸場又は観覧場
	ロ	公会堂又は集会場
(2)	イ	キャバレー、カフェー、ナイトクラブその他これらに類するもの
	ロ	遊技場又はダンスホール
	ハ	性風俗関連特殊営業を営む店舗
	ニ	カラオケボックスその他遊興のための設備又は物品を、個室において客に利用させる役務を提供する業務を営む店舗（省令で定める）
(3)	イ	待合、料理店その他これらに類するもの
	ロ	飲食店
(4)		百貨店、マーケットその他の物品販売業を営む店舗又は展示場
(5)	イ	旅館、ホテル、宿泊所その他これらに類するもの
	ロ	寄宿舎、下宿又は共同住宅

補　足

特定防火対象物

百貨店、旅館、病院、地下街、複合用途対象物、その他の防火対象物で多数の者が出入りするもの。

R04　R03　R02　H29

ポイント

消防用設備
・ 消防の用に供する設備
・ 消防用水
・ 消火活動上必要な施設

(6) (抜粋)	イ　病院、診療所又は助産所 ロ　老人短期入所施設、養護老人ホーム、特別養護老人ホーム、有料老人ホーム（以下略） ハ　老人デイサービスセンター、軽費老人ホーム、老人福祉センター、老人介護支援センター（以下略） ニ　幼稚園又は特別支援学校
(7)	小学校、中学校、義務教育学校、高等学校、中等教育学校、高等専門学校、大学、専修学校、各種学校その他これらに類するもの
(8)	図書館、博物館、美術館その他これらに類するもの
(9)	イ　公衆浴場のうち、蒸気浴場、熱気浴場その他これらに類するもの ロ　イに掲げる公衆浴場以外の公衆浴場
(10)	車両の停車場又は船舶もしくは航空機の発着場
(11)	神社、寺院、教会その他これらに類するもの
(12)	イ　工場又は作業場 ロ　映画スタジオ又はテレビスタジオ
(13)	イ　自動車車庫又は駐車場 ロ　飛行機又は回転翼航空機の格納庫
(14)	倉庫
(15)	前各項に該当しない事業場
(16)	イ　複合用途防火対象物のうち、その一部が（1）項から（4）項まで、（5）項イ、（6）項又は（9）項イに掲げる防火対象物の用途に供されているもの ロ　イに掲げる複合用途防火対象物以外の複合用途防火対象物
(16-2)	地下街
(16-3)	建築物の地階で連続して地下道に面して設けられたものと当該地下道とを合わせたもの（（1）項から（4）項まで、（5）項イ、（6）項又は（9）項イに掲げる防火対象物の用途に供される部分が存するものに限る。）
(17)	文化財保護法（昭和25年法律第214号）の規定によって重要文化財、重要有形民俗文化財、史跡若しくは重要な文化財として指定され、又は旧重要美術品等の保存に関する法律（昭和8年法律第43号）の規定によって重要美術品として認定された建造物
(18)	延長50m以上のアーケード
(19)	市町村長の指定する山林
(20)	総務省令で定める舟車

②　消防の用に供する設備

政令で定める消防の用に供する設備は、消火設備、警報設備及び避難設備とする。その用途及び種類を表7・4・2に示す。

表7・4・2　消防の用に供する設備の用途及び種類

種　別	用　途	種　類
消火設備	水その他消火剤を使用して消火を行う機械器具又は設備	①　消火器及び簡易消火用具 　・水バケツ、水槽、乾燥砂、膨張ひる石又は膨張真珠岩 ②　屋内消火栓設備 ③　スプリンクラー設備 ④　水噴霧消火設備 ⑤　泡消火設備 ⑥　不活性ガス消火設備 ⑦　ハロゲン化物消火設備 ⑧　粉末消火設備 ⑨　屋外消火栓設備 ⑩　動力消防ポンプ設備
警報設備	火災の発生を報知する機械器具又は設備	①　自動火災報知設備 ①-2 ガス漏れ火災警報設備 ②　漏電火災警報器 ③　消防機関へ通報する火災報知設備 ④　警鐘、携帯用拡声器、手動式サイレンその他の非常警報器具及び非常警報設備 　・非常ベル、自動式サイレン、放送設備
避難設備	火災が発生した場合に避難するために用いる機械器具又は設備	①　すべり台、避難はしご、救助袋、緩降機、避難橋、その他の避難器具 ②　**誘導灯及び誘導標識**

③　消防用水

政令で定める消防用水は、**防火水槽**又はこれに代わる**貯水池**その他の用水とする。

④　消火活動上必要な施設

政令で定める消火活動上必要な施設は、排煙設備、連結散水設備、連結送水管、非常コンセント設備及び無線通信補助設備とする。

H28

補　足　R06

指定数量以上の危険物

製造所、貯蔵所又は取扱所を設置しようとする者は、次に定める者の許可を受けなければならない。

①消防本部等所在市町村の区域に設置しようとする者、**当該市町村長**

②それ以外の区域に設置しようとする者、当該区域を管轄する**都道府県知事**

2 ▶ 申請・届出

(1) 消防法における申請・届出書類　　　　　R06　H28

消防法における申請・届出書類には、表7・4・3に示すものがある。

表7・4・3　消防法における申請・届出書類

届出書類	摘要及び提出者	提出期限	提出先
消防用設備等着工届	消防設備の工事をするとき　甲種消防設備士が届出	工事着工の10日前まで	消防長又は消防署長
消防用設備等設置届	消防用設備等又は特殊消防用設備等を設置したとき　上記設備を設置した者	工事完了した日から4日以内	消防長又は消防署長
危険物貯蔵所（取扱所）設置許可申請書	製造所、貯蔵所又は取扱所を設置するとき　上記設備を設置する者	工事着工前	市町村長、都道府県知事又は総務大臣

3 ▶ 誘導灯及び誘導標識

(1) 誘導灯及び誘導標識の設置

誘導灯及び誘導標識の種類と設置基準は、次のとおりである。

① 避難口誘導灯

消防法施行令「別表第一」に掲げる防火対象物の (1) から (4)、(5) イ、(6)、(9)、(16) イ、(16-2) 及び (16-3) に掲げる防火対象物並びに (5) ロ、(7)、(8)、(10)～(15) 及び (16) ロに掲げる防火対象物の地階、無窓階及び11階以上の部分に設置する。

② 通路誘導灯

①に同じ

③ 客席誘導灯

消防法施行令「別表第一」の (1)、(16) イ、(16-2) に掲げる防火対象物に設置する。

④ 誘導標識

消防法施行令「別表第一」の (1) から (16) に掲げる防火対象

補　足
少量危険物
政令で定めた指定数量の5分の1以上で当該指定数量未満のものをいう。

ポイント
誘導灯の設置

補　足
誘導灯の設置基準
避難口誘導灯にA級またはB級BH形またはB級BL形の点滅機能付きを設置しなければならないもの➡
① (1) ～ (4)、(9) -イ、(16) -イの床面積1,000m² 以上のもの。
② (10) の地階、無窓階および11階以上の部分。
③ (16-3)
C級以上➡上記以外

物に設置する。

(2) 誘導灯及び誘導標識の設置に関する技術基準

① 避難口誘導灯

避難口である旨を表示した緑色の灯火とし、防火対象物の避難口に設ける。

② 通路誘導灯

避難の方向を明示した緑色の灯火とし、防火対象物の廊下、階段、通路その他避難上の設備がある場所に設ける。

③ 客席誘導灯

客席に、客席の照度が 0.2lx 以上となるよう設ける。

④ 非常電源

誘導灯には、非常電源を附置する。

⑤ 誘導標識

避難口である旨又は避難の方向を明示した緑色の標識とし、多数の者の目に触れやすい箇所に設ける。

H28

補　足

誘導灯の非常電源

非常電源は、（原則として）**蓄電池設備**によるものとし、その容量を誘導灯を有効に **20 分間作動**できる容量以上とする。

屋外への避難が完了するまでに長い時間を要する大規模・高層等の防火対象物にあっては、その主要な避難経路に設けるものについて、容量を **60 分間以上**とする。

大規模・高層等の防火対象物としては、

① 延べ面積 50,000 m² 以上

② 地階を除く階数が 15 以上であり、かつ、延べ面積が 30,000 m² 以上

③ 地下街で延べ面積 1,000 m² 以上のもの (消防予第 245 号)

4 ▶ 消防設備士

(1) 消防設備士免状の種類

　消防設備士免状は、消防設備士試験に合格したものに対し、都道府県知事が交付する。

　免状の種類は、甲種消防設備士免状及び乙種消防設備士免状とする。

(2) 消防設備士が行うことができる工事及び整備の種類

　① 甲種消防設備士が行うことができる工事及び整備の種類

　甲種消防設備士が行うことができる工事及び整備の種類は、表7・4・4に示す消防用設備等の工事又は整備である。

表7・4・4　甲種消防設備士が行うことができる工事及び整備の種類

指定区分	消防用設備等の種類
第1類	屋内消火栓設備 、スプリンクラー設備、水噴霧消火設備又は屋外消火栓設備
第2類	泡消火設備
第3類	不活性ガス消火設備、ハロゲン化物消火設備又は粉末消火設備
第4類	自動火災報知設備、ガス漏れ火災警報設備又は消防機関へ通報する火災報知設備
第5類	金属製避難はしご、救助袋又は緩降機

　② 乙種消防設備士が行うことができる整備の種類

　乙種消防設備士が行うことができる整備の種類は、表7・4・5に示す消防用設備等の整備である。

表7・4・5　乙種消防設備士が行うことができる整備の種類

指定区分	消防用設備等の種類
第1類	屋内消火栓設備 、スプリンクラー設備、水噴霧消火設備又は屋外消火栓設備
第2類	泡消火設備
第3類	不活性ガス消火設備、ハロゲン化物消火設備又は粉末消火設備
第4類	自動火災報知設備、ガス漏れ火災警報設備又は消防機関へ通報する火災報知設備
第5類	金属製避難はしご、救助袋又は緩降機
第6類	消火器
第7類	漏電火災警報器

ポイント

消防設備士

補　足　R06

消防設備士の講習
消防設備士は、免状の交付を受けた日以後における最初の4月1日から2年以内に規定する講習を受けなければならない。また、講習を受けた日以後における最初の4月1日から5年以内に講習を受けなければならない。当該講習を受けた日以降においても同様とする。

H30　H28

補　足　H27

ガス漏れ火災警報設備の工事又は整備は、消防設備士の資格が必要。
ただし、電源の部分の工事は電気工事士が行う。

7-5 労働安全衛生法

　労働安全衛生法に基づく、建設工事現場で起こり得る労働災害のうち、感電災害、墜落災害、飛来・落下災害、建設機械による災害及び酸素欠乏危険作業など現場作業の安全基準については、第6章「施工管理」6-6安全管理に記載している。

1 ▶ 安全衛生管理体制

R03

　建設業において、事業者は政令で定める規模の事業場ごとに、安全管理体制における管理者などを選任しなければならない。
　政令で定める規模の事業場の定義を、表7・5・1に示す。

表7・5・1　政令で定める事業場

業種の区分
1.　林業、鉱業、**建設業**、運送業及び清掃業
2.　製造業、電気業、ガス業、熱供給業、水道業、通信業、各種商品卸売業、家具・建具・じゅう器等卸売業、各種商品小売業、家具・建具・じゅう器小売業、燃料小売業、旅館業、ゴルフ場業、自動車整備業及び機械修理業
3.　その他の業種

　常時使用する労働者の数が50人以上となる場合には、表7・5・2のような管理者などを選任する必要がある。

表7・5・2　安全衛生管理体制における管理者などの選任

単一企業で常時50人以上	複数企業で常時50人以上
・安全管理者 ・衛生管理者 ・産　業　医 常時100人以上の場合さらに ・総括安全衛生管理者	・統括安全衛生責任者 　（特定元方事業者から選任） ・元方安全衛生管理者 　（特定元方事業者から選任） ・安全衛生責任者 　（下請事業者から選任）

ポイント

管理者の選任
・　総括安全衛生管理者
・　安全管理者
・　衛生管理者
・　産　業　医

R06　R05　R01　H27

(1) 総括安全衛生管理者

①　総括安全衛生管理者の選任

　事業者は、政令で定める業種の事業場で、常時使用する労働者の数が 100 人以上（建設業）となった場合、その日から 14 日以内に総括安全衛生管理者を選任し、遅滞なく所轄労働基準監督署長に選任報告書を提出しなければならない。

②　総括安全衛生管理者の職務

　総括安全衛生管理者は、当該事業所においてその事業の実施を統括管理する者とし、**安全管理者、衛生管理者等の指揮**などをするとともに、以下の業務を統括管理する。

イ　労働者の危険又は健康障害を防止するための措置
ロ　労働者の安全又は衛生のための教育の実施
ハ　健康診断の実施その他健康の保持増進のための措置
ニ　労働災害の原因の調査及び再発防止対策
ホ　労働災害を防止するため必要な業務

(2) 安全管理者

①　安全管理者の選任と資格

　事業者は、政令で定める業種の事業場で、常時使用する労働者の数が 50 人以上（建設業）となった場合、その日から 14 日以内に**安全管理者**を選任し、遅滞なく所轄労働基準監督署長に選任報告書を提出しなければならない。

　事業者は、大学又は高等専門学校で理科系統の正規の学科を修めて卒業した者で、その後 2 年以上産業安全の実務に従事した経験を有する者、高等学校又は中等教育学校で理科系統の正規の学科を修めて卒業した者で、その後 4 年以上産業安全の実務に従事した経験を有する者のうちから安全管理者を選任しなければならない。

②　安全管理者の職務

　総括安全衛生管理者が統括管理する業務のうち安全に係る技術的事項を管理する。

　安全管理者は、作業場等を巡視し、設備、作業方法等に危険のおそれがあるときは、直ちにその危険を防止するため必要な措置を講じる。

ポイント
総括安全衛生管理者
R06　R04　H29

補　足　R06　H28
労働基準監督署長は、労働災害を防止するため必要があると認めるときは、事業者に対し、**安全管理者及び衛生管理者の増員又は解任**を命ずることができる。（安衛法 11 条）

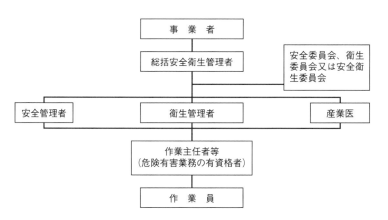

図7・5・1　事業場における安全管理体制図例（1）
〈労働者が常時 100 人以上〉

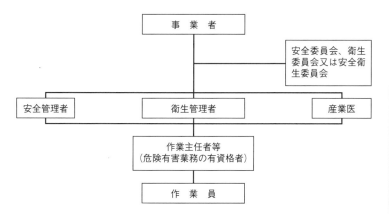

図7・5・2　事業場における安全管理体制図例（2）
〈労働者が常時 50 ～ 99 人〉

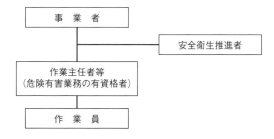

図7・5・3　事業場における安全管理体制図例（3）
〈労働者が常時 10 ～ 49 人〉

(3) 衛生管理者

① 衛生管理者の選任と資格

事業者は、政令で定める業種の事業場で、常時使用する労働者の数が 50 人以上（建設業）となった場合、その日から 14 日以内に衛生管理者を選任し、遅滞なく所轄労働基準監督署長に選任報告書を提出しなければならない。

事業者は、次の資格を有する者のうちから衛生管理者を選任しなければならない。

イ　医師

ロ　歯科医師

ハ　労働衛生コンサルタント及び厚生労働大臣が定める者

R06

② 衛生管理者の職務

総括安全衛生管理者が統括管理する業務のうち衛生に係る技術的事項を管理する。

衛生管理者は、少なくとも毎週 1 回は作業場等を巡視し、設備、作業方法又は衛生状態に有害のおそれがあるときは、直ちに労働者の健康障害を防止するため必要な措置を講じる。

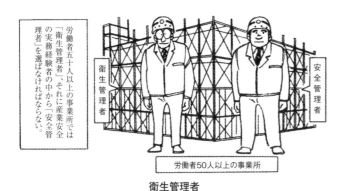

労働者五十人以上の事業所では「衛生管理者」それに産業安全の実務経験者の中から「安全管理者」を選ばなければならない。

衛生管理者

安全管理者

労働者50人以上の事業所

衛生管理者

(4) 産 業 医

① 産業医の選任と資格

事業者は、政令で定める業種の事業場で、常時使用する労働者の数が 50 人以上（建設業）となった場合、その日から 14 日以内に産業医を選任し、遅滞なく所轄労働基準監督署長に選任報告書を提出しなければならない。

事業者は、医師のうちから産業医を選任しなければならない。

② 産業医の職務

　産業医は、労働者の健康管理に関する事項の他、次の事項等を行う。

・健康診断及び面接指導等
・作業環境の維持管理
・健康教育、健康相談その他労働者の健康の保持増進を図るための措置
・衛生教育

　産業医は、少なくとも**毎月１回**は作業場等を巡視し、作業方法又は衛生状態に有害のおそれがあるときは、直ちに労働者の健康障害を防止するため必要な措置を講じる。

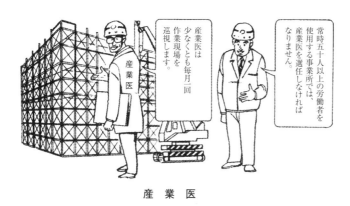

産　業　医

(5) 統括安全衛生責任者

　建設業の**特定元方事業者（元請）**は、下請も含めた労働者の数が**50 人以上**となった場合、**統括安全衛生責任者を選任**する。

　統括安全衛生責任者は、当該事業所においてその事業の実施を統括管理する者とし、**元方安全衛生管理者の指揮**を行うとともに、特定元方事業者の講ずべき措置を統括管理する。

特定元方事業者の講ずべき措置には、次のものがある。

① **協議組織の設置及び運営**
② 作業間の連絡及び調整
③ **作業場所の巡視**（毎作業日に少なくとも１回）
④ 関係請負人が行う労働者の安全・衛生教育の指導及び援助
⑤ 工程計画及び機械、設備などの配置計画
⑥ 当該労働災害の防止

ポイント

統括安全衛生責任者

R05　R02　R01

用　語

元方事業者：
１つの場所で行う事業の仕事の一部を請負人に請負わせている者の内、最も先次の注文者。

特定事業：
建設業その他政令に定める事業。

特定元方事業者：
特定事業を行う元方事業者。

同一場所で元請、下請合わせて、常時50人以上の労働者が混在する工事現場
（ずい道、一定の橋梁、圧気工事では30人以上）

統括安全衛生責任者

元方事業者の工事事務所長等、事業の実施を統括管理する者が当たります。

統括安全衛生責任者

(6)　元方安全衛生管理者

①　元方安全衛生管理者の選任と資格

統括安全衛生責任者を選任した事業者（元請）は、下請も含めた労働者の数が常時 50 人以上となった場合、元方安全衛生管理者を選任する。選任はその事業場に専属の者でなければならない。

事業者は、大学又は高等専門学校で理科系統の正規の学科を修めて卒業した者で、その後 3 年以上建設工事の施工における安全衛生の実務に従事した経験を有する者、高等学校又は中等教育学校で理科系統の正規の学科を修めて卒業した者で、その後 5 年以上建設工事の施工における安全衛生の実務に従事した経験を有する者のうちから元方安全衛生管理者を選任しなければならない。

②　元方安全衛生管理者の職務

統括安全衛生責任者が統括管理する業務（特定元方事業者が講ずべき措置）のうち技術的事項を管理する。

ポイント

元方安全衛生管理者

元方安全衛生管理者は統括安全衛生責任者を補佐します。

統括安全衛生責任者

1. 大学、高専の理科系卒業後3年以上安全衛生の実務経験者
2. 高校の理科系卒業後5年以上安全衛生の実務経験者
3. 厚生労働大臣の定める者

元方安全衛生管理者

元方安全衛生管理者

(7) 店社安全衛生管理者

R02

① 店社安全衛生管理者の選任

　元方事業者及び関係請負の労働者の数が常時 20 人以上の規模の事業場で、統括安全衛生責任者及び元方安全衛生管理者の選任が義務付けられていない場合であって、特定の工種の建設を行う場合、店社安全衛生管理者を選任し、労働基準監督署長に報告しなければならない。特定の工種以外の工種および常時 10 人以上 50 人未満の事業場においては安全衛生推進者が行う。

店社：
工事現場の指導、支援や管理業務を行う本社、支店等の組織。

② 店社安全衛生管理者の職務

H30　H27

- イ　協議組織の設置及び運営を行うこと。
- ロ　作業間の連絡及び調整を行うこと。
- ハ　作業場所を巡視すること。
- ニ　関係請負人が行う労働者の安全又は衛生のための教育に対する指導及び援助を行うこと。
- ホ　仕事を行う場所が仕事ごとに異なることを常態とする業種で、厚生労働省令で定める事業を行う特定元方事業者は、工程計画及び機械、設備等の配置計画を作成し、法令に基づき講ずべき措置についての指導を行うこと。

(8) 安全衛生責任者

R06　H30

　統括安全衛生責任者を選任した事業者（元請）以外の請負人（下請）は、元請も含めた労働者の数が常時 50 人以上となった場合、**安全衛生責任者を選任し、統括安全衛生責任者との連絡**その他厚生労働省令で定める事項を行わせる。

　厚生労働省令で定める事項は、次のとおりである。

- ①　統括安全衛生責任者から連絡を受けた事項の関係者への連絡
- ②　上記連絡を受けた事項のうち請負人に係るものの実施及び管理
- ③　特定元方事業者が作成する工程及び施工計画との調整
- ④　労働災害に係る危険の有無の確認
- ⑤　下請負人の安全衛生責任者との作業間の連絡・調整

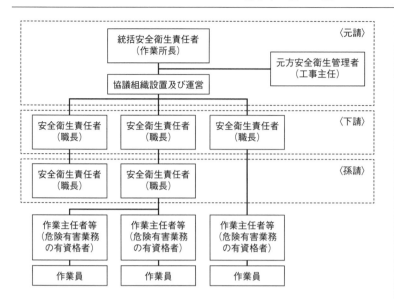

図7・5・4 建設工事現場における安全管理体制図例（1）
〈関係請負人の労働者を含めて常時 50 人以上の現場〉

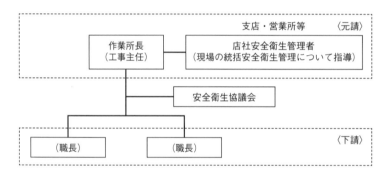

図7・5・5 建設工事現場における安全管理体制図例（2）
〈関係請負人の労働者を含めて常時 20 ～ 49 人（主要構造部が鉄骨造、
鉄骨鉄筋コンクリート造である建築物の建設の場合）の現場〉

表7・5・3　建設現場における安全管理体制概要

項目	統括安全衛生責任者	元方安全衛生管理者	安全衛生責任者	店社安全衛生責任者
ⅰ.選任を要する場所	「－の場所（例えば、ビル建設の作業場全域）」で工事を行う元請（最先次）の労働者と下請負人（関係請負人という）の労働者の合計が、常時50人以上となる「－の場所」			「－の場所（例えば、ビル建設の作業場全域）」で工事を行う元請（最先次）の労働者と下請負人（関係請負人という）の労働者の合計が、常時29～49人となる「－の場所」
ⅱ.選任する者	特定元方事業者		特定元方事業者以外の関係請負人	特定元方事業者
ⅲ.指揮をする対象者	元方安全衛生管理者		－	次の事項を担当する者 ・協議組織の設置及び運営 ・作業間の連絡、調整 ・作業場所の巡視 ・関係請負人が行う安全、衛生教育の指導及び援助 ・工程計画及び作業場所の機械、設備等の配置計画並びに使用する作業の指導 ・その他、労働災害防止に必要な事項
ⅳ.業務の主な目的	元請と下請の労働者が同一の場所で混在して作業することにより生ずる労働災害の防止			
ⅴ.主な業務	・協議組織の設置及び運営 ・作業間の連絡、調整 ・作業場所の巡視 ・関係請負人が行う安全、衛生教育の指導及び援助 ・工程計画及び作業場所の機械、設備等の配置計画並びに使用する作業の指導 ・その他、労働災害防止に必要な事項	・協議組織の設置及び運営 ・作業間の連絡、調整 ・作業場所の巡視 ・関係請負人が行う安全、衛生教育の指導及び援助 ・工程計画及び機械、設備等の配置計画 ・上記各項の技術的事項管理	・統括安全責任者との連絡及び受けた連絡事項を関係者へ連絡 ・統括安全衛生責任者からの連絡事項の実施についての管理 ・請負人が作成する作業計画等を統括安全衛生責任者と調整 ・混在作業による危険の有無確認 ・請負人が仕事の一部を下請させる場合、下請の安全衛生責任者と連絡調整	・統括安全衛生管理担当者の指導 ・現場の指導(毎月1回) ・作業の実施状況の把握 ・協議組織の随時参加 ・計画に関し法令措置の確認

2 ▶ 委員会の体制

(1) 安全委員会

　建設業の事業者は、常時使用する労働者の数が 50 人以上となる事業場には、安全委員会を設けなければならない。

　安全委員会では以下の事項を調査審議する。

① 労働者の危険を防止するための基本となるべき対策
② 労働災害の原因及び再発防止対策で、安全に係るもの
③ 労働者の危険防止に関する重要事項

R04　R03　H28

(2) 衛生委員会

　建設業の事業者は、常時使用する労働者の数が 50 人以上となる事業場には、衛生委員会を設けなければならない。

　衛生委員会では以下の事項を調査審議する。

① 労働者の健康障害を防止するための基本となるべき対策
② 労働者の健康の保持増進を図るための基本となるべき対策
③ 労働災害の原因及び再発防止対策で、衛生に係るもの
④ 労働者の健康障害の防止及び健康の保持増進に関する重要事項
⑤ 事業者は、当該事業場の労働者で、作業環境測定を実施している作業環境測定士であるものを衛生委員会の委員として指名することができる。

(3) 安全衛生委員会

　建設業の事業者は、安全委員会及び衛生委員会の設置に代えて、安全衛生委員会を設置することができる。

　事業者は、当該事業場の労働者で、作業環境測定を実施している作業環境測定士であるものを安全衛生委員会の委員として指名することができる。

補　足

委員会の議事で重要な記録は、3年間保存しなければならない。

3▶作業主任者

(1) 作業主任者の選任

　事業者は、高圧室内作業その他の労働災害を防止するための管理を必要とする作業で、政令で定めるものについては、都道府県労働局長の免許を受けた者又は都道府県労働局長の登録を受けた者が行う技能講習を修了した者のうちから、当該作業の区分に応じて、作業主任者を選任し、その者に当該作業に従事する労働者の指揮その他の事項を行わせなければならない。

補　足

作業主任者は、免許を受けた者、又は技能講習を修了した者でなければ選任できない。

高圧室内作業（潜函工法その他の圧気工法により、大気圧を超える気圧下の作業室又はシャフトの内部において行う作業に限る）には、作業主任者を選任せねばなりません。

作業主任者

作業主任者の選任

(2) 作業主任者の氏名の周知

　事業者は、作業主任者を選任したときは、当該作業主任者の氏名及びその者に行わせる事項を作業場の見やすい箇所に掲示するなどにより関係者に周知させなければならない。

(3) 作業主任者を選任すべき作業

作業主任者を選任すべき作業で、電気工事業に関係の深いものを、表 7・5・3 に示す。

表 7・5・3 作業主任者を選任すべき作業

名　称	作業内容	資格
高圧室内作業主任者	高圧室内作業（潜函工法その他の圧気工法で行われる高圧室内作業）	免許者
ガス溶接作業主任者	アセチレン又はガス集合装置を用いて行う溶接などの作業	
地山の掘削作業主任者	掘削面の高さ 2 m 以上となる地山の掘削作業	技能講習修了者
土止め支保工作業主任者	土止め支保工の切りばり又は腹起こしの取付け又は取外しの作業	
型わく支保工の組立て等作業主任者	型わく支保工組立て又は解体の作業	
足場の組立て等作業主任者	吊り足場（ゴンドラの吊り足場を除く）、張出し足場又は高さ 5 m 以上の構造の足場の組立て、解体又は変更の作業	
酸素欠乏危険作業主任者	酸素欠乏危険場所における作業（地下ピット内の配管作業、屎尿を入れたことのある槽の内部作業など）	
ボイラー取扱い作業主任者	ボイラー（小型ボイラーを除く）の取扱い作業	
第 1 種圧力容器取扱い作業主任者	第 1 種圧力容器（小型圧力容器を除く）の取扱いの作業	
有機溶剤作業主任者	屋内作業又はタンク、船倉もしくは坑の内部その他の場所において有機溶剤を製造し、又は取扱う業務に係る作業	

R06　R02　H28

＊免許者、技能講習修了者はそれぞれの作業主任者に係る免許、技能講習が必要。（例えば高圧室内作業主任者であれば「高圧室内作業主任者免許」、地山の掘削作業主任者であれば「地山の掘削作業主任者技能講習」）

4 ▶ 安全衛生教育

(1) 安全衛生教育
事業者は、次の場合**教育**又は**特別教育**を行わなければならない。

① 労働者を**雇い入れた**とき、又は労働者の**作業内容を変更**したときは、厚生労働省令で定めるところにより、その従事する業務に関する安全又は衛生のための**教育**を行わなければならない。

② 労働者を**危険又は有害な業務**につかせるときは、厚生労働省令で定めるところにより、当該業務に関する安全又は衛生のための**特別教育**を行わなければならない。

(2) 特別教育
厚生労働省令で定める**危険又は有害な業務**を、表7・5・4に示す。

表7・5・4 危険又は有害な業務（抜粋）

・ 研削といしの取替え又は取替え時の試運転
・ アーク溶接機を用いて行う金属の溶接、溶断など
・ 高圧、特別高圧の充電電路もしくは当該充電電路の**支持物の敷設、点検、修理もしくは操作**
・ 低圧の充電電路の敷設もしくは修理、配電盤室、変電室など区画された場所に設置する低圧の電路のうち充電部分が**露出している開閉器操作**
・ 制限荷重5t未満の揚貨装置の運転
・ つり上げ荷重が5t未満のクレーンの運転
・ つり上げ荷重が5t以上の跨線テルハ運転
・ つり上げ荷重が1t未満の移動式クレーンの運転
・ つり上げ荷重が5t未満のデリックの運転
・ 作業床の高さが10m未満の高所作業車の運転
・ 小型ボイラーの取扱い
・ つり上げ荷重が1t未満のクレーン、移動式クレーン又はデリックの玉掛け業務
・ 動力により駆動される巻上げ機の運転
・ ゴンドラの操作

ポイント

雇入れ時の教育と特別教育
雇入れ時の教育には、作業開始時の点検に関すること、整理、整頓及び清潔の保持に関すること、事故時等における応急措置及び退避に関すること、なども含まれる。

(3) 職長教育

　事業者は、その事業場の業種が政令で定めるものに該当するときは、新たに職務につくことになった職長その他の作業中の労働者を直接指導又は監督する者（作業主任者を除く。）に対し、次の事項について、省令で定めるところにより、安全又は衛生のための教育を行わなければならない。

① 作業方法の決定及び労働者の配置に関すること。
　イ 作業手順の定め方
　ロ 作業方法の改善
　ハ 労働者の適正な配置の方法
② 労働者に対する指導又は監督の方法に関すること。
　イ 指導及び教育の方法
　ロ 作業中における監督及び指示の方法
③ ①、②に掲げるもののほか、労働災害を防止するため必要な事項で、厚生労働省令で定めるもの。
　イ 作業設備及び作業場所の保守管理に関すること。
　　・ 作業設備の安全化及び環境改善の方法
　　・ 環境条件の保持
　　・ 安全又は衛生のための点検の方法
　ロ 異常時などにおける措置に関すること。
　　・ 異常時における措置
　　・ 災害発生時における措置
　ハ その他現場監督者として行うべき労働災害防止活動に関すること。
　　・ 労働災害防止についての関心の保持
　　・ 労働災害防止についての労働者の創意工夫を引き出す方法

R06　R02

7-6 ▶ 労 働 基 準 法

1 ▶ 総 則

(1) 労働条件の原則

① 労働条件は、労働者が人たるに値する生活を営むための必要を充たすべきものでなければならない。

② 労働条件の基準は最低のものであるから、労働関係の当事者は、この基準を理由として労働条件を低下させてはならないことはもとより、その向上を図るように努めなければならない。

(2) 労働条件の決定

① 労働条件は、労働者と使用者が、対等の立場において決定すべきものである。

② 労働者及び使用者は、労働協約、就業規則及び労働契約を遵守し、誠実に各々その義務を履行しなければならない。

(3) 均等待遇

① 使用者は、労働者の国籍、信条又は社会的身分を理由として、賃金、労働時間その他の労働条件について、差別的取扱をしてはならない。

(4) 定 義

① 「労働者」とは、職業の種類を問わず、事業または事務所に使用される者で、賃金を支払われる者をいう。

② 「使用者」とは、事業主又は事業の経営担当者その他その事業の労働者に関する事項について、事業主のために行為をするすべての者をいう。

R06

2 ▶ 労 働 契 約

(1) 法律違反の契約

　この法律で定める基準に達しない労働条件を定める労働契約は、その部分については無効とする。この場合において、無効となった部分は、この法律で定める基準による。

(2) 解 雇

　解雇は、客観的に合理的な理由を欠き、社会通念上相当であると認められない場合は、その権利を濫用したものとして、無効とする。

(3) 解雇制限

　使用者は、労働者が業務上負傷し、または疾病にかかり療養のために休業する期間及びその後30日間は、解雇してはならない。

(4) 解雇の予告

　使用者は、労働者を解雇しようとする場合においては、少なくとも30日前に解雇の予告をしなければならない。30日前に予告しない使用者は、30日分以上の平均賃金を支払わなければならない。

　ただし、天災事変その他やむを得ない事由のため事業の継続が不可能となった場合または労働者の責に帰すべき事由に基づいて解雇する場合においては、この限りではない。

ポイント

労働契約

補 足　R06

賠償予定の禁止
使用者は、労働契約の不履行について違約金を定め、又は損害賠償額を予定する契約をしてはならない。

クビだ！

三十日前に予告されていないじゃないですか。三十日分以上の平均賃金を支払ってください。

労働者

使用者

使用者は労働者を解雇しようとする場合、少なくとも三十日前に予告しなければならない。

解雇の予告

3 ▶ 賃　　　金

(1) 賃金の支払

　賃金は、原則として通貨で、**直接労働者に**、その全額を支払わなければならない。

　賃金は、**毎月1回以上**、一定の期日を定めて支払わなければならない。ただし、臨時に支払われる賃金、賞与その他これに準ずるものについては、この限りでない。

(2) 非常時払

　使用者は、労働者が出産、疾病、災害その他省令で定める非常の場合の費用に充てるために請求する場合においては、**支払期日前であっ**ても、**既往（きおう）の労働に対する賃金を支払わなければならない。**

非常時払

(3) 休業手当

　使用者の責に帰すべき事由による休業の場合においては、使用者は、休業期間中当該労働者に、その平均賃金の **60/100 以上**の手当を支払わなければならない。

(4) 出来高払制の保障給

　出来高払制その他の請負制で使用する労働者については、使用者は、**労働時間に応じ一定額の賃金の保障をしなければならない。**

賃金の支払

補　足

既往（きおう）の労働：
過去に行った労働。

4 ▶ 労働時間、休憩、休日及び年次有給休暇

（1）労働時間

使用者は、労働者に、休憩時間を除き1週間につき40時間を超えて、労働させてはならない。

使用者は、1週間の各日については、労働者に、休憩時間を除き1日について8時間を超えて、労働させてはならない。

労働時間は、**労使協定**で定めをした場合には、1週間、1ヶ月、3ヶ月、1年以内ごとの単位の変形労働時間やフレックスタイム制が認められる。

労働時間

（2）休　憩

使用者は、労働時間が6時間を超える場合においては少なくとも**45分**、8時間を超える場合においては少なくとも**1時間の休憩時間**を労働時間の途中に与えなければならない。

休憩時間は、**一斉**に与えなければならない。

ただし、当該事業所に、労働者の過半数で組織する労働組合がある場合においてはその労働組合、労働者の過半数で組織する労働組合がない場合においては労働者の過半数を代表する者との書面による協定があるときは、この限りでない。

使用者は、休憩時間を**自由**に利用させなければならない。

（3）休　日

使用者は、労働者に対して、**毎週少なくとも1回の休日**を与えなければならないが、4週間を通じ4日以上の休日を与える使用者については適用しない。

ポイント

労働時間

補　足

労基法は2019年の改正で時間外労働の上限規制が明記された。建設業では適用が5年間猶予されている。

(4) 時間外、休日及び深夜の割増賃金

使用者が、労働時間を延長し、または休日に労働させた場合においては、その時間またはその日の労働については、通常の労働時間または労働日の賃金の計算額の2割5分以上5割以下の範囲内で割増賃金を支払わなければならない。

使用者が、午後10時から午前5時まで（深夜の労働）の間において労働させた場合においては、その時間の労働については、通常の労働時間の賃金の計算額の2割5分以上の率で計算した**割増賃金**を支払わなければならない。

(5) 年次有給休暇

使用者は、その雇入れの日から起算して6ヶ月間継続勤務し全労働日の8割以上出勤した労働者に対して、継続し、または分割した10労働日の有給休暇を与えなければならない。

使用者は、原則として1年6ヶ月以上継続勤務した労働者に対しては、その雇入れの日から起算して6ヶ月を超えて継続勤務する日から起算した継続勤務年数1年ごとに、10労働日に、表7・6・1の左欄に掲げる6ヶ月経過日から起算した継続勤務年数の区分に応じ同表の右欄に掲げる労働日を加算した有給休暇を与えなければならない。

表7・6・1　年次有給休暇

6ヶ月経過日から起算した継続勤務年数	労働日
1年	10＋1労働日
2年	10＋2労働日
3年	10＋4労働日
4年	10＋6労働日
5年	10＋8労働日
6年以上	10＋10労働日

使用者は、有給休暇を労働者の**請求する時季**に与えなければならない。ただし、請求された時季に有給休暇を与えることが事業の正常な運営を妨げる場合においては、他の時季にこれを与えることができる。

補足

労基法の改正により月60時間を超える時間外労働については、5割以上の割増賃金を支払わなければならない。

R06

補足

労基法の改正により年10日以上の年次有給休暇を有する労働者に対して、年5日については使用者が時季を指定して取得させることが義務付けられた。

5 ▶ 年少者の労働

(1) 最低年齢

　使用者は、児童が満 15 歳に達した日以後の最初の 3 月 31 日が終了するまで、これを使用してはならない。

　ただし、児童の健康及び福祉に有害でなく、かつ、その労働が軽易なものについては、行政官庁の許可を受けて、満 13 歳以上の児童をその者の修学時間外に使用することができる。

ポイント

年少者の労働
R02

明日にならないとダメ！

働きたいんです。

使用者

満15歳の児童

最低年齢

(2) 年少者の証明書

　使用者は、満 18 歳に満たない者について、その年齢を証明する戸籍証明書を事業所に備え付けなければならない。

R06

(3) 未成年者の労働契約

　未成年者の労働契約には、以下のような規定がある。

①　親権者または後見人は、未成年者に代って労働契約を締結してはならない。

②　親権者または後見人または行政官庁は、労働契約が未成年者に不利であると認める場合においては、将来に向かってこれを解除することができる。

③　未成年者は、独立して賃金を請求することができる。

④　親権者または後見人は、未成年者の賃金を代って受け取ってはならない。

H30　H27

(4) 危険有害業務の就業制限

　使用者は、満18歳に満たない者に、運転中の機械もしくは動力伝導装置の危険な部分の掃除、注油、検査もしくは修繕をさせ、運転中の機械もしくは動力伝導装置にベルトもしくはロープの取付けもしくは取りはずしをさせ、動力によるクレーンの運転をさせ、その他省令で定める危険な業務に就かせ、または省令で定める重量物を取り扱う業務に就かせてはならない。

　満18歳に満たない者を就かせてはならない業務（電気工事関連）

① クレーン、デリック又は揚荷装置の運転

② 直流750 V、交流300 Vを超える電圧の充電電路またはその支持物の点検・修理・操作

③ クレーン、デリック又は揚荷装置の玉掛け

④ 高さ5 m以上の場所で、墜落により労働者が危害を受けるおそれのあるところにおける業務

⑤ 足場の組立、解体または変更の業務

危険有害業務の就業制限

ポイント

危険有害業務の就業制限

6 ▶ 就 業 規 則・雑 則

（1）作成及び届出の義務

　常時 10 人以上の労働者を使用する使用者は、次に掲げる事項について就業規則を作成し、行政官庁に届け出なければならない。次に掲げる事項を変更した場合においても、同様とする。

① 　始業及び終業の時刻、休憩時間、休日、休暇並びに交替制の就業時転換

② 　賃金（臨時の賃金等を除く）

③ 　退職に関する事項及び退職手当

④ 　臨時の賃金等（退職手当を除く）

⑤ 　労働者に食費、作業用品その他の負担の定め

⑥ 　安全及び衛生に関する定め

⑦ 　職業訓練に関する定め

⑧ 　災害補償及び業務外の傷病扶助に関する定め

⑨ 　表彰及び制裁の定め

⑩ 　前各号に掲げるもののほか、当該事業場の労働者のすべてに適用される定めをする場合においては、これに関する事項

作成および届出の義務

ポイント

就業規則に明記すべき事項

R05　R01　H28

(2) 労働者名簿

使用者は、**各事業場ごとに**労働者名簿を、各労働者について調製し、労働者の氏名、生年月日、履歴その他省令で定める事項を記入しなければならない。

その他省令で定める事項は、次に掲げるものとする。

① 性別
② 住所
③ 従事する業務の種類
④ 雇入の年月日
⑤ 退職の年月日及びその事由
⑥ 死亡の年月日及びその原因

(3) 賃金台帳

使用者は、**各事業所ごとに**賃金台帳を調製し、賃金計算の基礎となる事項及び賃金の額その他省令で定める事項を賃金支払の都度遅滞なく記入しなければならない。

(4) 記録の保存

使用者は、**労働者名簿、賃金台帳**及び雇入、解雇、災害補償、賃金その他労働関係に関する**重要な書類を3年間保存**しなければならない。

(5) 適用除外

この法律は、同居の親族のみを使用する事業及び家事使用人については適用しない。

7-7 その他の関係法規

1 道　路　法

（1）道路占用の許可

　道路に次の各号のいずれかに掲げる工作物、物件又は施設を設け、継続して道路を使用する場合は、道路管理者の許可を受けなければならない。

① 電柱、電線、変圧塔、郵便差出箱、公衆電話所、広告塔その他これらに類する工作物
② 水管、下水道管、ガス管その他これらに類する物件
③ 鉄道、軌道その他これらに類する施設
④ 歩廊、雪よけその他これらに類する施設
⑤ 地下街、地下室、通路、浄化槽その他これらに類する施設
⑥ 露店、商品置場その他これらに類する施設
⑦ 道路の構造又は交通に支障を及ぼす虞<small>おそれ</small>のある工作物、物件又は施設で政令で定めるもの

（2）道路占用の許可の申請

　道路占用の許可を受けようとする者は、次の各号に掲げる事項を記載した申請書を道路管理者に提出しなければならない。

① 道路の占用の目的
② 道路の占用の期間
③ 道路の占用の場所
④ 工作物、物件又は施設の構造
⑤ 工事実施の方法
⑥ 工事の時期
⑦ 道路の復旧方法

ポイント

道路占用許可

用　語

占用：
道路に工作物、物件又は施設等を設け、継続して道路を使用することをいう。

2 ▶ 道 路 交 通 法

(1) 道路使用の許可

R06

次の各号のいずれかに該当する者は、それぞれ当該各号に掲げる行為について、当該行為に係る場所を管轄する警察署長の許可を受けなければならない。

① 道路において工事もしくは作業をしようとする者又は当該工事もしくは作業の請負人

② 道路に石碑、銅像、広告板、アーチその他これらに類する工作物を設けようとする者

③ 場所を移動しないで、道路に露店、屋台店その他これらに類する店を出そうとする者

④ 道路において祭礼行事をし、又はロケーションをする等一般交通に著しい影響を及ぼすような通行の形態もしくは方法により道路を使用する行為又は道路に人が集まり一般交通に著しい影響を及ぼすような行為で、公安委員会が、その土地の道路又は交通の状況により、道路における危険を防止し、その他交通の安全と円滑を図るため必要と認めて定めたものをしようとする者

(2) 道路使用の許可の申請

道路使用の許可を受けようとする者は、次の各号に掲げる事項を記載した申請書を所轄警察署長に提出しなければならない。

① 申請者の住所及び氏名（法人にあっては、その名称及び代表者の氏名）

② 道路使用の目的

③ 道路使用の場所又は区間

④ 道路使用の期間

⑤ 道路使用の方法又は形態

⑥ 現場責任者の住所及び氏名

3 ▶ 騒音規制法

(1) 特定建設作業

建設工事として実施される作業のうち、著しい騒音を発生する作業であって、政令で定めるものをいう。

ただし、当該作業がその作業を開始した日に終わるものを除く。

政令で定める特定建設作業とは、次のものをいう。

特定建設作業

特定建設作業
一、くい打機、くい抜き機を使用する作業
二、びょう打機を使用する作業
三、削岩機を使用する作業
四、空気圧縮機を使用する作業
五、コンクリートプラントまたはアスファルトプラントを設けて行う作業
六、バックホウを使用する作業
七、トラクターショベルを使用する作業
八、ブルドーザーを使用する作業

ポイント
特定建設作業
R04

(2) 実施の届出

指定地域内において特定建設作業を伴う建設工事を施工する者は、その作業開始日の7日前までに、市町村長に届出る。

実施の届出

市町村長
届出
作業開始の7日前まで

指定地域内で特定建設作業を伴う建設工事を施工しようとする者は、作業開始の7日前までに市町村長に届出なければならない。ただし、災害その他非常の事態の発生により、特定建設作業を緊急に行う必要がある場合は、届出を行い得る状態になり次第、速やかに届出する。

ポイント
特定建設作業の届出

(3) 届出内容

① 氏名又は名称及び住所（法人にあっては代表者の氏名）
② 建設工事の目的に係る施設又は工作物の種類
③ 特定建設作業の場所及び実施期間（付近の見取図等を添付）
④ 騒音防止の方法
⑤ その他環境省令で定める事項

4 ▶ 大気汚染防止法

R03

(1) ばい煙発生施設

「ばい煙」とは、次に掲げる物質をいう。

① 燃料その他の物の燃焼に伴い発生する**硫黄酸化物**

② 燃料その他の物の燃焼又は熱源として電気の使用に伴い発生するばいじん。

③ 物の燃焼、合成、分解その他の処理に伴い発生する物質のうち、カドミウム、塩素、フッ化水素、鉛その他人の健康を害する物質。

「**ばい煙発生施設**」とは、工場又は事業場に設置される施設でばい煙を発生し、及び排出するもののうち、その施設から排出されるばい煙が大気の汚染の原因となるもので政令で定めるものをいう。

ポイント
ばい煙発生施設

(2) ばい煙発生施設の設置と届出

ばい煙を大気中に排出する者は、ばい煙発生施設を設置しようとするとき、次の事項を**都道府県知事**に届け出なければならない。

① 氏名又は名称及び住所（法人にあっては代表者の氏名）

② 工場又は事業場の名称及び所在地

③ ばい煙発生施設の種類

④ ばい煙発生施設の構造

⑤ ばい煙発生施設の使用方法

⑥ ばい煙の処理方法

(3) 実施の制限

ばい煙発生施設の届出をした者は、届出が受理された日から 60 日を経過した後でなければ設置してはならない。

5 ▶ 廃棄物の処理及び清掃に関する法律

R02

（1）廃棄物

　「廃棄物」とは、ごみ・粗大ごみ・燃え殻・汚泥・ふん尿・廃油・廃酸・廃アルカリ・動物の死体その他の汚物又は不要物であって、固形状又は液状のもの（放射性物質及びこれによって汚染された物を除く）をいう。

　廃棄物は、図7・7・1に示すように分類されている。

ポイント

一般廃棄物と産業廃棄物

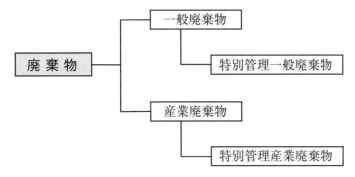

図7・7・1　廃棄物の分類

（2）一般廃棄物

　産業廃棄物以外の廃棄物を一般廃棄物という。

補　足

一般廃棄物

現場事務所内で発生した廃棄物は、一般廃棄物である。

（3）特別管理一般廃棄物

　一般廃棄物のうち、爆発性、毒性、感染性その他の人の健康又は生活環境に係る被害を生ずるおそれがある性状を有するものとして政令で定めるものを特別管理一般廃棄物という。

　政令で定める特別管理一般廃棄物は、次のとおりである。（抜粋）

　① 　廃エアコンディショナー

　② 　廃テレビジョン受信機

　③ 　廃電子レンジ

（4）産業廃棄物

　事業活動に伴って生じた廃棄物のうち、燃え殻・汚泥・廃油・廃酸・廃アルカリ・廃プラスチック類並びに輸入された廃棄物（航空廃棄物、携帯廃棄物を除く）その他政令で定める廃棄物をいう。

　政令で定める廃棄物には、次のようなものがある。（抜粋）

　① 　紙くず（工作物の新築、改築又は除去に伴って生じたものに限

ポイント

産業廃棄物

R06

る）

② 木くず（工作物の除去に伴って生じたものに限る）

③ ゴムくず

④ 金属くず

⑤ ガラスくず、コンクリートくず（工作物の新築、改築又は除去に伴って生じたものに限る）及び陶磁器くず

⑥ 工作物の新築、改築又は除去に伴って生じたコンクリートの破片その他これに類する不要物

⑦ 大気汚染防止法に規定するばい煙発生施設又は次に掲げる廃棄物の焼却施設において発生するばいじんであって、集じん施設によって集められたもの

・ 汚泥（事業活動に伴って生じたものに限る）

・ 廃プラスチック類（事業活動に伴って生じたものに限る）

補　足

特定建設資材
「建設工事に係る資材の再資源化等に関する法律」で、次のものが定められている。
一　コンクリート
二　コンクリート及び鉄から成る建設資材
三　木材
四　アスファルト・コンクリート

(5) 特別管理産業廃棄物

産業廃棄物のうち、爆発性、毒性、感染性その他の人の健康又は生活環境に係る被害を生ずるおそれがある性状を有するものとして政令で定めるものを**特別管理産業廃棄物**という。

政令で定める特別管理産業廃棄物は、次のとおりである。（抜粋）

① 引火性廃油

② 廃酸

③ 廃アルカリ

④ 特定有害産業廃棄物

・廃ポリ塩化ビフェニル、廃石綿等

R06

ポイント
特別管理産業廃棄物

(6) 事業者の責務

建設業者（事業者）は、建設工事に伴って生じた廃棄物を自らの責任において適正に処理しなければならない。

また、建設工事に伴って生じた廃棄物の**再生利用**などを行うことにより、その減量に努めなければならない。

(7) 産業廃棄物管理票

産業廃棄物を生ずる事業者（中間処理業者を含む。）は、その産業廃棄物の運搬又は処分を他人に委託する場合には、当該産業廃棄物の運搬又は処分を受託した者に対し、当該委託に係る産業廃棄物の種類及び数量、運搬又は処分を受託した者の氏名又は名称その他環境省令で定める事項を記載した**産業廃棄物管理票**を交付しなければならない。

管理票交付者は、当該管理票の写しを交付した日から5年間保存しなければならない。

管理票交付者は、管理票の写しの送付を受けたときは、当該管理票の写しを、送付を受けた日から5年間保存しなければならない。

6 ▶ 建設工事に係る資材の再資源化等に関する法律

R05　R01　H27

(1) 目　的

この法律は、特定の建設資材について、その分別解体等及び再資源化等を促進するための措置を講ずるとともに、解体工事業者について登録制度を実施すること等により、再生資源の十分な利用及び廃棄物の減量等を通じて、資源の有効な利用の確保及び廃棄物の適正な処理を図り、もって生活環境の保全及び国民経済の健全な発展に寄与することを目的とする。

(2) 定　義

- **建設資材**とは、土木建築に関する工事（以下「建設工事」という。）に使用する資材をいう。
- **建設資材廃棄物**とは、建設資材が廃棄物となったものをいう。
- **分別解体等**とは、次の各号に掲げる工事の種別に応じ、それぞれ当該各号に定める行為をいう。
  - 一　建築物その他の工作物の全部又は一部を解体する建設工事
    建築物等に用いられた建設資材に係る建設資材廃棄物をその種類ごとに分別しつつ当該工事を計画的に施工する行為
  - 二　建築物等の新築その他の解体工事以外の建設工事
    当該工事に伴い副次的に生ずる建設資材廃棄物をその種類ごとに分別しつつ当該工事を施工する行為
- **再資源化**とは、次に掲げる行為であって、分別解体等に伴って生じた建設資材廃棄物の運搬又は処分に該当するものをいう。
  - 一　分別解体等に伴って生じた建設資材廃棄物について、資材又は原材料として利用することができる状態にする行為
  - 二　分別解体等に伴って生じた建設資材廃棄物であって燃焼の用に供することができるもの又はその可能性のあるものについて、熱を得ることに利用することができる状態にする行為

- **特定建設資材**とは、コンクリート、木材その他建設資材のうち、建設資材廃棄物となった場合におけるその再資源化が資源の有効な利用及び廃棄物の減量を図る上で特に必要であり、かつ、その再資源化が経済性の面において制約が著しくないと認められるものとして政令で定めるものをいう。

（政令で定める特定建設資材）〈抜粋〉　　　　　　　　　　H30

　一　コンクリート
　二　コンクリート及び鉄から成る建設資材
　三　木材
　四　アスファルト・コンクリート

- 特定建設資材廃棄物とは、特定建設資材が廃棄物となったものをいう。
- 縮減とは、焼却、脱水、圧縮その他の方法により建設資材廃棄物の大きさを減ずる行為をいう。
- 再資源化等とは、再資源化及び縮減をいう。
- 建設業とは、建設工事を請け負う営業をいう。
- 下請契約とは、建設工事を他の者から請け負った建設業を営む者と他の建設業を営む者との間で当該建設工事の全部又は一部について締結される請負契約をいい、「発注者」とは、建設工事の注文者をいい、「元請業者」とは、発注者から直接建設工事を請け負った建設業を営む者をいい、「下請負人」とは、下請契約における請負人をいう。
- 解体工事業とは、建設業のうち建築物等を除却するための解体工事を請け負う営業をいう。
- 解体工事業者とは、第 21 条第 1 項の登録を受けて解体工事業を営む者をいう。

索　引

索　引

わ

1 級電気工事施工管理技士・第一次検定対策ならこちら

1 級電気工事施工管理技士
第一次検定基本テキスト

ISBN978-4-86358-956-8 C3054 ￥3200E
B5 判／定価 3,520 円（税込）

◆過去試験の出題傾向分析に基づき、重要な
　学習項目を網羅・解説

◆学習項目ごとにポイント、補足説明、用語
　を解説

1 級電気工事施工管理技士
第一次検定対策問解説集

ISBN978-4-86358-957-5 C3054 ￥3800E
B5 判／定価 4,180 円（税込）

◆過去 10 年（平成 27 年～令和 6 年）に出題
　された過去試験問題を年度別に収録

◆全 917 問に解答・解説を施し完全掲載した、
　第一次検定対策問題集の決定版！

施工管理技術検定試験は、建設業法第 27 条に基づき、建設工事に従事し又は従事しようとする者を対象に、施工技術を管理する十分な資質を有しているかを判定するために、第一次検定と第二次検定がそれぞれ独立して行われる国家試験です。1 級電気工事施工管理技術検定試験は、国土交通大臣から指定試験機関の指定を受けた（一財）建設業振興基金が実施しています。この第一次検定に合格すると、施工技術のうち、基礎となる知識・能力を有する「技士補」、第二次検定に合格すると、実務経験に基づいた技術管理や指導監督にかかる知識や能力を有する「技士」の称号が付与されます。

建築資料研究社
〒 171-0014 東京都豊島区池袋 2-38-1　日建学院ビル 3F
TEL.03-3986-3239　FAX.03-3987-3256　https://www.kskpub.com

【正誤等に関するお問合せについて】

　本書の記載内容に万一、誤り等が疑われる箇所がございましたら、**郵送・FAX・メール等の書面**にて以下の連絡先までお問合せください。その際には、お問合せされる方のお名前・連絡先等を必ず明記してください。また、お問合せの受付け後、回答には時間を要しますので、あらかじめご了承いただきまうよう、お願い申し上げます。

　なお、正誤等に関するお問合せ以外のご質問、受験指導および相談等はお受けできません。そのようなお問合せには回答いたしかねますので、あらかじめご了承ください。

お電話によるお問合せは、お受けできません。

[郵送先]
〒171-0014
東京都豊島区池袋 2-38-1　日建学院ビル　3F
建築資料研究社 出版部
「1級電気工事施工管理技士 第一次検定基本テキスト　2025年版」正誤問合せ係
[FAX]
03-3987-3256
[メールアドレス]
seigo@mx1.ksknet.co.jp

【本書の内容に関するお知らせについて】

　本書の発行後に発生しました 2025年度試験に関係する法改正・正誤等についての情報は、下記ホームページ内でご覧いただけます。

　なおホームページへの掲載ならびに正誤等のお問合せは、本書対象試験終了時ないし、本書の改訂版が発行されるまでとなりますのであらかじめご了承ください。

https://www.kskpub.com ➡ 訂正・追録

1級電気工事施工管理技士
第一次検定基本テキスト　2025年版
• •
2024年10月25日　　初版発行

編　著	1級電気工事施工管理技士教材研究会
発行人	馬場 栄一
発行所	株式会社 建築資料研究社
	〒171-0014 東京都豊島区池袋2-38-1 日建学院ビル　3F
	Tel. 03-3986-3239　Fax. 03-3987-3256
	https://www.kskpub.com
組版制作	株式会社マップス
印刷所	シナノ印刷株式会社

• •
ISBN978-4-86358-956-8
©2024 Kenchiku Shiryo Kenkyusha